新能源汽车
电机驱动系统电磁兼容
仿真与试验

XINNENGYUAN QICHE DIANJI QUDONG XITONG DIANCI JIANRONG FANGZHEN YU SHIYAN

张戟 / 著

化学工业出版社
·北京·

内容简介

随着智能网联和无人驾驶电动汽车的快速发展，针对电动汽车电机驱动系统的电磁兼容仿真分析与试验设计成为各大主机和零部件厂研发中不可或缺的环节，是研发工程师必须掌握的知识和技能。随着电力电子技术的发展，采用脉宽调制技术的功率逆变器广泛应用于电机驱动系统中。以 IGBT 为代表的高速开关器件的应用加快了功率逆变器的动态响应时间，提高了系统的运行性能。然而高速开关器件产生的高频脉冲信号具有较大的电压与电流瞬变，会带来严重的电磁干扰问题，对电机系统自身以及周围的环境产生较大的影响。要解决这一问题，不仅涉及许多工程技术问题，同时还涉及电磁场、电力电子变流技术、微电子技术和自动控制等理论问题。

本书以建模仿真、试验测量和工程案例相结合的方式，全面系统地讲述了新能源汽车电机驱动系统电磁干扰机理、数学建模方法、仿真及试验测试技术等相关内容，可帮助读者熟练掌握电机驱动系统电磁干扰的分析方法、建模仿真方法、干扰抑制方法及试验测试方法。

本书理论结合实际，实用性较强，可作为高等院校相关专业高年级本科生、研究生教材，也可供从事电磁兼容性研发、测试和设计的工程师参考学习使用。

图书在版编目（CIP）数据

新能源汽车电机驱动系统电磁兼容仿真与试验 / 张戟著. -- 北京 ：化学工业出版社，2025. 11. -- ISBN 978-7-122-48922-7

Ⅰ. U469. 703-39

中国国家版本馆 CIP 数据核字第 2025GN5772 号

责任编辑：王帅菲　张海丽
责任校对：边　涛　　　　装帧设计：刘丽华

出版发行：化学工业出版社
（北京市东城区青年湖南街 13 号　邮政编码 100011）
印　　装：北京云浩印刷有限责任公司
710mm×1000mm　1/16　印张 13　字数 245 千字
2025 年 12 月北京第 1 版第 1 次印刷

购书咨询：010-64518888　　售后服务：010-64518899
网　　址：http://www.cip.com.cn

定　　价：98.00 元　

前言

电机驱动系统是新能源汽车（电动汽车）区别于燃油汽车的重要标志。在汽车行驶过程中，电机驱动系统频繁与外界进行能量转换，系统中功率器件的高 dv/dt 和 di/dt 开关特性、牵引电机的速度或转矩变化等都将产生高幅值和宽频带的电磁干扰，使电动汽车的 EMC 问题变得异常复杂。因此，分析研究电机驱动系统传导 EMI 和辐射 EMI 的产生机理、传播路径以及建立 EMI 预测模型的方法，对于掌握和改善电动汽车整体的电磁兼容性有着极为重要的意义。

车用电机技术进步的一个重要方向就是宽频化趋势，这体现在车用电机转速提升、工作频率提升、逆变器开关频率提升等多个方面。功率半导体器件的快速通断形成的电磁干扰源，通过电机控制器内部元件和外部高低压线束的寄生参数向外传播，形成不期望的传导发射和辐射发射，不仅会对车内外无线电接收设备产生干扰，也会通过传导耦合路径干扰车载高低压部件，甚至影响整车安全性。因此，电机驱动系统电磁干扰的产生机理、预测和抑制方法对于电机驱动车辆的电磁兼容性是非常重要的。为了控制整车电磁发射，最终确保电机驱动车辆整车电磁兼容性，国家标准 GB/T 18655—2025（CISPR 25：2021）于 2025 年 2 月 28 日正式发布并实施。新标准增加了集成式驱动电机系统（EUT）的测试布置示例，尤其适用于配备屏蔽电源系统的电机驱动总成。这一新标准更注重新能源车辆核心部件 EMC 测试的针对性和实用性，且将驱动电机作为重点模块，首次明确了其测试布置要求。新增布置示例的特点更加贴合新能源汽车高压电机驱动系统的结构，考虑屏蔽线缆、耦合路径、接地方式对辐射骚扰的影响，提供了标准化的测试布局，便于实验室进行一致性测试。与整车电磁兼容性要求联动，将驱动电机作为高骚扰源头，该模块化测试对整车设计有关键指导意义，配合整车 EMC 目标设计，能够提前筛除不合规模块，降低整车整改成本。

仿真和试验技术是科学研究中十分重要的方法，是创新产品开发中常用的工具。全书共分 6 章，包括绪论、电机驱动系统电磁兼容三要素与设计方法、新能源汽车驱动电机数学模型及应用、基于不同仿真软件的电机驱动系统仿真建模与端口测试方法、电机驱动系统传导电磁干扰仿真建模与试验、电机驱动系统传导抑制方法及对系统的影响。由于篇幅限制，本书只针对电机驱动系统 EMC 仿真和试验方法进行介绍，新能源汽车其他部件（直流电机、DC/AC 逆变器、印刷电路板、动力电池及整车）EMC 内容的研究可参考著者于 2024 年 2 月出版的《新能源汽车电磁兼容性技术》一书。

著者自 2004 年起一直从事新能源汽车电磁兼容性研究工作，主持/参与了电动汽车国家（863、985、发展和改革委员会）、省部级及企业横向项目十余项，2013 年建成了当时华东地区高校中唯一具备电动汽车大功率电机带负载实验环境的 3 米法半电波暗室，本书部分内容来源于这些项目的科研成果。

本书由同济大学汽车学院张戟教授策划并著述，同济大学汽车学院 2020～2023 级研究生韩双庆、白亚坤等参与了本书的编辑工作，著者所在团队研究生蔡浩雄、生玲、韩发娟等在编写本书过程中做了很多贡献，在此一并表示感谢。

由于电磁兼容性仿真、试验方法日新月异，新技术层出不穷，加之时间仓促，著者水平有限，书中不当之处在所难免，敬请各位读者和专家批评指正。

著者
2025 年 6 月

微课扫一扫

本书彩图

目录

第1章

绪论

1.1 概述

随着现代科学技术的发展，依靠电磁能工作的电子、电气设备因其在节能、改善人类生活环境及提高工业自动化程度等方面具有显著的优点，获得了广泛应用。然而，这些设备运行时会产生电磁发射，产生的电磁场会构成极其复杂的电磁环境；同时，处于这种复杂电磁环境中的电子、电气系统也会与其中的电磁场发生能量耦合而形成干扰，随着电气设备现代化程度的提高，这种依靠电磁能量耦合形成的干扰也逐步增强。因此，现代电子、电气系统设计者面临着一个“如何确保电子、电气系统在所处的电磁环境中既能达到设计目的，同时又不干扰周边其他电气系统正常工作”的新问题，即电子、电气系统的电磁兼容（Electromagnetic Compatibility，EMC）问题。

根据国际电工委员会（International Electrotechnical Commission，IEC）的定义，电磁兼容是指设备或系统在其电磁环境中能正常工作且不对该环境中的任何事物构成不能承受的电磁骚扰的能力。此定义表明，电磁兼容包括两个含义：一是指设备或系统在运行时对周围环境的电磁骚扰（Electromagnetic Disturbance）不能超过一定的限制；二是指设备或系统对其电磁环境中所存在的电磁骚扰应具有一定的抗扰度，即电磁敏感度（Electromagnetic Susceptibility，EMS）。也就是说，设计一个电子设备或系统时，一方面必须保证该系统或设备在所处的工作环境中能按设计要求正常工作；另一方面也必须限制其自身发射的电磁噪声强度，使其不能影响周围其他设备或系统的正常工作。

电磁干扰（Electromagnetic Interference，EMI）源于电磁骚扰，其严格定义是电磁骚扰引起的设备、传输通道或系统性能的下降，即电磁干扰是电磁骚扰所引起的后果。电磁干扰具有很大的危害性，主要表现为：①降低电气、电子设备元器件的使用寿命；②破坏信号的完整性，降低信号的信噪比，使系统出现信息传递失真、泄漏、错误，影响系统的正常工作，造成系统动作失误甚至失效等异常现象；③对信息安全与信息保密构成严重威胁；④引起人体细胞的生物效应，影响人的健康及正常生活。

实际上，电磁干扰的存在由来已久，它几乎是与电磁感应现象同时被发现的。麦克斯韦“电磁场能够相互激发并在空间传播”的结论是电磁干扰存在的理论基础。1881 年英国科学家希维赛德所发表的“论干扰”一文可以算是研究电磁干扰问题的早期文献，它标志着研究电磁干扰的开端，而最早引起人们注意的电磁干扰现象是单线电报之间的串扰。

随着能源危机的加剧和环境问题的日益严重，世界各国的各大汽车制造商都在电动汽车的研制和开发上投入了巨大的精力和财力。作为《京都议定书》的成员国，同时也为了应对节能减排的需要，我国从 2001 年开始制定相关政策来促进电动汽车的发展，不断完善《汽车产业发展政策》的内容以适应电动汽车的发展需要，并于 2007 年颁布了《新能源汽车生产准入管理规则》。该规则将新能源汽车定义为：采用非常规的车用燃料作为动力来源（或使用常规的车用燃料、采用新型车载动力装置），综合车辆的动力控制和驱动方面的先进技术，形成的技术原理先进，具有新技术、新结构的汽车。新能源汽车包括混合动力汽车、纯电动汽车（BEV，包括太阳能汽车）、燃料电池电动汽车（FCEV）、氢发动机汽车、其他新能源（如高效储能器、二甲醚）汽车等。

电磁兼容性能作为衡量新能源汽车质量好坏的重要组成部分，对车辆性能及安全性具有举足轻重的意义。汽车电磁兼容的研究开始于 20 世纪 70 年代（欧盟在 1972 年颁布了第一版的欧盟指令 72/245/EEC），最早是针对内燃机点火系统产生的电磁辐射对汽车周围无线电设备的影响。经过几十年的发展，传统车辆的电磁兼容检测标准及方法已趋于完善。然而对于电动汽车，一方面，同传统车辆一样，其众多的电子设备及装置在同一个电源网络中工作，设备的启动、运行及关闭都会对汽车内部电网造成冲击，产生电磁干扰，这些电磁干扰通过线缆或空间耦合等形式，以传导和辐射的方式相互作用、影响，产生复杂的电磁环境；另一方面，区别于传统车辆，电动汽车中存在强电驱动系统，这些电力电子系统工作时，将发出强烈的电磁干扰，此类干扰主要来自于半导体开关器件，开关器件在导通和关断中，由于电压和电流在短时间内发生跳变，从而形成辐射和传导电磁干扰。

进入 21 世纪后，现代工业中所应用的电机驱动系统已由原来简单的工频电源直接驱动控制发展为采用脉宽调制技术（Pulse-Width Modulation，PWM）的功率逆变器驱动控制，即 PWM 电机驱动系统。其性能虽然得到了大幅度的提高，但是由于 PWM 脉宽调制控制方式，逆变器中的功率开关器件工作在开关状态，导致输出的电流波形不连续，且具有较大的 dv/dt、di/dt，这使得电压、电流均含有丰富的高次谐波。因此，这些谐波所具有的电磁噪声能量就会通过近场耦合和远场耦合形成电磁干扰，影响系统自身和周边电气系统的正常工作。以现在普遍采用的绝缘栅双极晶体管（Insulated Gate Bipolar Translator，IGBT）器件为例，当开关频率为 2～20kHz 时，di/dt 可以高达 2kA/μs，而此时，30nH 的杂散电感就可以激励出 60V 的干扰电压，由此可见它所造成的电磁干扰强度极大。同时，功率逆变器所产生的高频共模电压，也会使电机出现轴电压、轴电流及共模电流（漏电流）过大等负面问题。为此，许多国际组织和政府都做了大量的工作，并相继颁布了许多与之相关的电磁兼容标准与指令，如 1985 年 3 月 5 日欧共体颁布的欧洲 EMC 测试指令。

可以说，电机驱动系统 EMI 发射问题是随着电气、电子技术的发展而产生的，并且随着电气、电子技术的迅速发展而日渐无法回避。目前，虽然国内外针对电机驱动系统 EMI 问题开展了广泛研究，但基本上仍停留在定性研究和局部研究阶段。GB/T 18387—2017《电动车辆的电磁场发射强度的限值和测量方法》已经颁布，据国家检测机构统计，70%的自主品牌电动汽车都不能通过认证测试，其主要原因在于动力系统 EMI 不过关；而整车及零部件制造商面临的问题是没有有效的检测方法来找出干扰源所在并解决问题。要攻克这一难题，不仅涉及许多工程技术问题，同时还涉及电磁场、电力电子变流技术、微电子技术和自动控制等理论问题。因此，新能源汽车电机驱动系统电磁干扰的机理、预测和抑制方法的研究，对提高车辆系统可靠性、安全性，及新能源汽车的设计、制造和推广应用，具有重要意义。

1.2 电动汽车电机驱动系统电磁兼容性问题

1.2.1 电动汽车及电机驱动系统电磁兼容研究概述

国外电动汽车的研究起步较早，目前美国、日本和法国的电动汽车技术处于世界先进水平，其他一些国家也出台了一些有利于电动汽车发展的政策。其中，日本丰田汽车公司的混合动力汽车“普锐斯”已经量产，本田汽车公司的混合动力汽车“思域（CIVIC）”等车型也已经上市，且销量可观。美国通用、福特等汽车公司的电动汽车技术同样较为突出。国内上汽、广汽、奇瑞、华晨等汽车厂商的混合动力试验用车或原型车也在如火如荼地研制当中。

在电磁兼容方面，日系量产车型整车电磁兼容测试均采用美国汽车工程师协会标准：SAE J551-5 “Performance Levels and Methods of Measurement of Magnetic and Electric Field Strength From Electric Vehicles，Broadband，150kHz to

30MHz”，该标准的最新版本为 SAE J551-5 JUN 2012。对于零部件测试一般选用与传统车辆相同的测试标准。我国针对电动汽车的现行标准为 GB/T 18387—2017《电动车辆的电磁场发射强度的限值和测量方法》，采标自 SAE J551-5 JUN 2012。值得一提的是，该标准是世界范围内现行的唯一专门针对电动汽车的电磁兼容标准，该标准规定了对于电动汽车整车电磁辐射发射测试的限值和测试方法，频率范围是 9kHz 到 30MHz（最新版本为 150kHz～30MHz）。

从 20 世纪初开始，各国就开始制定并完善电磁兼容标准，到目前为止已经形成了一个完整的标准体系，电磁兼容标准一般可以分为基础标准、通用标准及产品类标准等。国际无线电特别委员会（CISPR）、国际电工委员会（IEC）系列标准，欧盟的 EN 系列标准等的相继成立，也正是因为国际社会非常重视电磁兼容问题。而在国内，从 20 世纪 80 年代起也开始陆续制定相应的电磁兼容标准。首先，军工部门在 1982 年参照美军标 MIL-STD-461B 和 MIL-STD-462B 开始制定我军标准，并于 1986 年颁布了三军通用标准 GJB 151—1986 和 GJB 152—1986。随后，国家标准局于 1985 年成立了全国无线电干扰标准化技术委员会，并参照 CISPR 和 IEC 标准陆续制定了相应的行业标准和国家标准。目前我国的电磁兼容标准大部分与国际标准接轨，如，我国参照了大部分的 CISPR 标准，并将其纳入到了国家标准中。而 1997 年，军工部门制定的新的军用标准 GJB 151A—1997 和 GJB 152A—1997 则参照了美军标 MIL-STD-461D 和 MIL-STD-462D。这些标准的颁布和制定，为提高我国的电磁兼容水平、改善电磁环境创造了条件，也促进了我国电磁兼容的研究和发展。

对于电动汽车整车辐射发射测试，国外一般选用 SAE J551-5，国内一些学者选用 GB/T 18387 和 GB 14023 两个电磁兼容标准对电动汽车整车辐射发射进行测试。关于零部件电磁干扰测试，对于弱电设备国外普遍采用 CISPR 25：2016 “Vehicles，boats and internal combustion engines-Radio disturbancecharacteristics-Limits and methods of measurement for the protection of on-board receivers”，国内对应标准为 GB 18655—2018《车辆、船和内燃机　无线电骚扰特性　用于保护车载接收机的限值和测量方法》。而对于强电设备，如大功率电动机、DC/AC 等没有明确的电磁干扰测试方法。

发射测试中，使用 GB/T 18655 和 GB 14023 标准中给出的限值要求作为评价标准，是可以满足车辆对环境及其他电子设备产生的影响的要求的。在配合车载其他零部件抗扰度测试已选择较高等级的前提下，原则上可以选用较宽松的测试等级，但考虑车载电子部件众多且性能差异可能较大，不建议采用。同时建议在零部件试制过程中的检测，采取偏严格的试验等级限值要求或人为提高限值要求，对于零部件定型时能确保其通过电磁兼容测试提供保证，同时也对零部件的后期调整和整改预留了空间。

对于抗扰度测试，在电动汽车中，大量文献和试验表明，相对于动力系统中的强电系统，最容易受到骚扰的是车内的 12V 或 24V 弱电系统，因此对于电动机的抗扰度测试，可主要针对低压部分进行测试。同时建议在可能的条件下，尽量提高试验严酷等级和从严选择评价标准，这对于抵抗车内强电系统可能产生的干扰是有益的。

燃料电池汽车动力系统结构如图 1.1 所示。燃料电池的输出特性偏软，难以直接与汽车的电动机直接匹配，必须采用 DC/DC 逆变器来改善其输出性能。新型的燃料电池汽车（Fuel Cell Vehicle，FCV）中的电磁环境十分复杂，产生电磁干扰的因素很多。为使燃料电池输出特性与电机驱动器相匹配，需在燃料电池与电机驱动器之间加装 DC/DC 变换器。该设备既包含 IGBT 等大功率电力电子设备，又包含小功率的脉冲发生、检测、通讯、控制等弱电回路。电力电子设备运行时产生的电磁噪声必将对自身弱电回路和邻近电气设备的正常工作产生干扰。

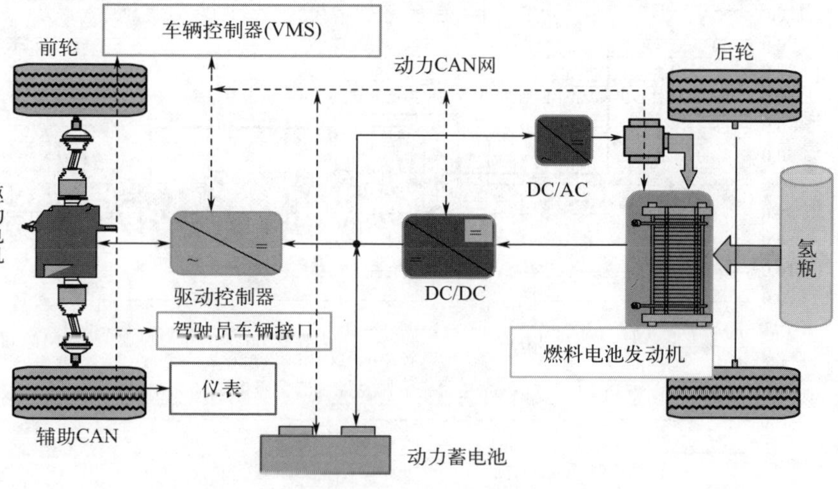

图 1.1　燃料电池汽车动力系统结构图

电动汽车的谐波通常由电流逆变器的开关器件形成，IGBT 开关器件由于输入阻抗高、驱动功率小、开关速度快、电压电流容量大、安全工作区域宽等特点，广泛地应用于电动汽车。IGBT 产生的谐波会对车内的电池传感器、电机温度传感器和电机转速传感器以及其他电子器件产生干扰。由此带来的问题是：流过电感器脉动电流的频率较高，将产生电磁噪声；流过开关管的电流很大，开关管完成导通或关断的时间非常短，约 100ns，导致流过开关管的电流变化率 di/dt 很大。加上各方面分布参数的影响，使得产生电磁噪声的情况变得十分严重。

DC/AC 逆变器的干扰源主要来自开关管 IGBT 和续流二极管 D。敏感设备主要是 DC/AC 逆变器自身的弱电回路和电动汽车内的电气设备。弱电回路属于低电压、小电流的回路，极易受 IGBT 主电路的影响，设计不当将导致控制失常、测量不准、通信中断。在电动汽车内还有许多其他电气设备，如燃料电池、DC/AC 逆变器、蓄电池控制器、整车控制器等，DC/DC 逆变器主电路也将对它们产生电磁干扰。

同时，驱动电机作为电动汽车的动力驱动执行装置，由于是大感性负载，其向外传播的电磁干扰有传导干扰和辐射干扰。传导干扰是指由电机内部电路发出并沿外部电源线向外传播的电磁干扰；辐射干扰是指由电机内部漏磁路发出并经外部空间以电磁波的形式向外传播的干扰。传导干扰是交流电机 EMC 的重要特性，许多宽频带干扰噪声信号都通过电源线向外发射，其主要原因是各种线圈中的寄生电容、耦合电感、接地阻抗不能绝对为零，而线圈对地分布电容、电枢反应引起了磁场波形畸变、换向不良等。图 1.2（a）（b）分别为弱电设备和强电设备上电磁干扰超标情况，图中结果表明电动汽车内部电磁干扰问题严重。

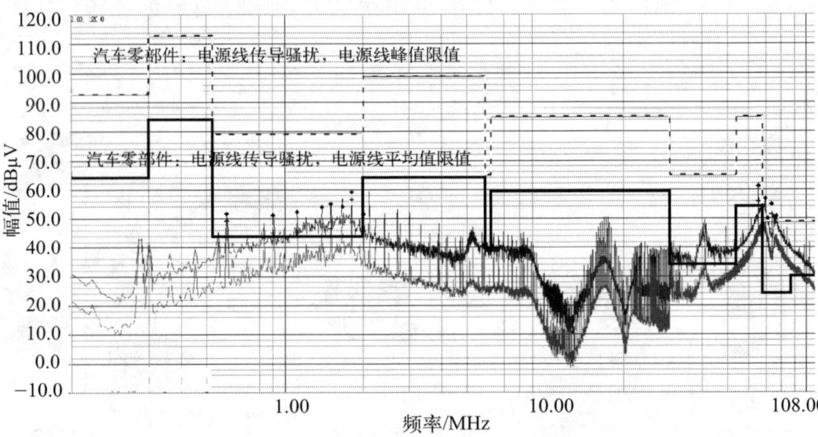

(a)弱电设备：驱动控制器负极电源线

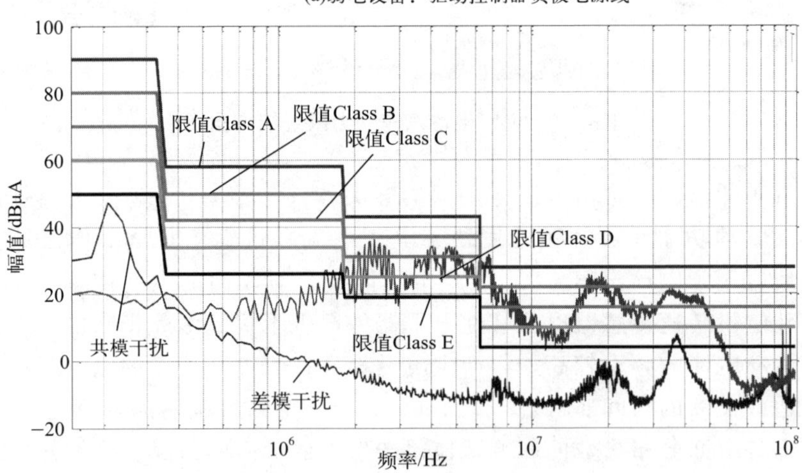

(b)强电设备：DC/AC逆变器电源线

图 1.2　传导干扰测试结果

基于以上分析可以看出，电动汽车中动力系统与传统车辆相比有很大不同。其中电动机及DC/AC逆变器都是高压系统，其辐射强度可能比传统车辆中的零部件辐射要大，即可能对其他车载系统造成影响；对于抗扰度，一般认为弱电系统为主要的敏感源，但由于其与传统车辆的弱电系统存在很大差异，一些测试方法可能不适用。

电动汽车与传统汽车最大的区别是车上装载有电机驱动系统。为了提高电能驱动的效率，需要对直流高压电进行转换（逆变），因而装载了功率转换模块如IGBT器件、DC/AC逆变器、大功率主驱动电动机，这些功率器件是电磁骚扰的主要来源。由于其是高压系统，因此在电磁场发射强度上，较传统车辆的弱电系统要强；同时，车载的各个控制器由于处在不同于传统车辆的强电磁环境中，对弱电系统的电磁抗扰度提出了新的要求。

在电动汽车电磁干扰理论研究方面，尤其是大功率电力电子器件的电磁干扰理论研究方面，Nobuyoshi Mutoh等人对大功率DC/DC转换器的电路板电磁干扰机理及其在整车层面上产生的电磁干扰的研究较为深入，并提出了一些有效的改进措施；张逸成等对DC/DC转换器的电磁兼容性及检测方法进行了研究。

专门针对电动汽车驱动系统的电磁兼容性的研究历史还不长。最早可以追溯到牵引逆变器所使用的IGBT的快速开关动作易引起EMI问题，因而有必要研究软开关技术在牵引逆变器中应用的可行性。其后几年研究进展均比较平缓，每年均有少量相关文章出现。例如：1995年的文献通过试验确定逆变系统会产生相当大的脉冲电流并通过电源线引入系统，造成严重的传导电磁干扰问题以及电力系统中的电压波形畸变，并提出了一种以评估驱动系统电磁干扰为目的的模型；1997年的文献提出了一种新型软开关逆变器技术，通过采用一个辅助开关和各相上的一个谐振电感，使主开关可以在零电压的情况下打开，并且分别对1kW单相和100kW三相逆变器进行了实际测试，通过仿真和实验证实了软开关技术可以提高效率、降低EMI、减少dv/dt；另有文献研究了一种有源箝位谐振直流链路电动汽车用软开关逆变器的传导电磁兼容性预测方法，该方法通过建立噪声源和传播路径的等效电路模型，求得噪声源到LISN输出电阻上的传递函数，直接在频域中对噪声源频谱和传递函数频谱进行叠加来实现；1998年的文献强调了混合动力电动汽车用逆变器EMI特性的重要性，提出了一种EMI滤波器的设计方法；另有文献采用50μH/50Ω网络试验比较了软开关与硬开关逆变器的传导发射特性，发现软开关虽具有降低EMI发射的可能性，但是其谐振支路辅助管引入的干扰不容忽视，得出了软开关的优势并不明显的结论；1999年的文献提出了一种基于数值计算方法（部分元件等效电路法）的驱动系统预测模型，用于评价系统的整体辐射发射水平；2001年的文献第一次将从主电源变压器到交流电机的所有电器元件作为系统进行考虑，并建立了高频模型，该模型用于分析

PWM 逆变器在过电压和漏电流流经系统寄生电容时产生的高 dv/dt 的影响。

2002 年以后，关于此方面的研究逐渐深入，特别是系统参数模型的建立以及 EMI 产生机理及其抑制方法的研究，并逐渐积累了仿真及试验数据，此间以 Mutoh Nobuyoshi、Guttowski S. 等为代表的作者对此方面的研究做出了突出贡献。2002 年的文献采用 SABER 仿真软件对随机 PWM 调制和普通 PWM 调制在减少电磁干扰（EMI）、驱动性能、驱动效率、转矩波动、电流控制系统的动态响应等方面进行了对比分析，得出随机 PWM 调制可以比普通 PWM 调制减小 10dB 左右 EMI 噪声，并且对驱动性能几乎没有影响；2003 年的文献提出了两种 EMI 噪声的抑制方法，一种是通过多层印刷电路板技术来封装逆变器电源电路以抑制共模电流，另一种是基于共模电流产生机制而提出的利用阻尼电阻来抑制共模路径的串联谐振方法；有研究人员研究了将新型电力驱动系统安装在传统乘用车中引起的电磁兼容问题，从电动汽车驱动系统组件作为噪声源以及部分耦合路径进行分析，并提出了逆变器、电机、蓄电池等的高频集总参数模型用于 EMI 预测分析；2005 年的文献提出了一种控制电动车驱动系统中共模电流的产生并阻止其路径上串联谐振现象发生的方法，并提出了一种消除逆变器和电池之间正、负电源线缆中表面电流的方法，其有效性都经过了仿真和试验验证；另有文献研究了变换器输入和输出端的 EMI 滤波器设计方法，利用 MATLAB/Simulink 软件进行仿真，并强调了时间和频率的相关性在 EMI 分析中的重要性；2006 年的文献分析了混合动力汽车驱动系统复杂的内部电磁环境，并详细地针对系统中各个组成部件分别进行了 EMC 设计，以减少整个系统的电磁干扰；2007 年的文献指出瞬态运行的驱动系统，如负载转矩和速度渐变等，都会导致更严重的 EMI 问题，此时纯粹地在时域或频域对其分析是非常困难的，因此提出了以时域、频域以及时频域相结合的方法对这些瞬态运行问题进行分析；此外，应用传递矩阵 $\boldsymbol{T}$ 对驱动系统中共模传导的发射噪声进行建模，系统的每个部分都被表示成双端口网络并通过矩阵 $\boldsymbol{T}$ 相连，模型中还考虑了地平面对共模电流路径的影响，计算结果和试验结果的比较有效地验证了该模型的有效性。

2008 年以后，关于电动汽车驱动系统 EMC 问题的研究越来越深入，研究的范围越来越广，研究人员也明显增多。2008 年的文献讨论了 600V 直流连接牵引力驱动系统的多种 EMC 滤波器，并且介绍了一种新型磁场旁路的共模扼流线圈；2009 年的文献提出了一套完整的电缆和感应电动机系统的三相分布常数模型用于电磁兼容及过电压的研究，该模型考虑了各相之间所有的电磁耦合，采用克拉克变换降低了获得模型时分析的复杂性，并提出了一种在方法上同有限差分模型非常相似的新的数值计算方法，应用 Matlab 软件简化了三相模型的建立；采用三维电磁场分析建立了电机的高频模型，电机每一部分的寄生电容都在静电场分析中计算得出，定子绕组的电感和电阻都在磁场分析中计算得出，通过这些电路参数得到电机的等效电路用于计算电机阻抗的频率特性，通过在分析中设置不同的线圈电流和边界条件来区别共模和差模的磁场分布，频率与计算出的电感和电阻的关系也被引入到电路仿真中，得到的电机阻抗频率特性同实测数据基本吻合；2010 年的文献研究了电源屏蔽线缆长度及其相对地面的位置和地面效应对可变速交流电机驱动系统中共模电流的影响，测量共模电流通过地面和连接至不同配置电机终端的屏蔽电缆返回至共模电压源的比例，可得出在特定的频率范围内哪个传播路径更优先，从而可采用适当的方法来限制或消除在特定频率范围内的共模电流；对电动汽车（EV）和混合动力汽车（HEV）电驱动系统的重要组成部分进行建模和仿真，结合传输线模型进行场和电路的仿真，电路系统使用 VHDL-AMS 进行建模和仿真，每个组件的模型和整个系统的仿真方法都通过测量进行了验证，并提出电磁兼容性能够基于此建模方法进行优化。针对电动汽车驱动系统 EMC 测试方法的研究，德国奥尔托项目公司提出了一种全新暗室 eChamber，如图 1.3 所示，测试标准仍采用原有 CISPR25 零部件测试标准。

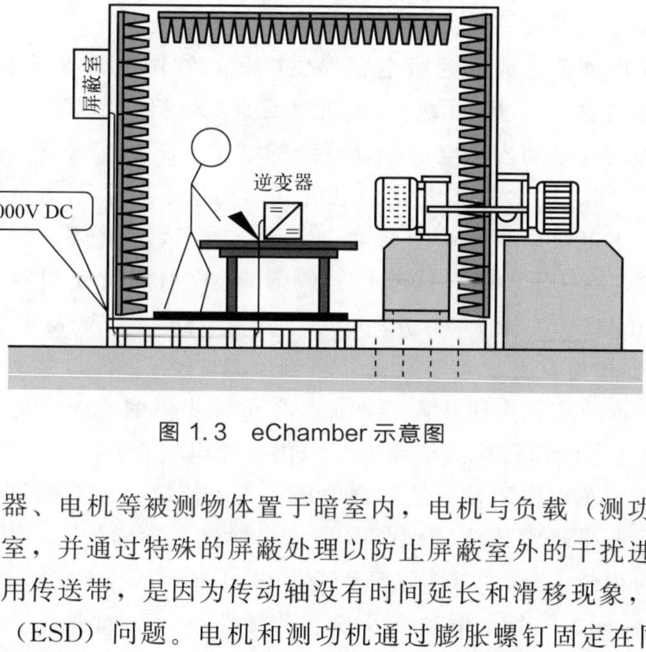

图 1.3　eChamber 示意图

电池、逆变器、电机等被测物体置于暗室内，电机与负载（测功机）之间的传动轴穿过屏蔽室，并通过特殊的屏蔽处理以防止屏蔽室外的干扰进入。之所以采用传动轴而不用传送带，是因为传动轴没有时间延长和滑移现象，并且传送带易带来静电放电（ESD）问题。电机和测功机通过膨胀螺钉固定在同一底板上，以防止它们在工作时产生过大的振动以及振动偏移的不一致。暗室内的供电系统以及冷却系统都经过了特殊的屏蔽处理，以消除外界对屏蔽室内的电磁干扰影响。

从所参考的文献来看，电动汽车的电磁兼容检测方法仍不完善，明确适用于电动汽车的电磁兼容标准只有美国汽车工程师协会的电磁兼容标准 SAE J551-5（我国对应标准为 GB/T 18387），对于电动汽车大功率零部件的电磁兼容标准尚无明确定义，检测方法（包括试验布置、测试仪器及检测过程）还不够完善。电动汽车整车及零部件的电磁兼容机理研究也较少，且都是对单个样品进行研究，不具有代表性。因此，电动汽车整车及关键零部件的电磁兼容检测方法亟待完善。

1.2.2 电动汽车电机驱动系统传导电磁干扰机理研究概述

随着人们对电动汽车性能、安全、舒适性等方面要求的不断提高，电动汽车上各种电子设备的功率越来越大，系统灵敏度越来越高，接收微弱信号的能力越来越强，电子产品所使用的频带也越来越宽。因此，电子设备之间的相互影响也越来越大。其中，作为电动汽车核心的具有大功率、大电流的电机驱动系统对其他电气电子设备的干扰影响尤为严重。

随着电动汽车产业的不断发展以及相关 EMC 标准的逐步规范，迫切需要研究电机驱动系统的 EMI 机理、试验测试方法、预测分析方法以及 EMI 抑制技术等。这对提高电动汽车整车 EMC 性能、缩短产品开发周期、节约成本等具有重要的理论意义和工程实用价值。

电动汽车借助蓄电池或超级电容提供能量，利用电力电子装置 DC/AC（或 DC/DC）进行能量变换提供给交流电机（或直流电机）负载进行驱动。图 1.4 是以交流电机为例的电动汽车电机驱动系统的结构框图和示意图。蓄电池（或超级电容器）、主电路、DSP 控制电路、电机共同构成了整个驱动系统，粗实线表示的是大功率、大电流线缆。从图 1.4（a）可以看出，整个系统结构非常复杂，既包括 300V 左右的高压设备和线缆，又包括 5V 左右的微控制器电路。数字信号处理器（Digital Signal Processor，DSP）控制电路由 12V 蓄电池通过小功率的 DC/DC 变换器供电，并发出驱动信号（通常是 10V 左右的 PWM 信号）驱动主电路的 IGBT 模块实现电机供电或调速。蓄电池提供的直流电通过逆变电路中的 IGBT 模块快速通断而转换成交流电，以供交流电机正常工作。

由于电动汽车电机驱动系统的高电压、大电流以及复杂的结构，使其电磁干扰能量较大、频带较宽且传播耦合路径呈多样性，这增加了电机驱动系统 EMC 研究的难度。但就 EMI 的基本性质而言，电机驱动系统 EMI 与其他电子设备或系统的 EMI 一样，都是由电磁干扰源、传播路径（或耦合通道）和受扰体（敏感体）3 个基本要素组成。因此，只需要针对三要素中的任何一个采取有效措施，电机驱动系统的 EMI 问题都能得以解决。

从图 1.4 的电机驱动系统结构与示意图可以看出，整个电机驱动系统的电磁环境非常复杂。其中，控制电路中的时钟信号、数字信号、驱动信号是 DSP 上的主要干扰源，但相对于主电路以及电机等大功率、大电流设备，其抗干扰能力较弱；由于主电路（逆变电路、电缆）和电机存在大量的杂散电感和电容，在驱

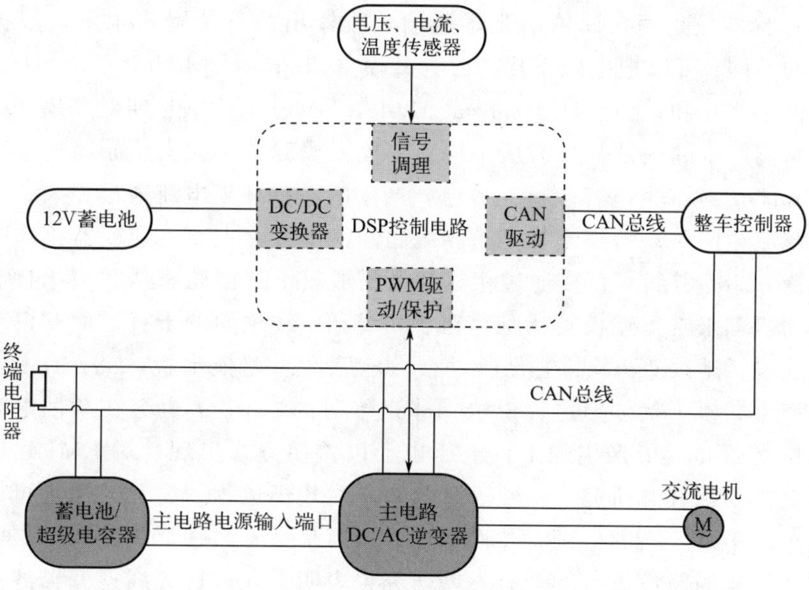

(a)电动汽车电机驱动系统结构框图

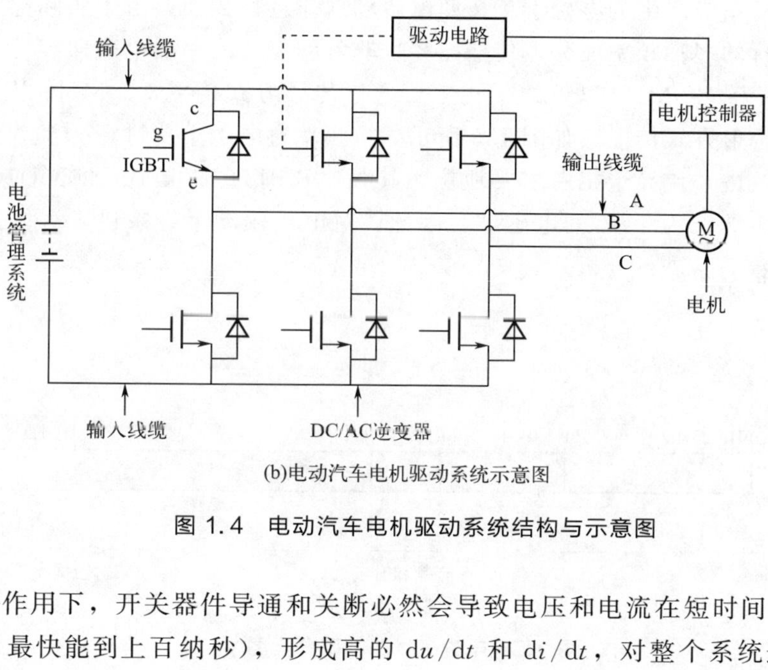

(b)电动汽车电机驱动系统示意图

图 1.4 电动汽车电机驱动系统结构与示意图

动电路作用下，开关器件导通和关断必然会导致电压和电流在短时间内发生瞬变（IGBT 最快能到上百纳秒），形成高的 du/dt 和 di/dt，对整个系统造成很强的电磁干扰，是系统的主要电磁干扰源。电磁干扰以传导和辐射的方式进行传播，相应的传播路径也不同。传导干扰传播，是指通过导线或其他元器件（如电容、电感等），以电压或电流的形式，将电磁噪声的能量在电路中传送。辐射干扰传播，则是指辐射干扰源在空间内以电磁波的形式传播。

EMI 标准只是用来评价电驱系统输入或输出的整体噪声水平，根据传导干扰方式的不同，可以把电磁干扰源分为共模（Common Mode，CM）干扰（也叫不对称模干扰）和差模（Differential Mode，DM）干扰（也叫对称模干扰）两种形式，它们产生的内部机理有所不同。共模干扰源产生的主要原因是逆变器电路中的高 du/dt 对寄生电容进行充放电，产生的高频共模电流通过相线、寄生电容和地构成流通回路；差模干扰是指相线之间的干扰，主要由逆变器工作时产生的脉动电流 di/dt 引起，直接通过相线与电源形成干扰回路。从共模干扰和差模干扰产生的机理来看，差模干扰是存在于相线和中线之间的干扰，而共模干扰的流通回路还包括地线。di/dt 主要通过杂散电感产生差模干扰，du/dt 主要通过杂散电容产生共模干扰。但这种说法并非是绝对的，di/dt 也会在杂散电容上引起共模电压，而 du/dt 产生的干扰电压也会以差模方式出现。对 EMI 建模将共模干扰和差模干扰分开研究，虽然这种分离是对建模过程的简化，但也可以很好地理解噪声产生及传播的机理。然而，这种分离是基于两种形式的噪声之间没有相互作用和转化的假设进行的，有一些研究也表明了在进行离线逆变器滤波设计时共模噪声和差模噪声是不能分离的。

电机驱动系统产生的电磁干扰按照电磁场规律进行传播，由于实际电路的复杂结构及干扰的多种频率成分，传播路径也非常的复杂。一般电磁兼容标准，如 EN、FCC 认为，30MHz 以下的干扰主要通过传导方式传播，30MHz 以上的干扰主要通过辐射方式传播，如图 1.5 所示，按频率对电磁干扰进行分类。由于在电机驱动系统中，传导干扰占主要地位，其频率范围为 150kHz～30MHz，在最高频率时产生波长为 10m 的电磁波，因此，对电机驱动系统来讲，大多数都可以用集中参数电路进行分析。

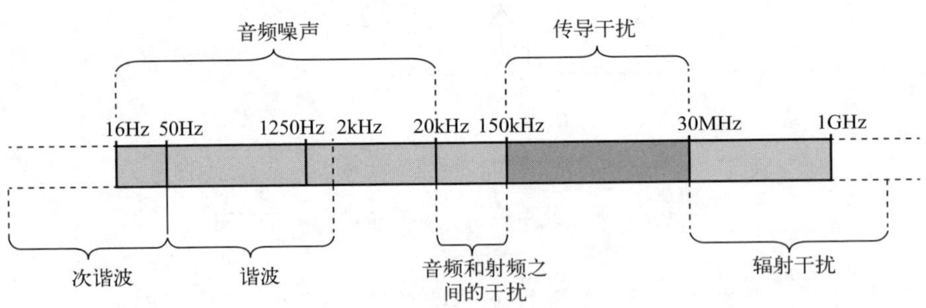

图 1.5 电磁干扰的频率分类图

一个设备必须能够抗干扰，才能保证其正常运行，表征抗干扰性能的指标是抗扰性或敏感性。由图 1.6 可以看出，在电机驱动系统 EMI 作用下，电动汽车上的受扰敏感设备主要包括整个电机驱动系统、蓄电池系统以及车上的其他共地或者共电源网络的电气设备和控制系统等。

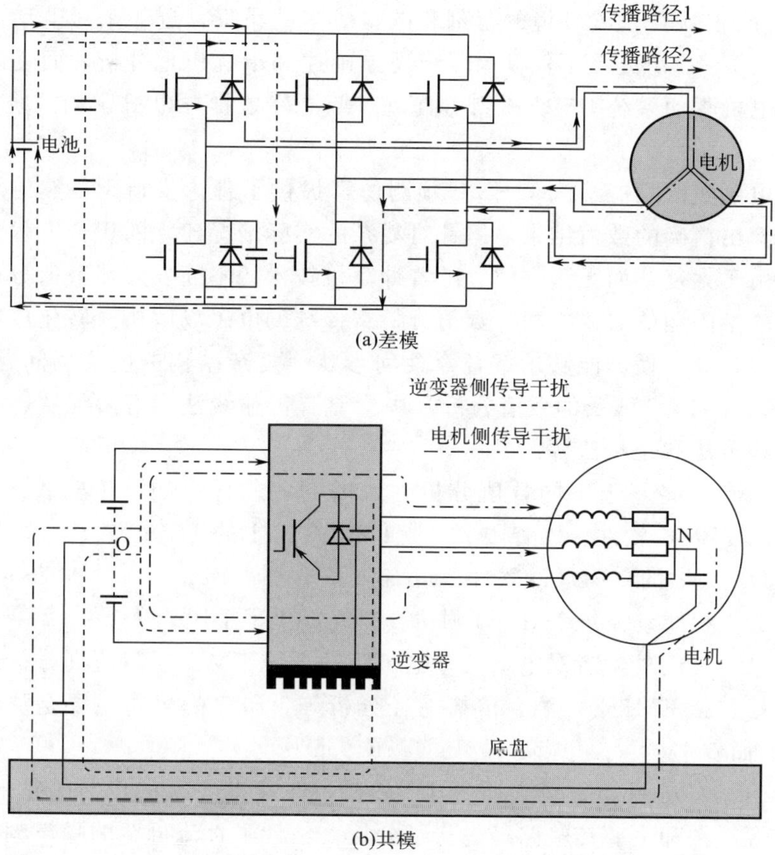

图 1.6 电机驱动系统传导干扰传播示意图

国内外对电动汽车的研究已有较大的突破，而专门针对电动汽车电机驱动系统 EMC 的研究历史还不长。早期主要是针对电机驱动系统的 EMI 机理以及抗干扰的基本措施进行研究。

国内对电机驱动系统 EMI 问题及其 EMI 机理研究起步较晚，清华大学的陈斌等人指出，IGBT 的高速开关动作产生很高 du/dt 和 di/dt，由此导致严重的 EMI 问题，并应用系统函数的方法来描述这种 EMI 耦合通道的特征，准确预测了 EMI 的时域波形和频谱特性。2005 年，窦汝振等人指出共模电压会带来共模电流、电压谐波等问题，在 2011 年又对电机驱动系统 EMI 特性及其传播机制进行了分析。2008 年，西北工业大学的贺虎成等人指出，较高的开关工作频率会引起严重的 EMI 和开关损耗，并提出运用软开关技术和随机脉宽调制来解决上述 EMI 问题。2007 年以后，国内外针对电动汽车电机驱动系统 EMI 问题及其产生机理的相关文献和资料较少，主要的研究重心已倾向于电机驱动系统 EMC 仿真预测以及 EMI 抑制技术。

由于汽车 EMC 试验环境的苛刻和试验成本的昂贵，近年来对电动汽车电机驱动系统的 EMC 研究已不仅仅局限于现象阐述和干扰机理分析，而逐渐将研究重心转向电机驱动系统 EMC 预测仿真，以期更好地指导电机驱动系统 EMC 方案设计。

计算电磁学的发展给汽车 EMC 预测仿真提供了理论支持。虽然传统的解析法可以计算出精确的数值结果，但针对复杂的实际情况建立的积分方程或偏微分方程往往由于太复杂而无法求解。随着计算机技术的不断发展，数值分析逐渐成为研究电磁学问题的重要方法。数值分析将传统的电磁场解析式转化成数值编程的形式加以计算，使其能够求解任意几何形状、复杂结构的电磁场问题。当前，电机驱动系统 EMC 涉及的数值分析方法主要有传输线法、有限元法、有限差分法、有限积分法和矩量法等。

目前已有一些基于不同数值分析方法的商业软件，如以传输线法（TLM）为主的 FLO/EMC 软件、以有限元法（FEM）为主的 HFSS 软件、以有限差分法（FDTD）为主的 XFDTD 软件、以有限积分法（FIT）为主的 CST 软件等，这些软件为电机驱动系统 EMC 预测仿真研究提供了手段。

近年来，国内外学者对电动汽车电机驱动系统 EMC 预测仿真分析进行了大量的研究，包括 EMI 干扰源、传播途径分析等。研究的思路主要是从“场”和“路”两方面着手。

1998 年，Chen C. C. 等人通过建立电动汽车驱动系统的传导电磁干扰模型，对其干扰源特性和主要传输路径进行了分析，估计了直流母线的噪声频谱，并通过试验进行了验证。2001 年，Boglietti A. 等人将从蓄电池到交流电机的所有电器元件作为系统，建立了高频模型，该模型分析了 PWM 逆变器在过电压和漏电流流过寄生电容时产生的高 du/dt 的影响。2003 年，Guttowski S. 等人建立了逆变器、电机、蓄电池等的高频集总参数模型，并用于电机驱动系统 EMC 预测分析。2004 年，Frei S. 团队对低频的传导干扰进行预测研究，建立了电动汽车驱动系统的传导干扰模型。2006 年，Li W. 等人对燃料电池汽车驱动系统的高频传导干扰进行了建模分析，并对模型中主要参数引起的不同噪声形式进行了比较。2007 年，Zhang B. 等人对燃料电池汽车驱动系统的传导 EMI 进行了深入研究，并基于多触点传输线模型，分析了线缆中传导干扰的传播特性、共模电流及其耦合效应，建立了燃料电池、逆变器、交流电机的高频电路模型。2008 年，Youn H. L. 等人建立了混合动力电动汽车驱动系统各部分的高频模型，包括 IGBT、线缆和逆变器，并搭建了等效电路模型，较为准确地预测了驱动系统的传导干扰。2010 年，Tao Q. 和 Lei X. 团队提出分段线性 IGBT 模型的一种行为建模方法，模型的参数通过 IGBT 的数据表和简单的测量获得，并用于传导干扰的预测。2011 年，Maki K. 等人通过场分析方法，建立了高频电机的三维电磁场模型，对电机内部的电磁辐射干扰进行了分析，试验验证了仿真分析的准确性。此外，美国罗克韦尔公司的 Mirafzal B. 团队，佛罗里达国际大学的 Mohammed O. A. 等人也对电动汽车电机驱动系统 EMC 进行了较为深入的研究。

国内在电动汽车电机驱动系统 EMC 预测仿真研究方面起步较晚。吉林大学高印寒等人以车内大量的导线及线束为例，采用模糊推理方法对汽车线束 EMC 进行了预测，克服了求解复杂麦克斯韦方程的局限，提高了预测精度；吴定超和马喜来分别利用传输线理论和天线理论对汽车线束之间的串扰、车载天线与线束之间的耦合进行了仿真预测，并引入小波分解技术，通过提供车内传导干扰的特征能量来达到识别干扰源的目的。重庆大学的俞集辉等人通过建立点火系统的每个部件的电路模型，利用解析法或有限元方法确定模型中的电分布参数，建立了点火系统的等效电路模型，该方法可以借鉴运用于电机驱动系统预测建模；汪泉第等人通过测量电机端阻抗的幅频特性，建立了电机的等效宽频电路模型，并验证了模型的准确性和有效性，为建立电机驱动系统传导干扰模型奠定了基础。哈尔滨工业大学的安群涛等人对 PWM 电机驱动系统共模传导干扰进行了分析，并对相关等效电路的建立方法进行了深入研究，等效电路仿真结果与试验结果相吻合；肖芳等人对 PWM 电机驱动系统的传导干扰机理进行了研究，提出了一种新的频域噪声源建模方法；段建东等人基于干扰源加干扰通道建模的总体思路，在时频域中建立了 PWM 电机驱动系统等效电路模型，并建立了其共模干扰和差模干扰的数学模型来进行相互验证。清华大学的陈名等人运用阻抗幅频特性测量和最小二乘法拟合的方法，建立了电机的高频等效电路。海军工程大学的孟进等人以典型的 PWM 变频驱动电机系统为对象，研究了干扰通道寄生参数和高频干扰源的建模方法，并进行了试验验证。此外，中国汽车工程研究院等汽车研究机构与企业也开展了相关的研究。

综上所述，目前国内外对电动汽车电机驱动系统 EMC 的预测仿真研究已取得一定的进展和成果，分别以不同的数值方法或分析思路对电机驱动系统单个组件或整个系统进行了 EMC 建模仿真研究。电机驱动系统的 EMC 预测仿真研究缩短了产品开发周期、节约了成本，为解决电动汽车电机驱动系统的 EMI 问题提供了科学的分析方法和手段。

1.2.3 电机驱动系统传导噪声建模研究概述

最早出现在无线通信中的电磁干扰（EMI）问题同样也是电动汽车大功率电驱系统中的一个重要问题。随着近年来半导体技术的发展，像 MOSFET 和 IG-

BT 等高速开关器件已广泛应用于脉宽调制（PWM）技术的逆变器中。功率逆变器在工作中通过开关器件的通断来实现电压和电流的频率或幅值的转换，使电能的应用范围扩大，利用率提高。开关器件的高速导通和关断是造成功率逆变器中电磁干扰形成的主要原因，开关器件导通和关断必然会导致电压和电流在短时间内发生瞬变（IGBT 最快能到上百纳秒），形成高 du/dt 和 di/dt。

针对不同的产品（用途），有不同的标准规定 EMI 的发射水平。军用标准 GJB 151A—1997 规定噪声在 10kHz～10MHz 范围内，图 1.7 显示了不同标准下的 EMI 噪声限值。CISPR 22 和 GJB 151A—1997 标准通过 LISN（人工电源网络）测量噪声电压，而 SAE J551—2012（对应 GB/T 18387）标准测量磁场噪声电流。因此，电机驱动系统的输入和输出侧 EMI 滤波器都是必不可少的。

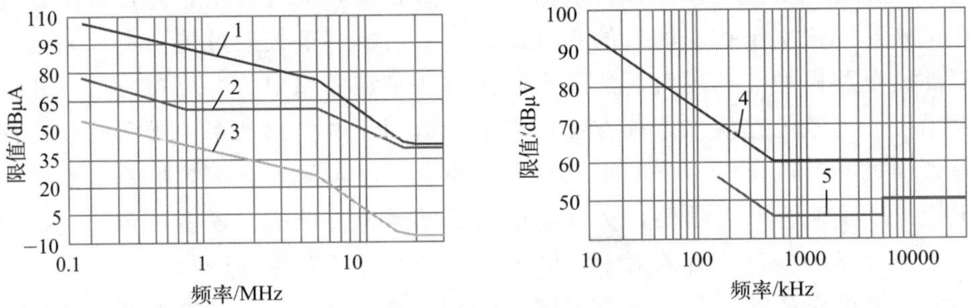

图 1.7　EMI 噪声标准限值

1—SAE J551 电场峰值；2—SAE J551 电场均值；3—SAE J551 磁场峰值；
4—GJB 151A 噪声限值；5—CISPR 22 噪声限值

因为不同模式的噪声通过不同的路径传播，需要不同类型的滤波器。共模噪声在功率逆变器和地之间流动，而差模噪声在不同的线间流动。图 1.8 显示了电机驱动系统中直流输入和三相交流输出的噪声电流。

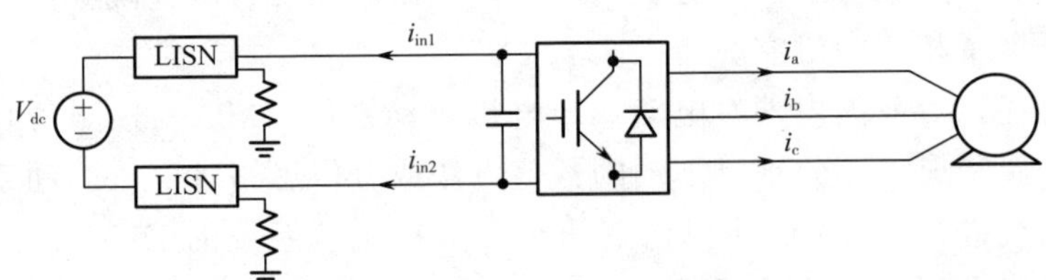

图 1.8　电机驱动系统的噪声电流

在输入端，因为共模噪声是通过两条输入线流到地面的电流分量，所以它是两线电流之和的一半：

$$i_{i\text{-}cm}=\frac{i_{in1}+i_{in2}}{2} \tag{1.1}$$

差模分量是共模分量被提取后的线电流，其大小是线电流之差的一半：

$$i_{\text{i-dm}}=\frac{i_{\text{in1}}-i_{\text{in2}}}{2} \tag{1.2}$$

式（1.1）和式（1.2）定义了两线系统的共模和差模电流。类似地，输出侧（对于三相系统）的共模和差模电流是：

$$i_{\text{0-cm}}=\frac{i_{\text{a}}+i_{\text{b}}+i_{\text{c}}}{3},\quad i_{\text{0-dm}}=\frac{2i_{\text{a}}-i_{\text{b}}-i_{\text{c}}}{3}$$

在图 1.8 中，噪声电流通过两个 LISN 流进直流电源侧。在 EMI 测量时，LISN 通常插入到直流电源与逆变器之间。LISN 有 3 个作用（图 1.9）：①提取由功率逆变器产生的噪声，被测设备的噪声电流流过 50Ω 电阻，频谱仪测得电阻两端的噪声电压；②所有来自直流电源侧的噪声电流通过 1μF 电容旁路到地，以确保从 50Ω 电阻两端看过去的噪声是由逆变器产生的，而不是由电源产生的；③因为输入源阻抗会影响噪声，所以 LISN 必须提供一个稳定的输入源阻抗，以确保在不同情况和时间下测得结果的可重复性。图 1.9 也包括 CISPR 25 标准所要求的 LISN 参数，不同的 EMI 标准可能要求的参数不同。三相系统的 EMI 测量如图 1.10 所示。三相输入需要三个 LISN，每个 LISN 具有相同的内部结构。通常，这些测试设备被放置在一个由铝或铜做的低阻抗接地板上，以保证他们有相同的地。

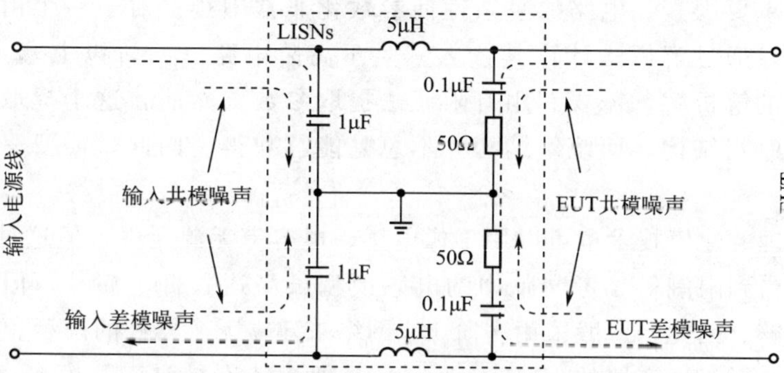

图 1.9　LISN 的作用

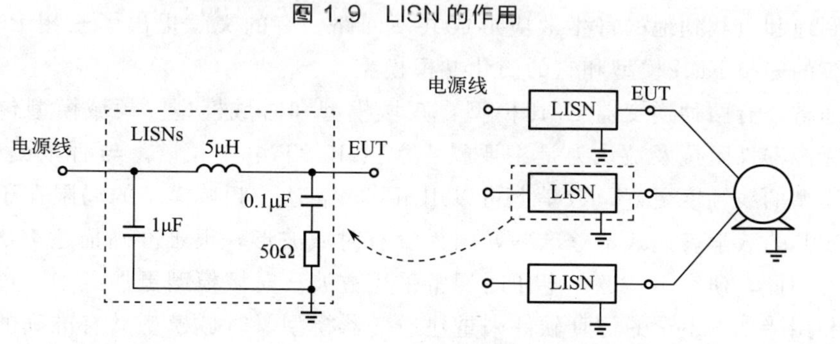

图 1.10　三相系统中 EMI 测量的 LISN 配置

建立 EMI 模型可以帮助分析逆变器系统中的 EMI 噪声的产生和传播，也是研究 EMI 滤波和抑制技术的基础，如本书后续介绍中的阻抗平衡技术与不对称交错技术。

EMI 滤波器的设计需要噪声频谱曲线来确定所需的衰减值，以便于进一步选择所需电感和电容值。噪声曲线一般来自试验测量，因此，电机驱动系统的设计必须先于滤波器设计。在滤波器设计中，利用 EMI 模型来预测噪声频谱是非常好的选择，因为这样可以同时进行滤波器和逆变器的设计。在逆变器原型设计全部完成之前，通过电机驱动系统 EMI 模型来预测整个系统的 EMI 性能。

所参考的文献中介绍了很多关于电力电子系统 EMI 模型的研究。电机驱动系统的模型通常包含 IGBT、电机、电容、电感和电缆等无源器件的模型。

IGBT 模型一般可以分为两类：①物理模型；②行为模型。物理模型是基于 IGBT 的物理结构，这种模型通常更加精确，但模型的参数化过程复杂。行为模型更加简单，有成为 EMI 模型标准的趋势。

电机是电驱系统的关键部件。标准的电机模型仅含有绕组电感。这对于 EMI 建模来说信息还不够。模型中包括绕组和电机底座间（支架）的寄生电容，建立了带有多个波峰和波谷的多阶 LC 电机高频模型。绕组之间的相互耦合也是一个重要因素。电路的复杂性使参数化非常困难。对于一个由低阶电路组成的模型，通过解析法计算其参数。对于高阶电路（两阶以上），不可能得到一个精确的解析解，需要利用有限元法提取参数。然而，这个提取过程需要电机的详细绕组结构，而绕组结构并不总是能够获得。因此，需要一个简单的参数化方法。

基于物理的建模技术也可以用于像电感、电容等无源元件，但这种模型高频的准确性会受到限制。参考文献中的电感模型虽高达数百千赫兹，但这对 EMI 建模依然不够。因此，一般采用多阶 LC 网络来建立无源器件的模型。

寄生现象对于逆变器的 EMI 行为非常重要，特别是对于共模噪声，因为逆变器到地和负载到地的寄生效应形成共模回路。有的文献提出了三相 PFC-逆变器系统的完整 EMI 模型和它的简化共模模型。

通常，有两种逆变器 EMI 模型：频域模型和时域模型。频域模型包括逆变器中无源器件阻抗及被认为是主要噪声源的 IGBT 电压频谱。与时域模型相比，频域模型的线性度更好，数学上可以用矩阵来表达。频域模型的局限在于噪声源或 IGBT 的数学表达式不够准确，因为没有时域波形，很难准确描述 IGBT 开关过程；因此，研究 IGBT 上电压时通常采用方波。时域模型更加准确，这种模型可以利用诸如 Saber 的仿真软件来重建逆变器模型，时域模型具有准确的开关和无源器件模型，时域模型可以覆盖几兆赫兹或更高的频率范围。

1.2.4 电机驱动系统传导噪声抑制技术研究概述

电动汽车电机驱动系统 EMI 抑制技术的研究一直是一个重要的课题。近年来，对电机驱动系统 EMI 抑制技术的研究主要从两方面来开展，一是接近工程应用的 EMI 抑制技术研究，二是从根本上解决或减小 EMI 的抑制技术研究。从基本原理出发，可将抑制 EMI 的方法归纳为减小干扰源发射强度和切断传播途径。

减小干扰源的发射强度是 EMI 抑制的一种常用方法。Trzynadlowski A. M. 等人采用 Saber 仿真软件对随机 PWM 调制和普通 PWM 调制在减少 EMI 方面进行对比分析，指出随机 PWM 调制可以比普通 PWM 调制减小 10dB 左右的 EMI 噪声，并且对驱动性能几乎没有影响。Muton N. 等人提出了一种 EMI 抑制方法，通过多层印刷电路板来封装逆变器电源电路以抑制共模电流。其后，该作者基于串联谐振现象又提出了一种消除逆变器和电池之间正、负电源线缆中表面电流的方法，试验验证了该方法的有效性。Lai Y. S. 利用矢量状态的不同组合会对功率变换器的输出共模电压产生影响的特点，提出了空间矢量调制技术，采用两个相反方向矢量回扫的方法取代零矢量的作用，以此降低系统共模电压，实现抑制 EMI 的目的。Zhang H. R. 等人提出了一种用于消除电机驱动系统共模电压和轴电流的双桥功率变换器，通过控制双桥功率变换器产生标准的三相双绕组感应电动机平衡激励实现抵消共模电压，达到减小漏电流、降低 EMI 发射强度的目的。窦汝振等人根据共模电压会带来共模电流、电压谐波等问题，提出了一种新颖的空间矢量脉宽调制控制方法，可以非常有效地减小电压源逆变器供电的异步电机驱动系统的共模电压。

切断电磁干扰源的传播途径是电机驱动系统 EMI 抑制的另一种常用方法。各国学者相继提出了一些用于阻断 EMI 传播途径的 EMI 滤波器结构，试验表明，经过正确设计的滤波器，能够使电机驱动系统的 EMI 发射强度减小到 EMC 标准限值以下，是电气设备和系统实现 EMC 的重要手段。Weber T. 研究了 600V 直流连接牵引力驱动系统的多种 EMC 滤波器，介绍了一种新式磁场旁路的共模扼流圈。Von J. A. 等人从消除电动机侧共模 EMI 电流的角度进行分析，在共模扼流圈的基础上，再在同一磁芯上缠绕一个终端连接阻尼电阻的第 4 绕组，以抑制共模 EMI 电流的振荡。Ogasawara S. 等人将 π 形无源 EMI 滤波器和有源共模噪声消除器相结合，提出了改进 Π 型有源 EMI 滤波器的结构。该结构能够在消除感应电机端共模电压的同时抑制 PWM 功率逆变器的谐波。哈尔滨工业大学的姜保军根据系统感应电机侧共模电压、电流的形成机理，提出了一种应用于 DC/AC 输出端的无源共模 EMI 滤波器结构，该滤波器克服了传统功率逆变器体积过大和其输出端无源共模 EMI 滤波器高低频特性难以兼顾的缺点。哈尔滨理工大学的刘金凤深入分析了驱动控制系统的电磁干扰源和传播机理，提出了一种前馈型有源 EMI 滤波器，并对滤波器的结构、参数、性能等进行了详尽和系统的分析。综上所述，对电机驱动系统 EMI 抑制技术的研究已取得一定成果。大部分研究主要针对电机驱动系统共模传导 EMI 的抑制，这是由于在整个电机驱动系统 EMI 中，共模传导干扰的危害最大，并且辐射干扰也主要是由共模干扰的存在引起的。此外，上述很多 EMI 抑制技术，鉴于结构、成本等各方面的原因，尚不能很好地应用到工程实际中，因此，寻求工程实用、有效的 EMI 抑制技术也是电动汽车电机驱动系统 EMC 问题研究的一个发展方向。

近年来，对电机驱动系统 EMI 机理的研究已逐渐成熟，而 EMC 预测建模仿真以及 EMI 抑制技术的研究还处于发展过程中。由于电机驱动系统 EMI 机理以及系统的复杂性，给精确建模带来很大困难，如何准确建立电机驱动系统的 EMI 预测仿真模型，并有效指导工程应用，仍是一个亟待解决的问题。此外，电机驱动系统 EMI 抑制技术大多停留在实验室研究和探索阶段，尚未形成一套较完整的解决方案，如何在产品设计以及运用过程中，充分考虑 EMC 特性，形成相应的设计理论和规范，应是今后工程应用需要解决的问题。

EMI 滤波器是 EMI 抑制的常用方法。采用一定的电感、电容等滤波措施总归可以抑制 EMI 噪声，但若要考虑滤波器的尺寸、重量和成本，就不是简单地放置几个滤波电感、电容就能解决的。因此，本书介绍了两种不同的 EMI 抑制方法，以减少无源滤波器件的尺寸。

一种方法是阻抗平衡法，可以减少电机驱动系统的输入共模噪声。这种方法的思路仍然是依赖于一个无源电路，通过引入一个 LC 滤波器来抵消电机输入端的共模电流而不是通过旁路噪声。另一种方法是载波移相不对称交错技术，该技术用于抑制来自电机驱动系统噪声源头（逆变器输出）的干扰。

阻抗平衡实际上就是在噪声源周围形成一个平衡的惠斯通电桥。在这种情况下，噪声电流只在电桥内流动而不会传导到 LISN。阻抗平衡电路应用在 DC/DC 逆变器时，可以减少总的滤波器数量。

阻抗平衡方法减少输入共模电流的原理不同于 LC 滤波器，LC 滤波器主要依赖于电容和电感来旁路或阻断噪声；阻抗平衡方法改变了逆变器共模等效电路的拓扑结构。拓扑结构改变后逆变器共模等效电路变成了惠斯通电桥的形式，噪声源位于电桥中心。如果电桥能很好地得到平衡，所有共模噪声就在逆变器内流动。从逆变器交流返回通路来的电流抵消了流经共模扼流圈流向电机驱动系统（逆变器输入）的共模电流，因此降低了流出电机驱动系统（流向直流母线）的共模电流。本书后续章节中有详细的电路分析和试验测量。差模噪声等效电路无法构成惠斯通电桥的形式，因此差模噪声不适合用阻抗平衡的方法来消除。阻抗平衡电路实际上只需要平衡逆变器、负载、地之间的寄生效应，通常是 nF 级别，因此其所需滤波器都不大。

在不间断电源（UPS）、电机驱动和无线基站的电源系统中采用 PWM 整流器和逆变器并联运行的方法来降低系统的开发成本，提高系统功率、可延展性以及冗余度。电机驱动的载波移相交错技术可以消除或减小输入输出的载波谐波和它们的边带分量。

交错技术可归纳为逆变器不同相单元间的相角移动。在传统的对称交错技术里，两个相邻单元之间的所有相移等于一个开关周期的 $1/N$，其中 N 是逆变器并联工作的单元数目。

对称交错技术的一个不足是，虽然所有载波谐波及其边带成分被消除了，但载波频率的 N 次谐波及其边带成分却不受影响。虽然消除了大量谐波，但如果需要用剩余的某个 N 次谐波来确定滤波器截止频率，这对 EMI 滤波器设计来说并非是最优的。

与对称交错技术相比，不对称交错技术通过适当选择相移角来克服这一限制，使噪声在一定的频率范围得到衰减。一般输出噪声电流包络有一个峰值，这个峰值决定了滤波器所需的衰减量。不对称交错技术能够减少噪声峰值周围的所有谐波峰值及减小滤波器的大小。不对称交错技术可进一步分为两类：①规则不对称交错技术，在两个相邻单元之间的相移角度是相同的，但不一定必须是开关周期的 $1/N$；②不规则不对称交错技术，其相移角度可以是给定的任意值。

为了满足 EMI 标准限值，电力电子系统中几乎都要考虑 EMI 滤波器设计。在电动汽车中，电机驱动系统的输入和输出都需要进行 EMI 滤波器（通常采用无源 LC）设计，LC 滤波器的设计遵循最大阻抗失配的基本规则。

无源滤波是一种相对成熟的技术，它的最优化以及抑制寄生效应技术在相关的文献中已经讨论过。电源或滤波器的设计不当可能导致电机控制性能的下降和电源-滤波器系统的不稳定。在设计滤波器阻尼时，插入一个电阻与滤波器电容或电感串联是比较常用的方法，但可能会导致较高的功率损耗和降低滤波器的高频衰减。具有 RL 或 RC 的阻尼电路的阻尼效果更好，其中电感或电容用于抑制通过阻尼电阻的低频电流分量。本书介绍了减小一阶滤波器输入阻抗波谷的最优阻尼技术。

第2章

电机驱动系统电磁兼容三要素与设计方法

2.1 电动汽车动力系统结构

电动汽车动力系统电磁兼容涉及的主要部件有蓄电池、逆变器、电缆及驱动电机等。动力系统的电磁干扰主要有传导干扰和逆变器的共模辐射。由于电机的相电压均有一定程度的不对称，所以电动机逆变器输出均装有滤波装置来抑制这种共模骚扰的产生，但还是会有谐波从电动机逆变器中窜出，影响其他电器元器件工作。

电机动力系统是电动汽车中将电能转换成机械能的动力部件，目前常用的驱动电机的类型有直流无刷电机、交流感应电机、交流永磁电机和开关磁阻电机。直流无刷电机具有成本低、控制简单、调速方便、技术成熟等优点，较多使用于早期的电动车辆。但直流无刷电机运转时需要电刷和换向器，在高速应用领域受到限制。随着交流电机调速理论的完善，其在电动汽车上使用越来越少。

交流感应电机（异步电机），采用绕线式或鼠笼式转子结构，电机结构比直流电机更加简单，并且技术成熟、可靠、坚固耐用、能够适应恶劣的路面环境，电动汽车使用较多。

交流永磁电机通常可分为永磁同步电机和无刷直流电机。转子采用永磁体，不需要励磁。因此，功率因数大，电机具有较高的功率密度和效率。在中小功率系统中比较占优势，但是该系统成本较高，可靠性上也比感应电机差，随着技术日益成熟，开始在电动汽车中使用。

开关磁阻电机结构虽然具有结构简单，调速容易，适合高速运行等优点，但开关磁阻电机工作时产生电磁噪声大，并且转矩脉动严重，目前无法满足电动汽车驱动电机的要求，开关磁阻电机应用较少。

表 2.1 给出了几家汽车公司驱动电机的类型、功率和转矩等参数。由表 2.1 可知，驱动电机额定功率在 40～80kW 之间。

表 2.1　几家汽车公司动力系统参数

公司	车型	电机类型	额定功率/kW	最大功率/kW	最大转矩/N · m
通用	Sequel	感应电机	60	—	—
	Zafira	感应电机	60	—	215
	A	—	55	—	—
福特	Focus	感应电机	67	—	190
现代	i-Blue	—	—	100	—
奔驰	B 级 F-Cell	—	—	100	290
丰田	克罗茄	永磁同步	80		260
本田	FCX Clarity	永磁同步	80	100	—
马自达	Premacy	永磁同步	65	—	—
大众	Bora	—	75	—	240

注：— 表示未查到相关数据。

2.2　干扰源

电磁干扰从本质上来看是由电流和电压的变化引起的，也就是说，干扰源的本质就是变化的电流和电压。由理论分析可知，变化的电流、电压总是存在的，但是两者通常都存在着相对强弱。一般而言，相对强的干扰电流和电压构成主要的干扰源，且抗干扰性能较高；相对弱的干扰电流和电压构成次要干扰源，或者是受扰源。

在本书介绍的电机驱动系统中，逆变器的结构特性和驱动电路的工作特性决定其在正常工况下会产生较大的电磁干扰，是系统内最为主要的电磁干扰源。

2.2.1　脉宽调制技术造成的电磁噪声

逆变器中，开关器件的控制通常是由 PWM 脉宽调制信号完成的，其频率可高达几千赫兹或几十千赫兹，因而其所产生的电流谐波也可高达几兆赫兹乃至几十兆赫兹的，进而造成很大的电磁干扰噪声。

在电磁干扰研究中，噪声信号频谱的总宽度和各频率分量的限度比各频率分量的准确值更能描述噪声的严重程度。因此，在电磁噪声分析中，通常采用“幅度密度函数（Amplitude Density Function）”来描述这类脉冲谐波噪声，即频谱分析法这一简化方法来进行噪声研究。这种分析方法忽略噪声频谱每个频点上的幅值，而是绘制出频谱包络线，进而对脉冲序列进行谐波分析。

2.2.2 功率半导体器件开关过程造成的电磁噪声

逆变器主电路的核心部件是 IGBT 开关和功率二极管，其控制部分是 DSP 等高速集成电路。因此，在逆变器正常工作情况下，无论是电路主回路还是控制回路，都存在着较高的 di/dt，他们通过线路或元器件的阴线电感引起瞬态电磁噪声。其频率可以高达几十千赫兹至几百千赫兹，是非常严重的电磁干扰源。

IGBT 属于快速工作的开关器件，开关过程中，其电流和电压变化如图 2.1 所示。当 $t_0=0$，IGBT 开始关断，集电极电流还将持续流动一段时间，即存储时间 t_s。在存储时间内，载荷子将从耗尽层中消失，经过 t_s 后，集电极电流逐渐降为零。集电极电流的下降时间非常短，约为 10ns～100μs，会导致严重的电磁干扰噪声。

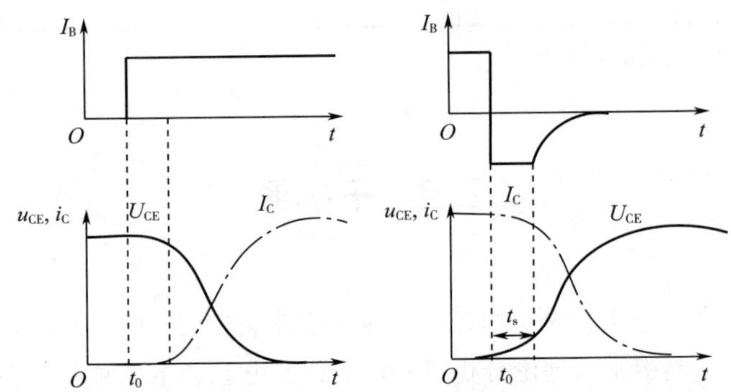

图 2.1 IGBT 导通、关断状态下电流、电压示意图

同时，由于 IGBT 电极线上的寄生电感和极间的寄生电容，电压和电流的突变会在电感和电容上产生高频振荡（如图 2.2 所示）。

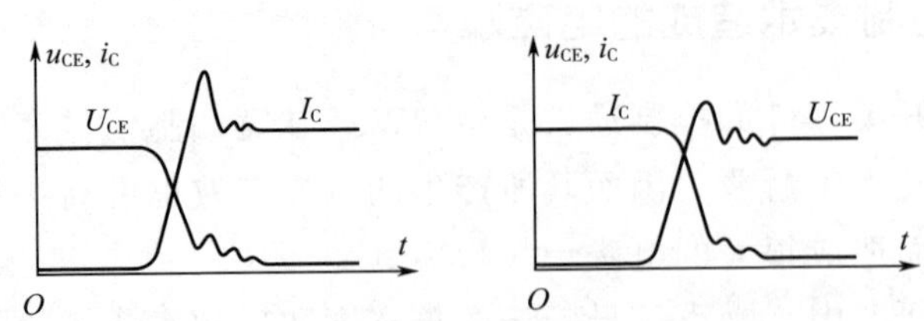

图 2.2 IGBT 导通、关断状态高频示意图

开关过程中，功率二极管的电流、电压如图 2.3 所示。当 $t_0=0$ 时，二极管导通，二极管的电流迅速增大，但是其压降并不是立即下降，而是会出现一个快速的上冲。这是由于在二极管导通过程中，二极管 PN 结的长基区注入足够的载流子而发生电导调制需要一定的时间 t_{FR}。而这个快速的电压上冲会导致一个宽带的电磁噪声。在二极管关断时，存在于 PN 结长基区中的大量过剩载流子需要一定时间恢复到平衡状态，即需要经历反向恢复期 t_{rr}，从而导致了很大的反向恢复电流。包括反向电流增大时间 t_r 和衰减时间 t_s。在反向衰减时间 t_s 内，其他过剩载流子则依靠复合中心复合回到平衡状态，这时二极管压降又出现一个负尖刺。通常，$t_s \ll t_r$，所以该尖刺是非常窄的尖脉冲，从而造成比二极管导通时还要强的电磁干扰。

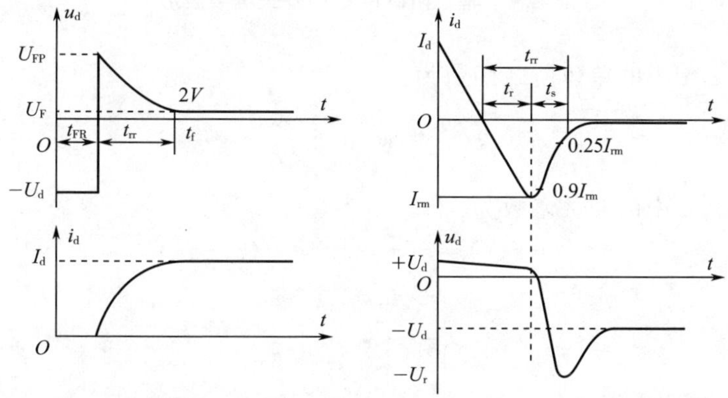

图 2.3　功率二极管导通、关断状态下电压、电流示意图

功率二极管反向脉冲电流的幅度、脉冲宽度和形状与二极管本身的特性及电路电参数有关。由于反向恢复电流脉冲幅度和电流变化率 di/dt 都很大，因此会在引线电感及其他相连电路中产生很高的感应电压，从而造成较强的宽频瞬态电磁噪声。

2.2.3　逆变器电路中的电磁干扰

逆变器主要利用电力电子器件的开关特性完成直流变交流的电能转换。因此，逆变器中的电流电压都会呈现一种非线性的开关特性。由于逆变器中，开关器件的开关频率较高，因此传导射频段（10kHz 以上）系统中也会出现大量的开关频率谐波。这一干扰频段可从几千赫兹到几兆赫兹。此外，在开关器件快速导通关断的过程中，会产生较高的电流、电压变化，激励系统中的寄生电感、电容产生谐振，其频率可达几十兆赫兹。因此，逆变器电路中一般都存在着较宽的电磁干扰频谱。其频谱分布可以从电网频率一直到几十兆赫兹。

通常，电力电子系统中产生的干扰分为三类。

（1）电网频率谐波

电网频率谐波一般是由于电力电子系统中带有相控整流环节形成的电网电源的各次谐波。对于这一类干扰的计算，最常见的就是开关函数法，即不考虑开关导通、关断的暂态过程。如图 2.4 所示是单位阶跃函数和开关函数波形。

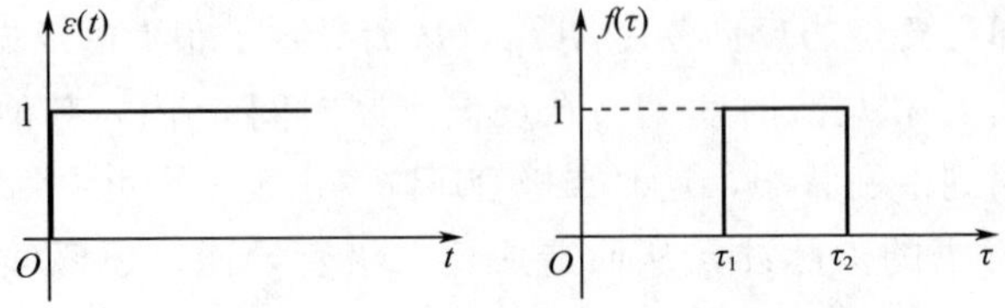

图 2.4　单位阶跃函数和开关函数波形

定义图 2.4 中的单位阶跃函数为：

$$\varepsilon(t)=\begin{cases}0 & t\leqslant 0_-\\ 1 & t\geqslant 0_+\end{cases} \tag{2.1}$$

定义图 2.4 中的开关函数为：

$$f=f(\tau)=\varepsilon(\tau-\tau_1)-\varepsilon(\tau-\tau_2)$$
$$\begin{cases}\tau=\omega t\\ \tau_1=\alpha_0\\ \tau_2=\alpha_0+\alpha_\omega\end{cases} \tag{2.2}$$

其中，α_0 为晶闸管控制角；α_ω 为晶闸管导通区间。

对开关函数进行傅里叶变换，可以得到：

$$\begin{aligned}f(\omega t,\ \alpha_0)&=a_0+a_1\cos(\omega t)+b_1\sin(\omega t)+\cdots+a_k\cos(k\omega t)+b_k\sin(k\omega t)\\ &=a_0+\sum_{k=1}^{\infty}[a_k\cos(k\omega t)+b_k\sin(k\omega t)]\end{aligned} \tag{2.3}$$

其中，a_0、a_k、b_k 是傅里叶系数。利用三角函数的正交性对傅里叶系数进行转化代入式（2.3）可得：

$$f(\omega t,\ \alpha_0)=A_0+\sum_{k=1}^{\infty}A_k\cos(k\omega t-\psi_k)$$
$$\begin{cases}A_0=a_0=\dfrac{\alpha_\omega}{2\pi}\\ A_k=\dfrac{2}{k\pi}\sin\dfrac{k\alpha_\omega}{2}\\ \psi_k=k\alpha_0+\dfrac{k\alpha_\omega}{2}\end{cases} \tag{2.4}$$

逆变器中，每一相桥臂交流电流的产生，是由上下两个桥臂的开关函数对直流电流调制的结果，即：

$$i=(f_{\mathrm{up}}-f_{\mathrm{down}})I_{\mathrm{d}} \tag{2.5}$$

以三相三桥臂的逆变器为例，其 $\alpha_{\omega}=2\pi/3$，将其与式（2.5）一起代入开关函数的表达式，即可得到逆变器一相的交流电流谐波表达式：

$$\begin{aligned} i&=\sum_{k=1}^{\infty}\frac{4}{k\pi}I_{\mathrm{d}}\cos\frac{k\pi}{6}\sin\left[k\left(\omega t-\alpha-\frac{\pi}{6}\right)\right] \\ &=\frac{2\sqrt{3}}{\pi}I_{\mathrm{d}}\sin\left(\omega t-\alpha-\frac{\pi}{6}\right)+\frac{2\sqrt{3}}{\pi}I_{\mathrm{d}}\sum_{k=1}^{\infty}\frac{(-1)^{k}}{6k\pm1}\sin\left[(6k\pm1)\left(\omega t-\alpha-\frac{\pi}{6}\right)\right] \end{aligned} \tag{2.6}$$

式中，第一项是基波分量，第二项为各次谐波分量之和。

（2）开关频率谐波

开关频率谐波是指由系统中一些高频开关环节产生的电力电气器件本身的开关频率及其倍数频率附近的干扰。开关频率谐波的频率分布和幅值与开关的控制策略有关。

由于逆变器在正常工况下都处于一种周期性开关状态，因此，可以将这一类干扰看作一种脉冲串序列的干扰，由一系列重复频率为 $1/T$ 的不同脉冲串组成（T 为开关周期）。一般，脉冲持续时间很短，可用矩形波来表示，如图 2.5 所示。

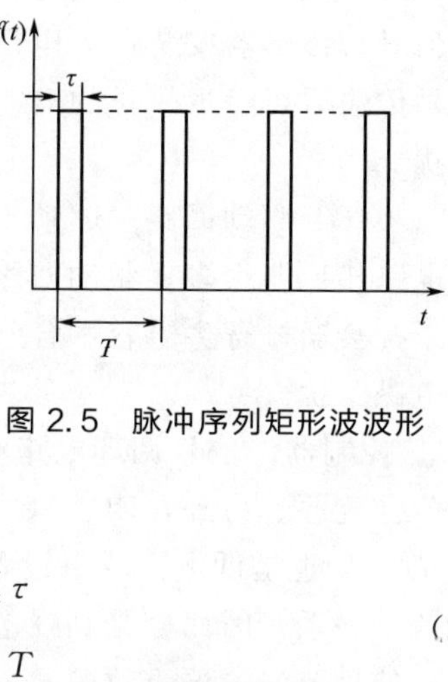

图 2.5　脉冲序列矩形波波形

这里，定义矩形脉冲函数为：

$$f(t)=\begin{cases}a & 0<t\leqslant\tau \\ 0 & \tau<t<T\end{cases} \tag{2.7}$$

将式（2.7）进行傅里叶变换后，即脉冲串序列的傅里叶级数可表达为：

$$f(t)=\frac{A_0}{2}+\sum_{k=1}^{\infty}A_n\cos(\omega_n t+\psi_n)$$

$$\begin{cases}\omega_n=\dfrac{2n\pi}{T} \\ \psi_n=-\dfrac{\omega_n\tau}{2}\end{cases}\quad(n\text{ 是谐波次数}) \tag{2.8}$$

对于该类脉冲串频谱幅值的考量，不需要知道每一个脉冲点幅值的具体值，可用阶跃函数的频谱近似求解脉冲串的包络线，作为干扰研究的依据。

(3) 开关暂态干扰

开关暂态干扰是由电力电子器件开关时引起的尖峰信号与器件中电容、电感形成的阻尼振荡而造成的，数量级为几十兆赫兹，与开关期间内部的载流子运动有关。因此，对于开关暂态干扰，需要针对具体器件进行相应的分析。需要说明的是，由于开关在导通和关断过程中的瞬态过程很短，其造成的干扰噪声频率可高达几十兆赫兹。因此，在讨论 10MHz 以内的传导干扰时，可以忽略开关暂态干扰。

2.3 受扰源

相较于大电压、大电流的 DC/AC 逆变器开关器件而言，电机驱动系统中还包括一些易受干扰的电力电子器件。

① 传感器。通常，在逆变器的输出端需要安装传感器来检测输出的电压、电流信号。传感器安装在大电压、电流的强电回路中，产生的状态信号较微弱，且信号传输需要经过较长的电缆，因而在该环境和过程中容易受到来自强电回路的干扰。

② IGBT 驱动回路。驱动 IGBT 导通和关断的电路工作电压一般为十几伏，与主电路相比弱很多。驱动回路与 IGBT 的栅极和发射极相连，因而主电路上的电磁干扰会通过寄生电容耦合到驱动回路上。同时，驱动回路也会受到空间上的辐射电磁干扰。

③ 控制器。信号调理电路和 PCB 板中存在的模拟信号是控制器中最容易被干扰的受扰源。另外，DC/AC 逆变器的数字信号处理器（Digital Signal Processor，DSP）也是低电压弱电设备，其工作电压只有 3.3V。由于 DSP 与强电设备通过信号联系，因而会受到强电的电磁噪声干扰，影响正常工作状态，甚至造成死机、信号错误等严重故障。

④ 电机。经逆变器的逆变桥输出的电压，是一系列的脉冲波，其上升和下降时间都很短，造成高变化率的 dv/dt，引发电机绝缘寿命下降的问题，甚至会导致电机被立即破坏。电流中存在高次谐波，经过杂散电容、电感的减负振荡，会造成电机输入端的电压产生过冲现象。同时，由于在电机绕组中也有杂散电容存在，过冲电压会在绕组中造成尖峰电流，引起绕组不均匀区域的过热现象，进而影响电机的可靠性。同时，谐波电流会造成电机铁损增加、电机温度升高，从而影响电机的使用寿命。

2.4 耦合路径

在电磁干扰的研究中，耦合路径是非常重要的一环，它是干扰源与受扰源之间的作用通道。一般可将耦合路径分为传导耦合和辐射耦合两种（如图 2.6 所示）。

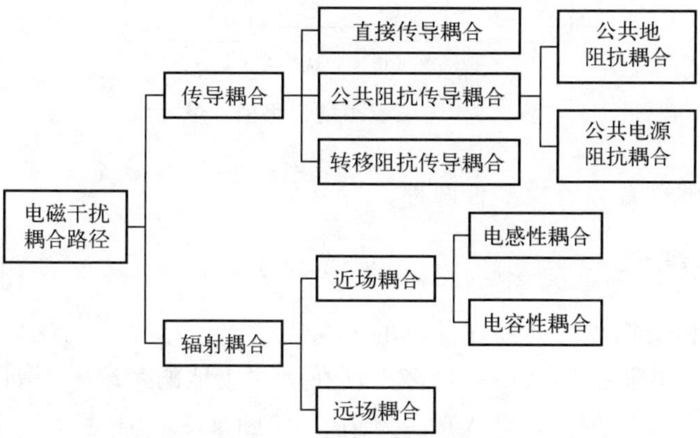

图 2.6 电磁干扰耦合路径

传导耦合是指电磁噪声的能量在电路中以电流、电压的形式，通过导线或其他电力电子器件耦合到受扰设备上。根据耦合特点，传导耦合可分为如下几种。

① 直接传导耦合。噪声直接通过导线或其他元件耦合到受扰设备上。

② 公共阻抗传导耦合。噪声通过印刷电路板和机壳接地线、设备的公共安全接地线以及接地网络中的公共地阻抗，产生公共地阻抗耦合；或者，噪声通过交流供电电源及直流供电电源的公共电源阻抗，产生公共电源阻抗耦合。

③ 转移阻抗传导耦合。噪声不直接传送到受扰设备，而是通过转移阻抗，将噪声电流、电压转变为受扰设备的干扰电流、电压。这种传导耦合是直接传导耦合和公共阻抗传导耦合的某种特例。

辐射耦合是指电磁噪声的能量以电磁场的形式，通过空间辐射传播，耦合到受扰设备上。根据噪声频率、干扰源到受扰设备距离的不同，辐射耦合可分为近场耦合和远场耦合两种。

因此，电磁噪声的耦合路径可归纳为如图 2.7 所示。在实际研究中，电磁噪声的耦合方式分类不是绝对的，传导耦合与辐射耦合是相互联系的。

同时，在研究电磁兼容的过程中，通常会将干扰量（电压或电流）分解成共模和差模两个分量。其中，共模分量对辐射干扰的贡献更大。相应地，耦合路径

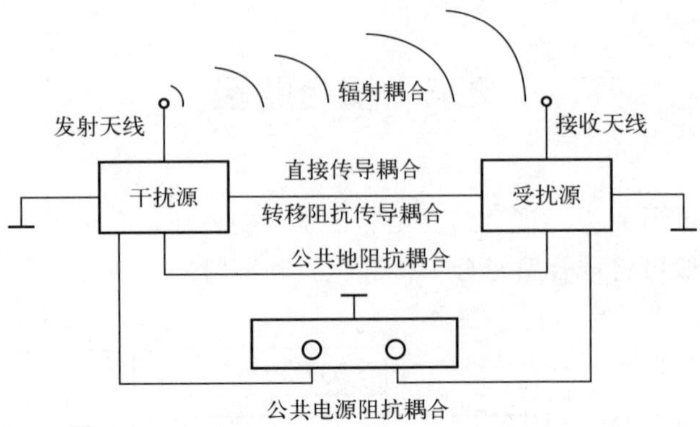

图 2.7　电磁噪声耦合路径示意图

也可划分为共模耦合和差模耦合两种。

2.4.1　传导耦合

当干扰源和受扰源之间存在共享的公共阻抗时，电磁干扰就会通过传导耦合的方式产生。公共阻抗的共模耦合多出现在单端接地的系统中，如图 2.8（a）所示，差模耦合多出现在差分输入的系统中，如图 2.8（b）所示，其中，V_N、V_S 分别是干扰源和受扰源，Z_C、Z_3 是公共阻抗。

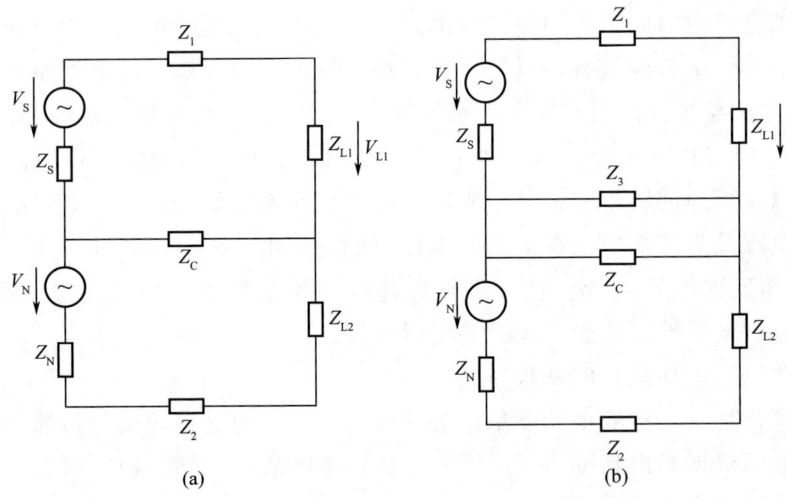

图 2.8　公共阻抗共模耦合、差模耦合等效图

公共阻抗耦合在电路中是常见的一种耦合方式，主要出现在主电路电源输入和输出端、控制电路电源输入端、控制电路 PCB 板走线上、CAN 通信以及传感器信号调理部分。以共模耦合为例，由图 2.8 可以得到受扰源负载 Z_{L1} 上的电

压为：

$$V_{L1}=\left[\frac{V_N(Z_C \parallel Z_3)}{Z_N+Z_2+Z_{L2}}+V_S\right]\frac{Z_{L1}}{Z_S+Z_1+Z_{L1}} \tag{2.9}$$

因此，要抑制传导耦合的电磁干扰，可以尝试以下方法：

① 减小干扰源幅值；

② 控制干扰源频率范围，避免其与受扰源的频率范围重叠；

③ 在干扰源、受扰源的输入端或输出端加滤波器进行滤波；

④ 减小公共阻抗。

2.4.2 近场耦合

本节对于近场耦合的研究将从电感性耦合和电容性耦合两个方面进行。所谓电感性耦合，即磁场性耦合，干扰源与受扰源之间是通过磁场进行耦合的；所谓电容性耦合，即电场性耦合，干扰源与受扰源之间是通过电场进行耦合的。

（1）电感性耦合

在电感性耦合的情况里，干扰源与受扰源之间的耦合可以有公共导体，也可以没有。图 2.9 所示的即为两个独立电路的电感性耦合。V_N 、V_S 分别是干扰源和受扰源，M 是干扰端和受扰端的杂散互感，I_N 为干扰源回路电流。干扰源回路中产生的磁通穿过受扰源回路，并产生感应电动势。这种电感性耦合，主要出现在主电路中的高频电流和控制电路中的低阻抗单元电路之间。根据图 2.9 可以获得受扰源负载上的电压为：

$$V_{L1}=(\mathrm{j}\omega MI_N+V_S)\frac{Z_{L1}}{Z_{L1}+Z_S} \tag{2.10}$$

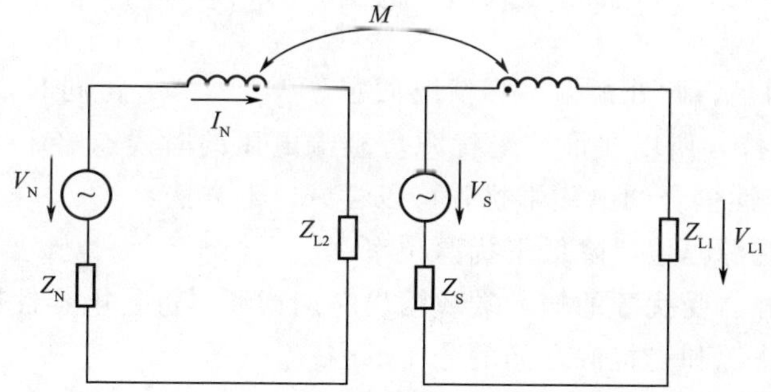

图 2.9 电感性耦合原理图

因此，要抑制电感性耦合的电磁干扰，可以尝试以下方法：

① 减小干扰源幅值，降低干扰源频率；

② 在干扰源、受扰源的输入端或输出端加滤波器进行电感性耦合滤波；

③ 减小干扰源和受扰源之间的耦合电感；

④ 增大受扰源的阻抗。

（2）电容性耦合

同电感性耦合相似，电场耦合的干扰源和受扰源之间可以有公共的导体，也可以是独立的两个部分。图 2.10 所示的即为两个独立电路的电容性耦合。图中，V_N、V_S 分别是干扰源和受扰源，C_1、C_2 是干扰源电路和受扰电路间的等效杂散电容，I_N 为等效注入噪声电流。

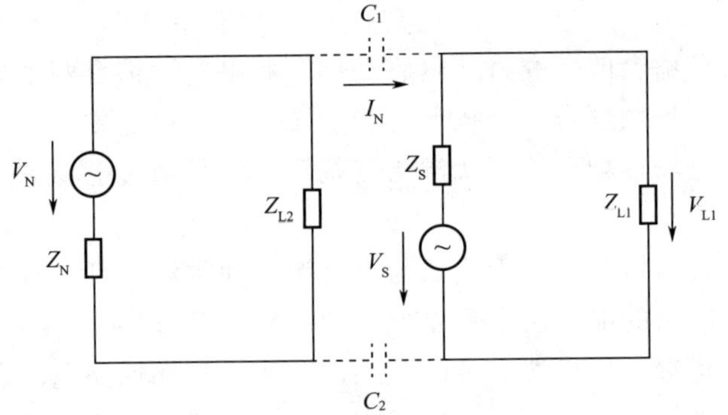

图 2.10 电容性耦合原理图

电容性耦合主要出现在主电路中的高频电压和控制电路中的高阻抗单元电路之间。根据图 2.10 可以获得受扰源负载上的电压如下式：

$$V_{L1}=(j\omega C_e V_N)(Z_S \parallel Z_{L1})+V_S\left(\frac{Z_{L1}}{Z_{L1}+Z_S}\right) \tag{2.11}$$

需要注意的是，此处根据实际情况假定了 $V_{L1} \ll V_N$；同时，由于干扰源的阻抗 Z_N 为小阻抗，所以在推导受扰源负载端电压的时候忽略了 Z_N 的作用。因此，要抑制电容性耦合的电磁干扰，可以尝试以下方法：

① 减小干扰源幅值，降低干扰源频率；

② 在干扰源、受扰源的输入端或输出端加滤波器进行电容性耦合滤波；

③ 减小干扰源和受扰源之间的分布电容；

④ 减小受扰源的阻抗。

2.4.3 远场耦合

当干扰源与受扰源之间的距离 D 满足 $D>\lambda/2\pi$ 或者 $D>2L^2/\lambda$（L 是干扰源的最大外形尺寸）时，产生的电磁干扰归为远场辐射耦合干扰。远场耦合作用中，电感性耦合与电容性耦合是同时存在的；且一般认定远场耦合中的干扰源电磁场量是均匀的。

在远场范围内，电场强度 E 与磁场强度 H 之间的关系如下式：

$$\frac{E}{H}=377\Omega \tag{2.12}$$

因此，在研究远场辐射时，可以通过对电场的考量来进行推导分析。图 2.11 所示是远场耦合的共模电流、差模电流的辐射模型。

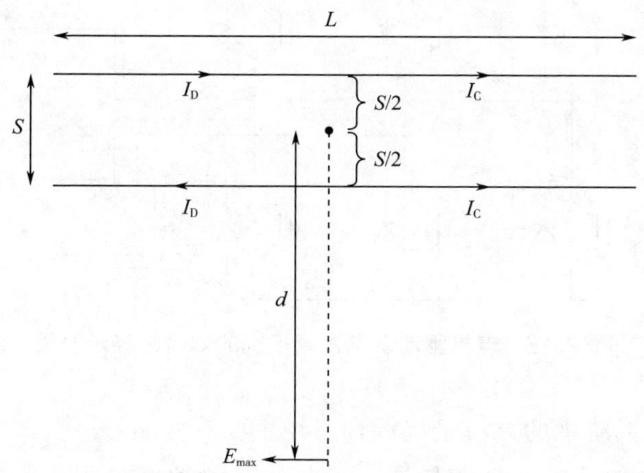

图 2.11　共模、差模电流远场耦合模型

通常，远场辐射主要出现在输入/输出线缆上。

根据图 2.11 可获得共模电流引起的干扰电场：

$$E_{C} \leqslant \frac{1.257\times 10^{-6} I_{C} f L}{d} \tag{2.13}$$

差模电流引起的干扰电场：

$$E_{D} \leqslant \frac{4\times 10^{-6} I_{D} f L}{d}\left(\frac{S}{\lambda}\right) \tag{2.14}$$

式中，I_C、I_D 分别为共模电流、差模电流；f 为频率；λ 为波长；L 为线路长度；S 为线路间距；d 为电场强度观测点到线路的距离。最大耦合发生在电磁波传播方向与线路平行处。同时可见，线缆上的干扰电场跟线缆长度和频率大小有直接关系。因此，要抑制远场耦合的电磁干扰，可以尝试以下方法：

① 控制干扰源发射天线，减小干扰场强度，降低干扰源频率；

② 采用屏蔽的方法进一步减小干扰强度；

③ 调节受扰端线路的走线方向、缩短线路尺寸；

④ 在受扰端加滤波器进行滤波。

2.4.4 电机驱动系统耦合路径

在电机驱动系统中，干扰的耦合路径可分为差模干扰和共模干扰两种。

引起差模干扰的差模电流是指功率回路中的回路电流。图 2.12 所示是驱动系统的差模干扰的耦合路径示意图。

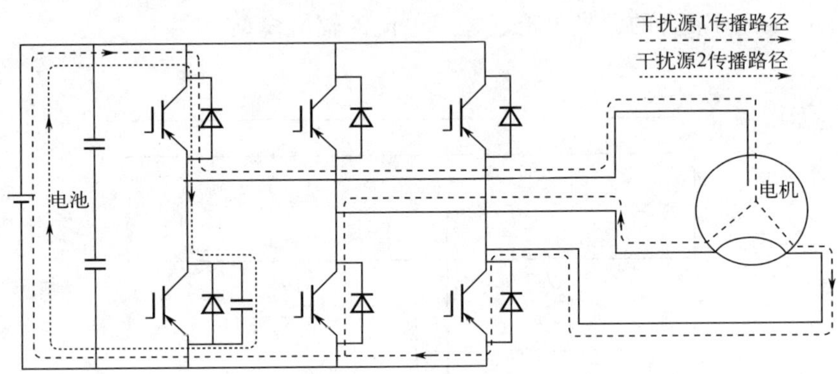

图 2.12 电机驱动系统差模干扰的耦合路径示意图

可见，驱动系统中的差模干扰耦合路径主要有两条：

① 逆变器中的开关器件在导通、关断的开关动作过程中，会产生差模干扰源，差模电流经母线流回直流供电电源；

② 高频电流作用在电机定子线圈上，产生尖峰电压，进而经母线产生差模电压。

驱动系统中的共模干扰是由电路传输导线与地形成的环路产生的。共模干扰对整体电磁干扰的贡献要比差模大很多，是主要的讨论对象。本书所讨论的电机驱动系统包括了 DC/AC 逆变器、高压线缆和交流感应电机等。

① DC/AC 逆变器。逆变器内部的干扰主要源自 IGBT 开关器件与散热器之间形成的较大的寄生电容的传导耦合干扰。由于 IGBT 开关器件的工作特性，在快速导通和关断过程中，逆变器的三相输出等同于三个干扰源，经开关器件与散热器之间的电容耦合，产生共模电流流向地，形成共模干扰。

② 高压线缆。逆变器输出端和电机输入端之间，通过一定长度的高压线缆连接。逆变器输出的高频 dv/dt 经过线缆的分布电容、电感耦合，产生共模干扰。

③ 感应电机。在电机内部，电机定子与转子之间存在寄生电容，逆变器输出的高频电压信号经寄生电容耦合，产生共模电压流向地形成共模干扰。

因此，电机驱动系统中，主要的共模干扰路径有（图 2.13）：①IGBT→IGBT 与散热器间的寄生电容→底盘→电池组对底盘的分布电容→电池组→直流母线→逆变器；②IGBT→IGBT 与散热器间的寄生电容→底盘→动力电缆对底盘的分布电容→动力电缆→逆变器。

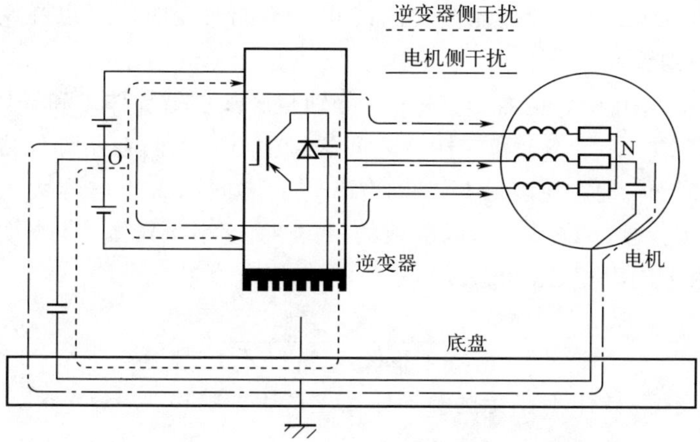

图 2.13　电机驱动系统共模耦合示意图

2.5　电机驱动系统电磁兼容性设计

从电磁干扰的产生机理可以看到，电磁兼容设计的目的就是降低干扰源本身的电磁噪声强度、切断此电磁噪声耦合路径和提高受扰源的抗干扰能力。电磁噪声抑制的一般措施，主要针对的是干扰源的强度抑制和噪声耦合弱化。

2.5.1　屏蔽

在电磁兼容工程中，屏蔽被广泛用于抑制电磁噪声，其原理就是对两个空间区域之间进行金属的隔离，以控制电场、磁场和电磁波由一个区域对另一个区域的感应和辐射。屏蔽按机理可分为电场屏蔽、磁场屏蔽和电磁场屏蔽。

静电屏蔽是指空腔导体（不论是否接地）的内部空间不受外电荷和电场的影响，或接地的空腔导体，腔外空间不受腔内电荷和电场的影响。在实际中，静电屏蔽是随时间变化的电场，干扰源和受扰源通过它们之间的分布电容进行耦合，如图 2.14（a）所示。

导体 1 为干扰源，导体 2 为受扰源。导体 1 和导体 2 之间的寄生电容为 C_{12}，导体 1 通过寄生电容在导体 2 上感应出干扰电压。设电压源 U_g 的频率是 ω，则导体 2 上的感应电压可表示为：

$$U_2 = \frac{j\omega C_{12} Z_2}{1 + j\omega C_{12}(Z_1 + Z_2)} U_g \tag{2.15}$$

可以看出，在阻抗 Z_1 和 Z_2 都为定值的情况下，寄生电容 C_{12} 越大，感应电压 U_2 也越大。当导体 1 和导体 2 之间的距离不能改变时，可以在两导体间增加屏蔽板来减小耦合。

在图 2.14（b）中，电容 C_{13} 和 C_{23} 分别是屏蔽层与导体 1 和导体 2 之间的寄生电容，电容 C_{12} 是导体 1 和导体 2 之间的寄生电容，当在两导体之间插入屏蔽板，导体 1 和导体 2 均与屏蔽板 3 耦合，它们之间的寄生电容大大减小，因此 C_{12} 比 C_{13} 和 C_{23} 要小许多。当屏蔽板的阻抗 Z_3 远小于导体 1 与导体 2 之间的容抗时，屏蔽板上的电压 U_3 可表示为：

$$U_3 = \frac{j\omega C_{13} Z_3}{1 + j\omega C_{13}(Z_1 + Z_3)} U_g \tag{2.16}$$

此时，干扰源导体 1 在受扰源导体 2 上产生的噪声为：

$$U_2 = \frac{j\omega C_{23} Z_3}{1 + j\omega C_{23}(Z_3 + Z_2)} U_3 \tag{2.17}$$

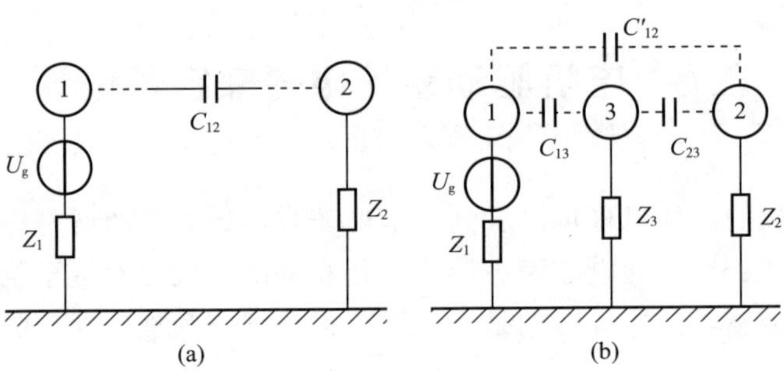

图 2.14 电场屏蔽

可见，在干扰源与受扰源之间距离不可变的情况下，屏蔽阻抗 Z_3 值越小，受扰源上的感应噪声越小，当 Z_3 趋近于零时，两导体间的大部分耦合通过屏蔽变成两导体各自与地间的耦合。静电场的屏蔽必须满足完善的屏蔽和屏蔽体良好接地两个条件。

磁场屏蔽包括低频磁场的屏蔽与高频磁场的屏蔽。低频磁场的磁力线是连续闭合的曲线，屏蔽罩采用高磁导率的铁磁材料制作，因其磁阻远远小于空气磁阻，可以限制其作为干扰源对其他设备产生干扰，同时使外界的磁场干扰不会影响到其内部的工作设备，如图 2.15 所示。因此，屏蔽板壳体越厚，屏蔽效果越好。在高频磁场穿透金属板块时，在金属板中会造成涡流。高频磁场屏蔽主要利用电磁感应现象，使导体表面所产生的涡流的反磁场抵消原磁场，以达到屏蔽效果。屏蔽材料通常采用选择良好导电体，例如铜、铝等。

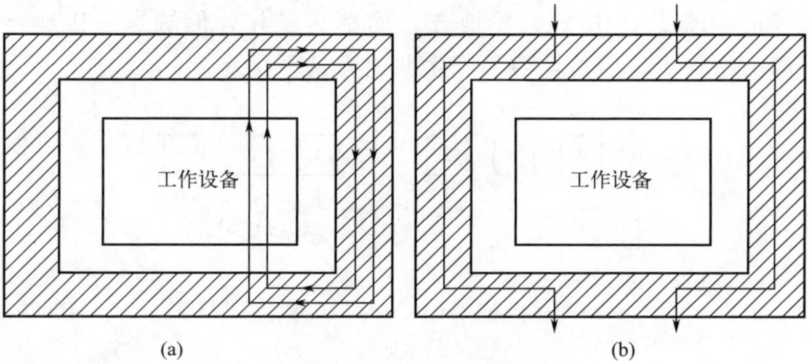

图 2.15 低频磁场屏蔽

电磁场屏蔽是利用屏蔽体阻止电磁场在空间传播的一种措施。当电磁波到达屏蔽体表面时，由于空气与金属的交界面上阻抗的不连续，会对入射波产生反射。未被表面反射掉而进入屏蔽体的能量，在其体内向前传播的过程中，会被屏蔽材料所衰减。在屏蔽体内尚未衰减掉的剩余能量，传到材料的另一表面时，遇到金属与空气阻抗不连续的交界面，会形成再次反射并重新返回屏蔽体内。因此，电磁屏蔽体对电磁的衰减主要基于电磁波的反射和电磁波的吸收。

根据上述电场屏蔽、磁场屏蔽和电磁场屏蔽理论，在电机驱动系统里，可以通过以下措施对部分电磁干扰进行屏蔽。

① DC/AC 逆变器以镀锌钢板材料为屏蔽壳体包裹，将内腔里的主电路和控制电路用导电中隔板分开，屏蔽电场和低频磁场。

② 在导线穿过屏蔽体处，采用贯通滤波器，将导线接收到的干扰滤除到屏蔽体上，从而避免干扰穿过屏蔽体。

③ 针对逆变器屏蔽体上的信号线、信号线开口和机箱部件之间的缝隙采取屏蔽措施。金属接插件和屏蔽电缆对开口提供良好的电磁密封，采用导电布和铜箔粘接金属机箱上的缝隙；信号电缆在端接处保证与机箱的 360°端接；上下两部分之间的接缝用导电垫圈进行处理，保证其良好的射频接触。

④ 使用屏蔽电缆，并对电缆两端接地，当噪声电流必须流回逆变器时，屏蔽层则会形成一条最有效的通道，可以大大降低系统的电磁噪声。

2.5.2 接地

车辆良好的接地设计是解决电磁兼容问题有效的措施。这里所讨论的系统接地，主要指信号系统接地，以信号或功率传输电流流经的参考点位基准线或基准面为信号地。常见接地方法包括单点接地、多点接地、浮点接地和混合接地等。

单点接地如图 2.16 所示，接地方式简单易操作，但缺点是接地导线太长，当频率升高时增加了地阻抗，容易产生共地阻抗干扰。

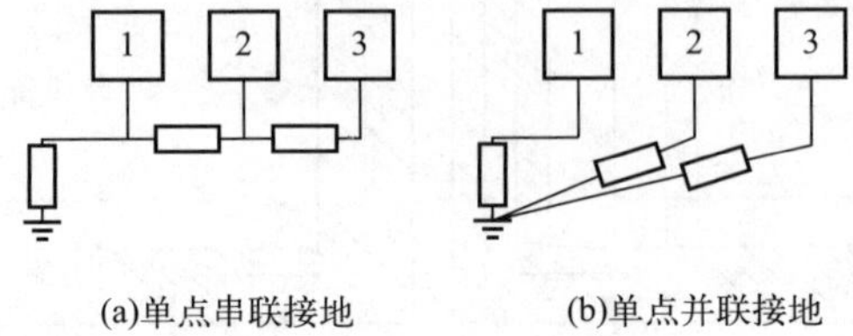

图 2.16 单点接地方式

多点接地如图 2.17 所示。当频率小于 1MHz 时，使用单点接地；当频率大于 10MHz 时，采用多点接地；当频率在 1MHz 和 10MHz 之间，若接地线不超过波长的 1/20，采用单点接地。

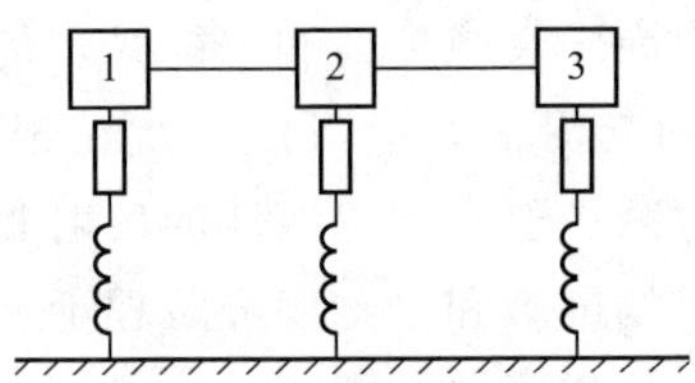

图 2.17 多点接地方式

然而，实际应用中，由于系统的复杂性，只采用单一的接地方式很难满足系统性能的要求。通常需要串联与并联接地方式相结合或单点与多点接地方式相结合。图 2.18 所示即为单点与多点接地相结合的接地方式，适用于包含高频、低频的混合系统：局部高频电路采用多点信号接地方式；低频电路备份则可根据电路特性，采用串联、并联混合的信号接地方式。

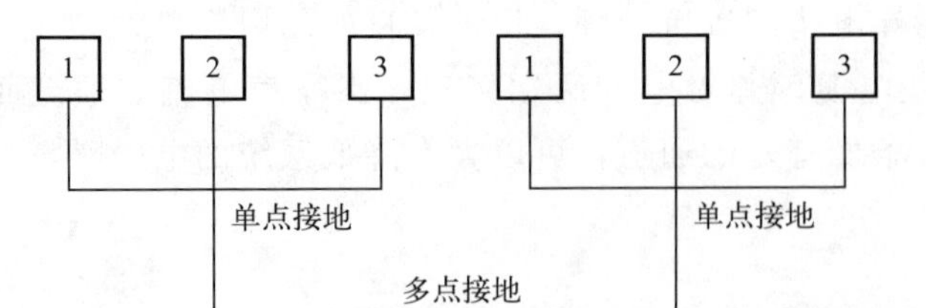

图 2.18 混合接地方式

浮点接地如图 2.19 所示，是将某个系统完全与车体隔离，使电位悬浮，可以防止该系统影响其他接地设备。但是由于该系统没有与车体连接，会导致电荷积累，当积累的电荷超过一定程度时，该系统与车体间会产生强烈的放电现象。为解决这个问题，可以在设备和地之间接一个大阻值的泄放电阻，以消除静电积累的影响。

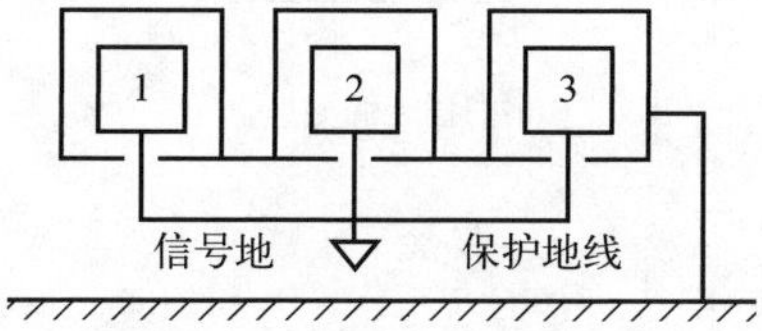

图 2.19 浮点接地方式

在电机驱动系统正常工作工况下，流经系统的为高电压大电流，出于对低压元器件的保护，动力系统的主电路采用浮点接地的方式：将电机驱动系统中的设备和信号接地系统与车身安全地隔离；这里说的地就是汽车本身。

2.5.3 无源滤波器

滤波器的作用是使有用信号通过，并限制无用的 EMI 信号。一般，EMI 滤波器的设计步骤包括选择滤波器结构、设置匹配效果系数和阻抗匹配系数、计算和调整匹配网络和滤波器元件参数等。

（1）选择滤波器结构

在滤波器的设计过程中，主要关注的是额定电压、额定电流、插入损耗和反射损耗等问题。滤波器性能的好坏一般用插入损耗来进行评价。为了方便分析，一般采用如图 2.20 所示的二端口网络作示意。

二端口网络的电流、电压特性为（A_{ij} 为滤波网络参数）：

$$\begin{aligned} U_1 &= A_{11}U_2 - A_{12}I_2 \\ I_1 &= A_{21}U_2 - A_{22}I_2 \end{aligned} \tag{2.18}$$

不加滤波器的电路中，从干扰源传到负载的功率 P_1 可表示为：

$$P_1 = \left(\frac{U_g}{Z_g + Z_1}\right)^2 Z_1 \tag{2.19}$$

加入滤波器的电路中，从干扰源传到负载的功率 P_2 可表示为：

$$P_2 = I_2{}^2 Z_1 = \left(\frac{A_{21}U_1 - A_{11}I_1}{A_{22}A_{11} - A_{21}A_{12}}\right)^2 Z_1 \tag{2.20}$$

因此，插入损耗（Insertion Loss，IL）为：

$$IL = 10\lg\frac{P_1}{P_2} = 10\lg\left(\frac{A_{11}Z_1 + A_{22}Z_g + A_{12} + A_{21}Z_gZ_1}{Z_g + Z_1}\right)^2 \tag{2.21}$$

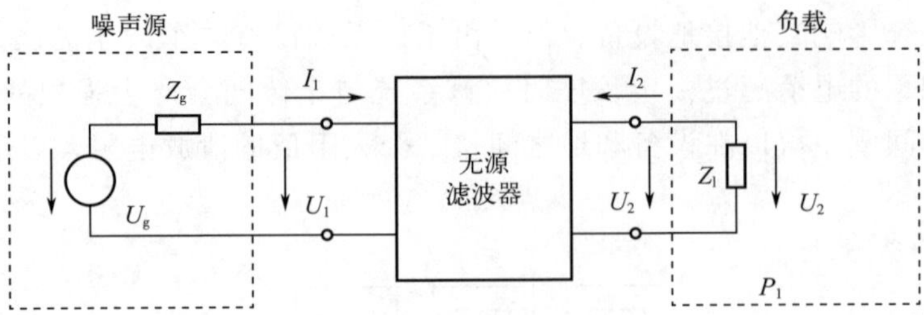

(a)内插无源滤波器

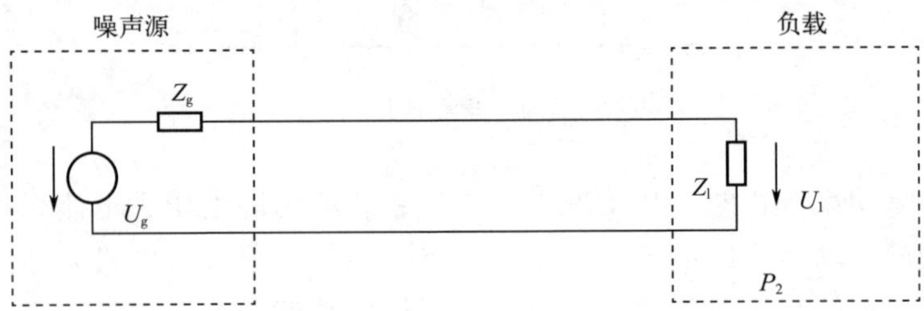

(b)参考电路

图 2.20　无源滤波器示意图

在实际应用中，由于干扰源阻抗 Z_g 与负载阻抗 Z_l 的不相等，会造成阻抗不匹配的问题。阻抗不匹配会导致电流反射现象，造成反射损耗；阻抗之间相差越大，反射损耗越大，则信号越难传递，以达到抑制 EMI 信号的目的。此时，滤波器对 EMI 信号的抑制是插入损耗与反射损耗的叠加。

然而，阻抗失配对插入损耗存在很大影响，阻抗搭配的不当会降低插入损耗，甚至使之变为负值，严重影响对 EMI 信号的抑制。因此，为了在阻抗最大失配情况下，仍能获得高插入损耗，滤波器结构需遵循一定的设计原则：滤波器的电感端应与低阻抗端相串联，而滤波器的电容端应与高阻抗端相并联，以此保证阻抗最大失配的条件下，滤波网络实际工作时，既有较大的插入损耗，又有最大的反射损耗，从而实现对 EMI 信号的有效抑制。在可以估算干扰源与负载阻抗的情况下，为满足不同的阻抗搭配要求，可根据表 2.2 选择相应的滤波结构（表 2.2 中所述的四种滤波器结构如图 2.21 所示）。

表 2.2　不同阻抗匹配情况下滤波器结构选择

阻抗类型	低受扰源阻抗	高受扰源阻抗
低干扰源阻抗	T 形滤波器结构　[图 2.21（a）]	LC 滤波器结构　[图 2.21（c）]
高干扰源阻抗	CL 滤波器结构　[图 2.21（b）]	π 形滤波器结构　[图 2.21（d）]

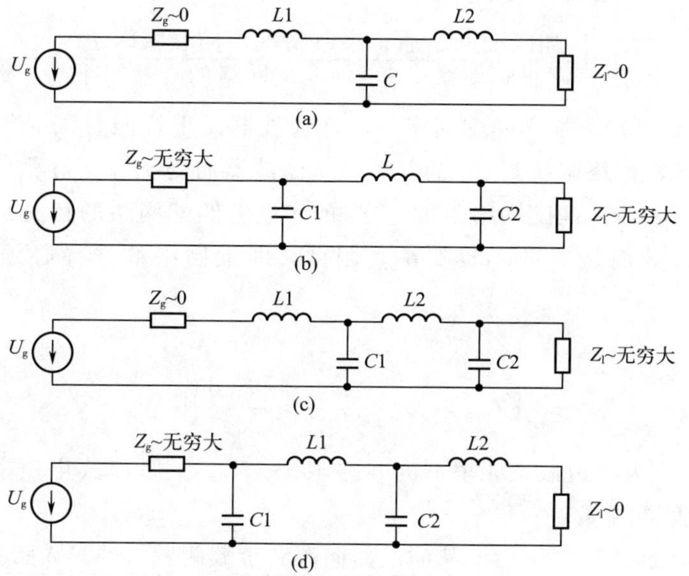

图 2.21 EMI 滤波器结构电路图

（2）设置匹配效果系数 μ 和阻抗匹配系数 ε，计算匹配网络参数值

在阻抗严重失配的情况下，为了使得阻抗失配对插入损耗的影响减到最低，可在 EMI 滤波器的输入和输出部分增加适当的匹配网络，通过选择合适的 R_p、R_s 值，控制插入损耗在可接受范围内（如图 2.22 所示）。由于对有用信号的衰减作用较大，需给 R_p 并联电容 C_p（工作频率下的容抗比 R_p 高很多），给 R_s 并联电感 L_s（高于截止频率下的容抗比 R_s 小很多）。

为了简化计算，通常使用衰减因子 K 近似代替插入损耗 IL。带匹配网络的电路衰减因子 K 可表示为：

$$K=\left|\frac{U_g}{U_m}\right|=\left|\frac{U_g}{U_1}\right|\times K_0\times\left|\frac{U_2}{U_m}\right| \tag{2.22}$$

式中，K_0 为不带匹配网络时的衰减因子。

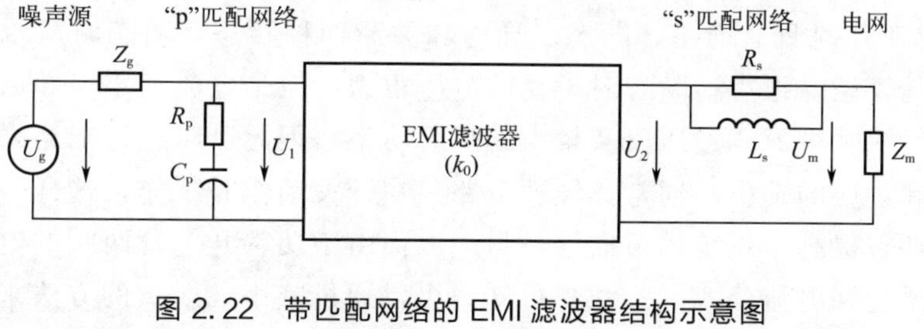

图 2.22 带匹配网络的 EMI 滤波器结构示意图

网络匹配效果系数可表示为：

$$\mu=\frac{\text{加匹配网络后，最差情况下的衰减因子}}{\text{截止频率 } f_L \text{ 下不加匹配网络的衰减因子}} \tag{2.23}$$

由图 2.22 可知，加入匹配网络后，从滤波器向干扰源看入的等效输入阻抗 Z_{pg} 为“p”匹配网络阻抗与 Z_g 的并联，从滤波器向受扰源（负载）看入的等效负载阻抗 Z_{sl} 为“s”匹配网络阻抗与 Z_l 的串联。匹配网络的目的是消除或降低因阻抗匹配失效而造成的不良影响，因此，匹配网络的选择必须满足一定的限制：

$$\begin{aligned}&|Z_{pg}|=|Z_g /\!/ Z_p|<2\varepsilon_p X_{1m}\\&|Z_{sl}|=|Z_l+Z_s|>\frac{X_{2m}}{2\varepsilon_s}\end{aligned} \tag{2.24}$$

式中，X_{1m} 为副边截止频率下的开路阻抗；X_{2m} 为原边截止频率下的短路阻抗；ε 为阻抗匹配系数：

$$\varepsilon=\frac{\text{加匹配网络后，从滤波器向源和负载侧看入的输入阻抗}}{\text{不加匹配网络，从滤波器向源和负载侧看入的输入阻抗}} \tag{2.25}$$

因此，通过设定匹配效果参数和阻抗匹配系数 μ_p、μ_s、ε_p、ε_s，从而建立合适的匹配网络。

2.5.4 缓冲电路

在散热器与开关管之间存在一个寄生电容，功率管的开关动作使其电压发生急剧变化，电压的剧变将会通过该寄生电容形成共模干扰电流，该电流经散热器流向地，通过线性阻抗稳定网络回到直流侧，然后经输入端流向逆变器。由功率管开关动作引起的漏电流的表达式为：

$$i_L=C_L\frac{du}{dt}=C_L\frac{U_d}{t_r+t_d} \tag{2.26}$$

式中，t_r、t_d 分别为开关管的开通和关断时间，s；i_L 为每个桥臂的漏电流，A；C_L 为每个桥臂与散热器之间的寄生电容，F；U_d 为直流母线电压，V。

模噪声最终是以漏电流的形式流入敏感设备而产生电磁干扰的，系统中的传导干扰主要是以漏电流形式存在的。

IGBT 工作时具有通态、断态、导通和关断四种状态，通态时所承受的电流很大，但是管压降很小；断态时承受的电压很大，但是电流很小；导通和关断的过程中同时承受过流、过压以及较大的瞬时功率，因此可以通过电路来抑制开关瞬间过流和过压的发生。通常，缓冲电路只在开关动作时工作，这样一方面降低了开关损耗，提高了系统的可靠性；另一方面由于功率开关管两端的电压变化率减慢，由系统漏电流公式（2.26）可知，可以通过减小 du/dt 的方法来减小共模干扰漏电流，从而实现对系统中高频电磁干扰的抑制。

通常，RCD缓冲电路是一种电压关断型缓冲电路。IGBT动作时两端会存在电压尖峰信号，利用线性叠加的方法可将其分解为一个方波信号和一个过冲信号，通过傅里叶分析可以发现，方波信号在高频段时的频谱很小，因此高频段的频谱主要由过冲信号的频谱决定。通过采用缓冲电路可以在一定程度上吸收开关动作时所产生的过冲信号。

如图2.23所示，当IGBT关断时，负载电流会经二极管D向电容C进行充电，因此IGBT的漏极电流将会逐渐减小，由于电容C上的电压不能跃变，IGBT漏极和源极两端的电压变化率将会受到限制，电容C越大，电压的变化率就越小，从而可以减小共模干扰漏电流。缓冲电容的大小可以根据式（2.27）或功率器件应用手册的推荐值来选择。

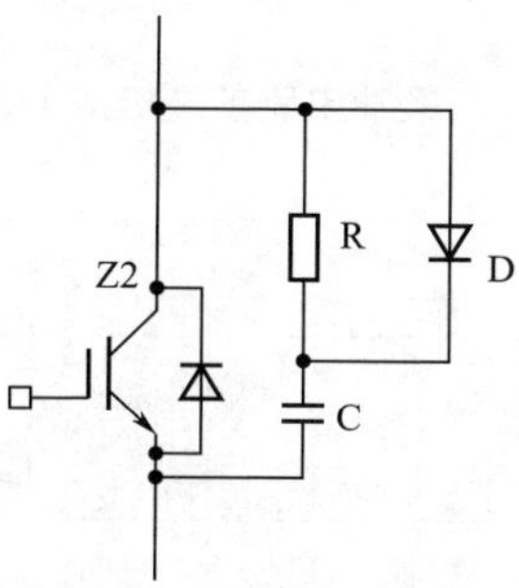

图2.23 RCD缓冲电路

$$C_s = \frac{L_s I_0^2}{U_{pk} - U_{oc}} = \frac{180 \times 10^{-9} \times 100^2}{384 - 330} = 6172(\text{nF}) \tag{2.27}$$

式中，L_s为主电路串感，主要是没有续流时的杂散电容；U_{pk}为最大充电电压；U_{oc}为电源电压；I_0为负载电流。

电路中的电阻R_s要合理选择。当R_s过大时，放电时间R_sC_s过长，电容C_s上的电量不能完全放掉。但R_s太小时，在IGBT导通时，R_sC_s放电电流过大、过快，可能危及器件的安全，甚至会引起振荡。电阻选择参考下面的公式：

$$R_s = \frac{1}{6C_s f_{sw}} = \frac{1}{6 \times 6172 \times 10^{-9} \times 10^3} = 27(\Omega) \tag{2.28}$$

需要注意的是，电容应该选择无感电容；电阻要注意它的功耗，应选择相应的功率电阻。

缓冲二极管在IGBT关断时的正向压降减小产生尖峰电压；另外，缓冲二极管逆向恢复时间直接影响到吸收电路的开关损耗。因此，应该选择过渡正向电压低、逆向恢复时间短、逆向恢复特性较软的二极管，缓冲电路应直接连接到IG-

BT 漏极和地线上。由于其中的快恢复二极管可钳位瞬变电压，从而可抑制谐振的发生。当电源电压为 330V 时，加缓冲电路前后的漏极的电压 UC 仿真波形如图 2.24 和图 2.25 所示。

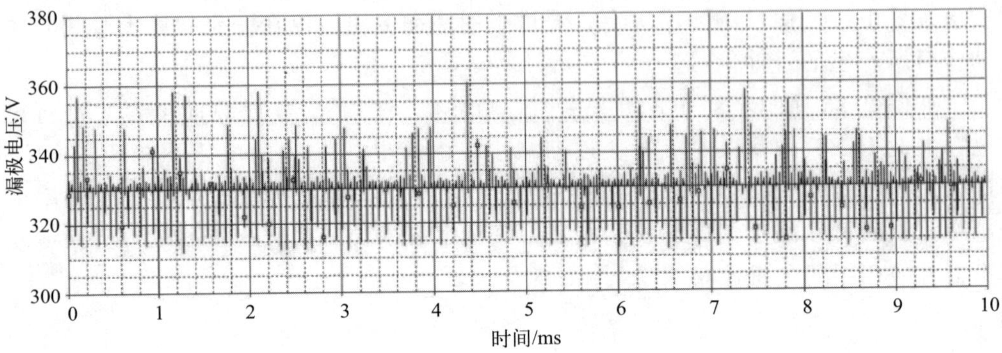

图 2.24　加缓冲电路前漏极的 UC 仿真图

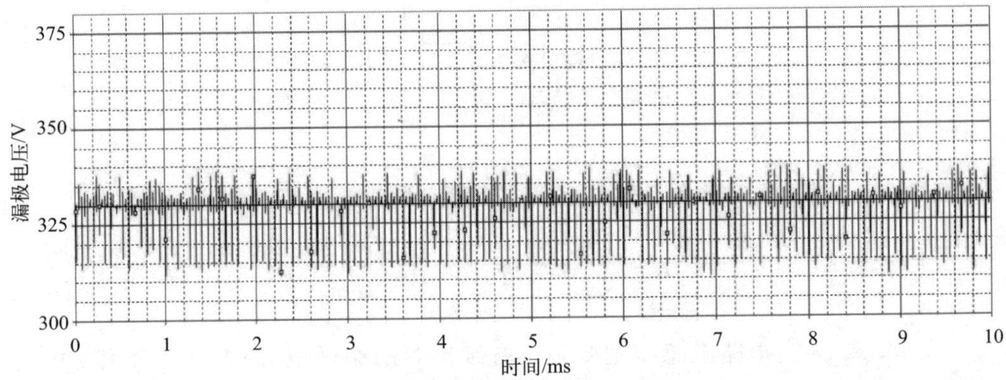

图 2.25　加缓冲电路后漏极的 UC 仿真图

由仿真波形可以看出，加缓冲电路前，漏极电压 UC 最大值超过 360V；加缓冲电路后，漏极电压 UC 最大值不到 340V。因此，IGBT 开关动作时电压变化率得到了有效的缓冲，达到了削减漏电流、抑制共模干扰的目的。

第3章

新能源汽车驱动电机数学模型及应用

3.1 车用电机种类

3.1.1 电机分类

电机种类繁多，可分为电磁型电机和非电磁型电机两大类。一般所说的电机，指的是电磁型电机。如图 3.1 所示是根据结构和工作原理对电机进行的分类。

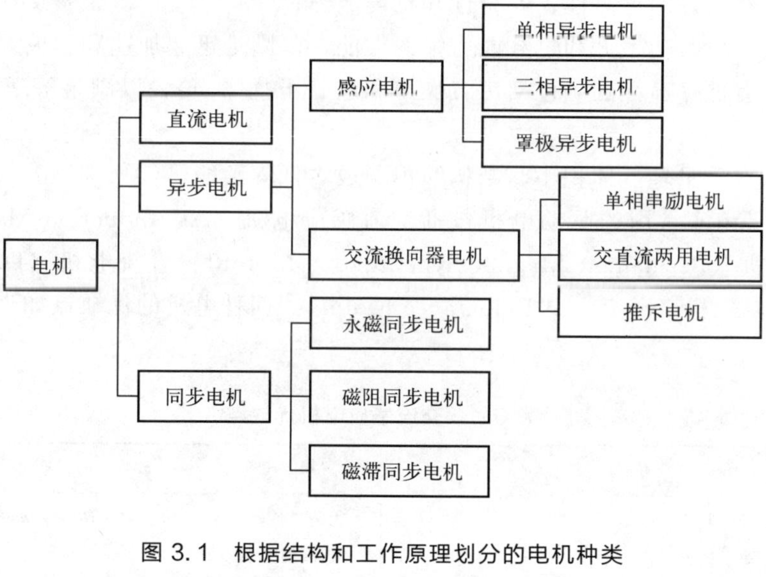

图 3.1 根据结构和工作原理划分的电机种类

此外，电机的分类依据还有很多，如：

① 按启动与运行方式分，电机可分为电容启动式、电容运转式、电容启动运转式和分相式电机等；

② 按转子的结构分，电机可分为鼠笼型和绕线型电机等；

③ 按用途分，电机可分为驱动用电机和控制用电机等；

④ 按工作电源种类分，电机可分为直流电机、交流电机和交直流两用电机等。

3.1.2 新能源汽车驱动电机

自法拉第发现电磁感应原理开始，便开始了对有刷直流电机的研发；同步电机的研发始于 19 世纪 70 年代；19 世纪 90 年代，特斯拉开发感应电机；从 20 世纪 30 年代开始，磁体电机（包括永磁同步电机和有刷磁体电机）的研究得到了越来越多的关注；到 20 世纪 80、90 年代，表面永磁同步电机、开关磁阻电机、内置式永磁同步电机和同步磁阻电机相继进入市场，并在电动汽车和混合动力车上获得应用。

相较于一般工业用电机，新能源汽车对驱动电机的要求更高，不仅要满足汽车的动力需求，还要兼顾汽车驾驶的舒适性等因素。因此，新能源汽车驱动电机需具备以下主要性能：

① 具有调速范围宽的性能，以满足快速启动、加速和超车等要求；

② 具有功率密度高的性能，以满足宽转速、宽转矩下的高效率要求；

③ 具有良好的可靠性、安全性和抗震能力；

④ 具有瞬时功率大和过载能力强的性能，以满足迅速加速和爬坡要求；

⑤ 具有低噪声性能（包括声音噪声和电磁干扰噪声），以满足舒适性和电磁兼容要求；

⑥ 具有质量轻、体积小、结构简单、成本低等性能。

新能源汽车常用的驱动电机包括交流感应电机（AC Induction Motor）、永磁同步电机（Permanent Magnet Synchronous Motor）、直流电机（DC Motor）和开关磁阻电机（Switched Reluctance Motor）。四种电机的优缺点如表 3.1～表 3.4 所示。

表 3.1 交流感应电机优缺点

优点	缺点
① 结构简单、紧凑，成本低，体积小； ② 可靠性高，免维护； ③ 具有良好的环境适应性； ④ 转矩脉冲小，噪声低	① 控制复杂，受电机参数和负载变化影响较大； ② 调速范围较窄

表 3.2 永磁同步电机优缺点

优点	缺点
① 结构简单，使用寿命长； ② 具有较高的功率密度； ③ 响应速度快； ④ 输出转矩大	① 成本高，不易装配； ② 恒功率下的控制系统复杂； ③ 调速范围窄； ④ 低速时损耗大、效率低

表 3.3 直流电机优缺点

优点	缺点
① 结构简单，控制方便； ② 可频繁快速启动、制动； ③ 具有良好的电磁转矩控制特性； ④ 可无级调速，精确、范围宽； ⑤ 抗过载能力强	① 成本高、体积大； ② 不适合易燃易爆环境使用； ③ 高速或大负荷运行时易产生火花，产生电磁干扰

表 3.4 开关磁阻电机优缺点

优点	缺点
① 结构简单，成本低； ② 功率电路简单，可靠性高； ③ 各相工作独立，可靠性高； ④ 低损耗，高效率	① 转矩脉冲大，易造成较大的振动； ② 控制系统复杂

表 3.5 所示是现今汽车市场上部分新能源汽车驱动电机的应用参数。可以看到，交流感应电机和永磁同步电机是新能源汽车驱动电机主要的选择。

表 3.5 新能源汽车驱动电机应用参数

车型	电机类型	公司	最大功率/kW	最大转矩/N · m
普锐斯	永磁同步	丰田	60	207
凯美瑞	永磁同步	丰田	105	270
CR-Z	交流同步	本田	10	78
聆风	交流同比	日产	107	280
MODEL S	交流感应	特斯拉	310	600
Roadster	交流感应	特斯拉	185	270
新途锐	永磁同步	大众	34.3	140
BMW i3	永磁同步	宝马	125	250

续表

车型	电机类型	公司	最大功率/kW	最大转矩/N·m
MINI-E	交流感应	宝马	105	220
Zafira	交流感应	通用	—	215
Focus	交流感应	福特	—	190

3.2 永磁同步电机

3.2.1 永磁同步电机的数学模型和工作原理

按定子绕组的感应电动势波形分类，无刷电机可分为正弦波永磁同步电机（Permanent Magnet Synchronous Motor，PMSM）和无刷直流永磁同步电机（Brushless DC Motor，BLDC）。本节所述的永磁同步电机是正弦波永磁同步电机（PMSM）。

图 3.2 所示即为 PMSM 的结构图，主要由定子绕组、转子磁铁、霍尔传感器和机壳组成。定子绕组通常为短距、三相绕组，以 120°电角度差沿定子铁芯对称分布；转子采用的是永磁体，以一定对数组成，转子永磁体的结构可以是表面贴膜式或内埋式。

图 3.2 正弦波永磁同步电机（PMSM）结构图

在建立永磁同步电机的数学模型时，首先需要忽略电机铁芯的饱和涡流、磁滞损耗，同时假定磁路是线性的。以转子永磁体基波励磁磁场轴线为 d 轴，逆时针 90°为 q 轴建立转子坐标轴；以两相定子绕组建立 α-β 定子坐标轴，如图 3.3 所示。

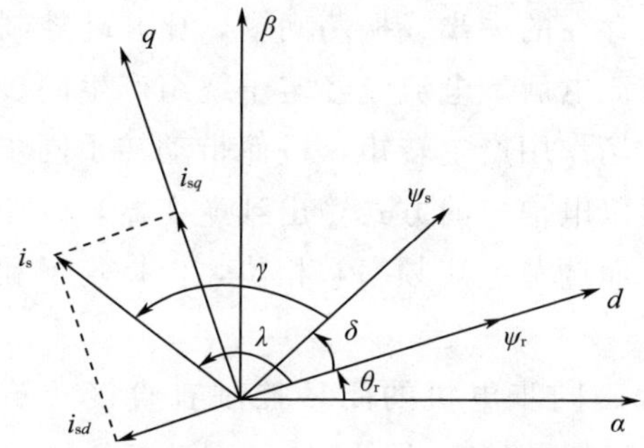

图 3.3 永磁同步电机空间矢量坐标图

图中，θ_r 为转子的位置角，δ 为电机转矩角，i_s 为定子电流，$\boldsymbol{\psi}_s$、$\boldsymbol{\psi}_r$ 分别为定子、转子磁链矢量。

因此，在 d-q 坐标系内：

① 电机的电压可表示为：

$$
\begin{aligned}
u_d &= R_s i_{sd} + \frac{d\boldsymbol{\psi}_d}{dt} - \omega_r \boldsymbol{\psi}_{sq} \\
u_q &= R_s i_{sq} + \frac{d\boldsymbol{\psi}_q}{dt} + \omega_r \boldsymbol{\psi}_{sd}
\end{aligned}
\tag{3.1}
$$

② 磁链方程可表示为：

$$
\begin{aligned}
\boldsymbol{\psi}_d &= L_d i_{sd} + \boldsymbol{\psi}_r \\
\boldsymbol{\psi}_q &= L_q i_{sq}
\end{aligned}
\tag{3.2}
$$

③ 电磁转矩可表示为：

$$T_e = \frac{3}{2} p [\boldsymbol{\psi}_r i_{sq} + (L_d - L_q) i_{sd} i_{sq})] \tag{3.3}$$

其中，ω_r 为转子电角速度；p 为电机的磁极对数，R_s 为定子电阻，L_d、L_q 为定子绕组在 d-q 坐标系内的轴电感。

在 α-β 坐标系内：

① 定子电流可表示为：

$$i_s = i_{s\alpha} + j i_{s\beta} \tag{3.4}$$

② 定子磁链可表示为：

$$\boldsymbol{\psi}_s = \boldsymbol{\psi}_{s\alpha} + j\boldsymbol{\psi}_{s\beta} \tag{3.5}$$

③ 电磁转矩可表示为：

$$T_e = \frac{3}{2} p (\boldsymbol{\psi}_{s\alpha} i_{s\beta} - \boldsymbol{\psi}_{s\beta} i_{s\alpha}) \tag{3.6}$$

常见的永磁同步电机的控制方式有开环控制和闭环控制两种。在电机闭环控制中，外部电源会根据转子的位置信息调节频率，进而控制转子的转速，从而可以避免开环控制中可能存在的失步或振荡问题，比开环控制更为理想。

当电机接上三相交流电后，电流流经定子绕组产生同步的旋转磁场，该旋转磁场与永磁体产生的磁场作用产生转矩，进而带动转子同步旋转；同时，转子位置信息通过霍尔传感器以电信号的方式输出到逆变器，以控制逆变器中开关器件的导通或关断状态，从而调节电流频率和相位，保持定子和转子稳定的磁势，产生恒定的输出转矩。

目前，比较常见永磁同步电机的闭环控制有直接转矩控制（Direct Torque Control，DTC）和磁场定向控制（Field-Oriented Control，FOC）。DTC 的控制策略是根据电机转矩和磁链的给定值与实际值的对比结果，确定对电机作用的电压空间矢量，对转矩和磁链实现直接控制，结构简单易实现，具有较快的响应速度，但也伴随着较大的转矩和磁链脉动。FOC 的控制策略是通过坐标变换将异步电机等效为直流电机，进而对转矩和磁链进行快速控制，具有较高的控制精度，但是结构较复杂，不易实现。

3.2.2 永磁同步电机在新能源汽车上的应用

永磁同步电机因其结构和工作原理的特点，决定了它具有较高的效率、较高的功率因数、启动转矩大、可靠性高等优点，因此应用领域也十分广泛，可用于伺服系统、新能源汽车、船舶动力系统、风力发电、石油开采等各种领域。

在新能源汽车领域，永磁同步电机是主流电机之一，如表 3.6 所示，是永磁同步电机在我国和日本部分新能源汽车上的应用情况。

表 3.6 永磁同步电机在新能源汽车上的应用

车型	电动机	峰值功率/kW	国家	类型
比亚迪 F3E	永磁同步电机	—	中国	纯电动
长安 E30 纯电动车	永磁同步电机	—	中国	纯电动
铃木 every EV	永磁同步电机	45	日本	纯电动
日产 Hyper Mini	永磁同步电机	24	日本	纯电动
丰田 RAV4EV	永磁同步电机	50	日本	纯电动
丰田 Prius	永磁同步电机	50	日本	混合动力
丰田皇冠弱混合动力车	永磁同步电机	3	日本	混合动力
丰田 FCHV	永磁同步电机	80	日本	燃料电池
日产 R'ness EV	永磁同步电机	62	日本	纯电动
丰田 e-Com	永磁同步电机	18.5	日本	纯电动

续表

车型	电动机	峰值功率/kW	国家	类型
日产 TINO HEV	永磁同步电机	17	日本	混合动力
丰田新型 Prius	永磁同步电机	50	日本	混合动力
丰田 SUV（Harrier Hybrid）	永磁同步电机	123	日本	混合动力
本田雅阁混合动力车	永磁同步电机	12	日本	混合动力

可以看到，永磁同步电机被广泛应用于混合动力汽车、纯动力汽车等，特别是在日本新能源汽车领域，几大整车公司基本上采用的都是永磁同步电机。这是由于永磁同步电机能够满足日本汽车对加减速的较高的效率要求。

3.2.3 永磁同步电机高频共模模型

在电机驱动系统的电磁兼容研究中，电机模型的建立十分重要。由于电机驱动系统中，电力电子设备开关频率较高，因此电机的高频模型是主要关注的对象。

将永磁同步电机每一相每一个槽内的每匝线圈看做一个导体来进行建模，可得到如图 3.4 所示的永磁同步电机单个导体的高频共模模型。图中，R、L 分别为定子绕组的电阻和电感，C_g 为单个导体的对地阻抗，R_g 为高频下的能量耗散等效电阻。如图 3.5 所示为永磁同步电机中单相绕组的高频共模模型：每一相的导体可以看作串联在一起的；C_{1_2} 为导体 1 和 2 之间的耦合电容，以此类推。

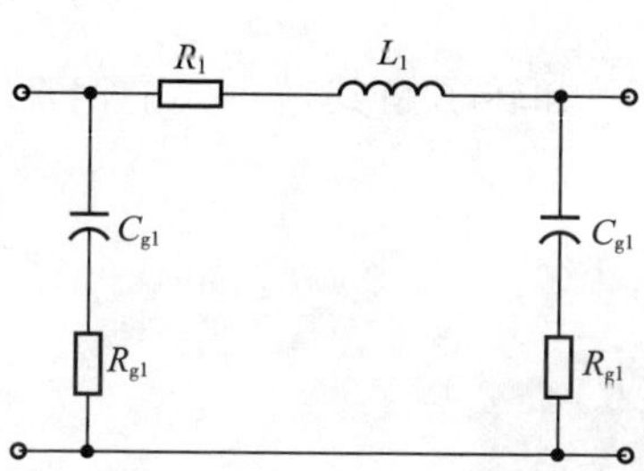

图 3.4 永磁同步电机高频共模模型（单匝线圈）

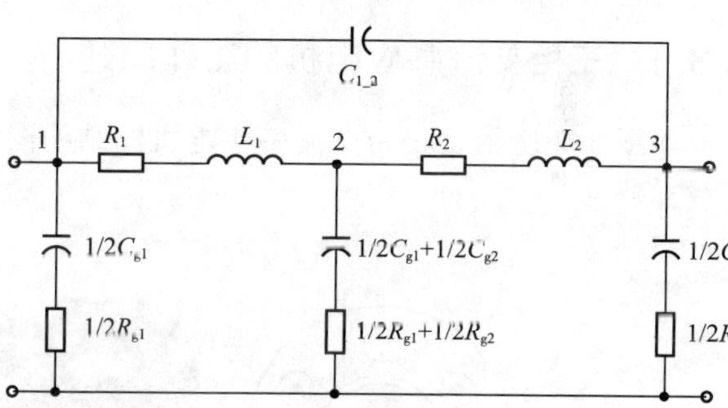

图 3.5 永磁同步电机高频共模模型（单相绕组）

在实际仿真建模时，可将上述模型简化成如图 3.6 所示的电机高频共模模型。图中，R_s、L_s 分别为各相定子绕组的电阻和电感，其值可根据试验测量结果推算；C_s 是绕组间的耦合电容，可用电容表测量；C_g 为定子绕组对地电容；R_b、C_b 为轴承的等效阻抗。

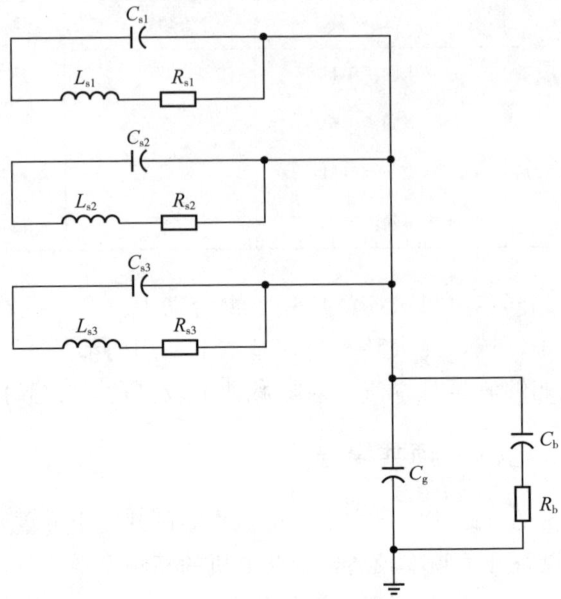

图 3.6　永磁同步电机高频共模模型

3.3　三相交流感应电机

3.3.1　三相交流感应电机的工作原理

如图 3.7 所示是三相交流感应电机的结构图，定子和转子是其最主要的两个组成部分。

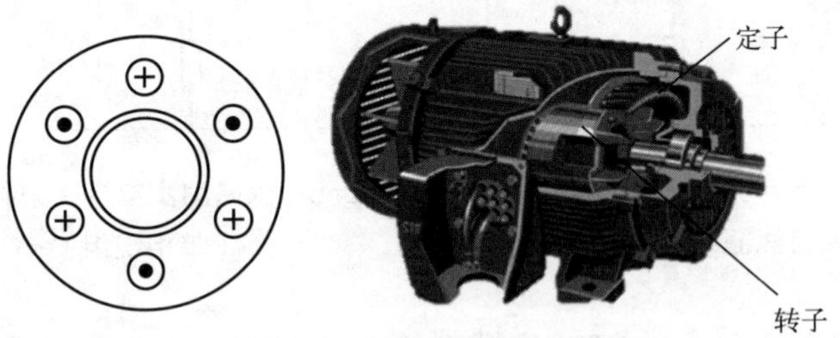

图 3.7　三相交流感应电机结构图

① 定子部分。交流感应电机的定子部分由定子铁芯、定子绕组和机座组成。

定子铁芯由表面具有绝缘层的硅钢片冲制、叠压而成。定子绕组是由三相间隔120°电角度对称绕组组成。定子铁芯内圆呈均匀分布的槽状供定子绕组嵌入。定子槽形一般有开口型槽、半开口型槽和半闭口型槽。定子绕组连接形式有星形连接和Y形连接两种。

② 转子部分。交流感应电机的转子部分由转子铁芯、转子绕组和转轴组成。转子铁芯也由硅钢片冲制、叠压而成，是电机主磁路的一部分。转子铁芯的硅钢片外圆分布均匀的槽孔，供转子绕组安置。转子绕组可分为鼠笼式和绕线式；根据转子绕制的方式不同，转子铁心的槽形也可以有绕线型槽、单笼转子型槽和双笼转子型槽。

三相交流感应电机是借助感应原理，将电能转化为机械能的一种电机。当电机接通三相交流电源时，三相对称的电流会流经各相定子绕组产生相应的旋转磁动势，从而产生旋转的磁场。电机转子导体在这个旋转磁场中运动，产生感应电动势，进而产生感应电流。电机转子在感应电流的作用下，受到磁场中的电磁力作用，产生电磁转矩，驱动转子旋转，形成输出转矩。三相交流电流过定子绕组后，产生如图3.8中所示的旋转磁场，因此该磁场与电流的变化是同步的。变化磁场的转速 N 可表示为：

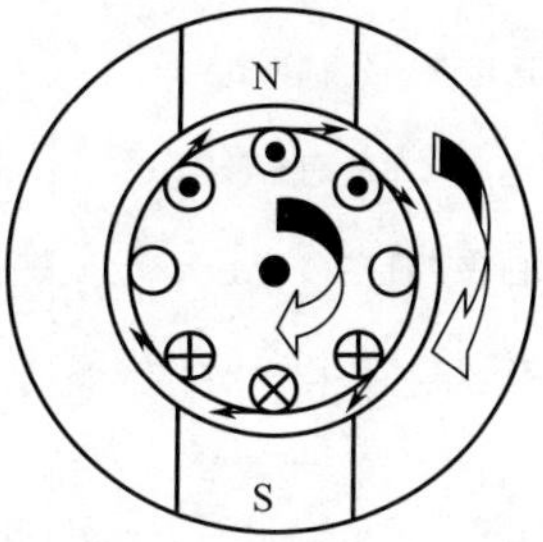

图3.8 交流感应电机三相绕组旋转磁场示意图

$$N = 60\frac{f}{p} \tag{3.7}$$

式中，f 为输入三相交流电的频率；p 为磁极对数。

变化磁场的方向是转向滞后相。转子在旋转磁场中以转速 n 运动，从而产生感应电动势和感应电流。在电机起动时，转子转速 $n=0$，$\Delta n=N$，此时转子受到的电磁感应最强；随着转子转速的增加，Δn 减小，转子受到的电磁感应也逐渐减弱；直到 $n=N$ 时，转子不再受到电磁感应，电磁转矩也变为0。因此，在电机驱动系统中，交流感应电机转子转速 $n<N$，电磁转矩 $T>0$，其方向与转子方向相同，电机呈转矩输出的驱动状态。

3.3.2 三相交流感应电机在新能源汽车上的应用

交流感应电机凭借其结构简单、控制方便、性能可靠、成本低等特点，在各种领域都得到了广泛的应用，包括各种机械制造、自动化生产以及家用设备中。

表3.7所示是交流感应电机在新能源汽车上的应用情况，可以看到，在新能源汽车领域，交流感应电机是主流的驱动电机之一：其功率可变化范围宽，可满

足不同的性能要求；工作时可靠性高，不会因逆变装置的异常工作产生反电动势而急刹车。特别是在美国汽车市场，交流感应电机是新能源汽车的首选：美国高速公路覆盖面广，汽车高速行驶的工况更多，因此对汽车的高速、高效的要求更多。与其他电机相比，交流感应电机更能满足这一要求。

表 3.7 交流感应电机在新能源汽车上的应用

车型	电动机	峰值功率/kW	国家	类型
宇通电动客车	交流感应电机	—	中国	纯电动
福田欧辉 BJ6123	交流感应电机	—	中国	混合动力
通用汽车公司 Impact	交流感应电机	102	美国	混合动力
通用汽车公司 ETX-1	交流感应电机	35	美国	混合动力
日野 DUTRO Hybrid	交流感应电机	23	日本	混合动力
丰田 COASTER Hybrid	交流感应电机	70	日本	混合动力
日野单踏步大客车	交流感应电机	177	日本	混合动力
日野 HIMR TRUCK	交流感应电机	121	日本	混合动力
丰田 DYNA TOYOACE	交流感应电机	23	日本	混合动力
日野 Seleger R 客车	交流感应电机	22	日本	混合动力
日野 Ranger Hybrid	交流感应电机	23	日本	混合动力
三菱 FCV	交流感应电机	65	日本	燃料电池
戴姆勒 · 奔驰 F-Cell	交流感应电机	65	德国	燃料电池

3.3.3 三相交流感应电机建模

在进行交流感应电机等效电路建立过程中，由于定子、转子的频率不同和绕组匝数、系数的不相同，需要通过频率折算和绕组折算来统一定子和转子的频率、绕组参数等，以建立有效、准确的电机等效模型。

(1) 频率折算

频率折算是指，在保证磁势和电流不变的前提下，用静止转子电阻等效旋转转子电阻。

感应电机的转子转速与旋转磁场的转速不是同步的，转差率 s 可表示为：

$$s=\frac{N-n}{N}\times 100\% \tag{3.8}$$

其中，N、n 分别为旋转磁场转速和转子转速。因此，转子电路的频率可表示为：

$$f_2=\frac{p(N-n)}{60}=\frac{N-n}{N}\times\frac{pN}{60}=sf_1 \tag{3.9}$$

当 $s=1$ 时，转子静止，转子频率等于旋转磁场频率（即定子频率），频率折算的意义就是，在不改变转子电流和磁势的前提下，用静止的转子 R_2' 代替旋转的转子 R_2，R_2' 与 R_2 的关系为：

$$\frac{R_2'}{s}=\left(\frac{1-s}{s}\right)R_2+R_2 \tag{3.10}$$

即，在旋转转子的电阻值上增加了一个值为 $[(1-s)/s]R_2$ 的电阻。

折算前，单相转子电路的电压可表示为：

$$\begin{aligned}\dot{E}_{2s}&=(R_2+\mathrm{j}X_{2\sigma s})\dot{I}_{2s}\\X_{2\sigma s}&=2\pi f_2L_{2\sigma}=2\pi sf_1L_{2\sigma}=sX_{2\sigma}\end{aligned} \tag{3.11}$$

式中，R_2、$L_{2\sigma}$ 分别为转子绕组的相电阻和漏电感；$X_{2\sigma}$ 为转子静止时的漏电抗。

对转子相电压进行频率折算后，相电压表示为：

$$\dot{E}_2=\left(\frac{R_2}{s}+\mathrm{j}X_{2\sigma}\right)\dot{I}_2 \tag{3.12}$$

（2）绕组折算

绕组折算是指，在保证电磁效应和功率关系不变的前提下，用有效匝数与定子相同的转子绕组去等效实际的转子绕组。

折算后转子电动势 E_2' 与折算前转子电动势 E_2 之比可表示为：

$$k_e=\frac{E_2'}{E_2}=\frac{E_1}{E_2}=\frac{4.44f_1k_{w1}N_1\Phi_m}{4.44f_1k_{w2}N_2\Phi_m}=\frac{k_{w1}N_1}{k_{w2}N_2} \tag{3.13}$$

其中，$k_{w1}N_1$、$k_{w2}N_2$ 分别为定子、转子的有效匝数。

折算前转子电流 I_2 和折算后转子电动势 I_2' 的比可表示为：

$$k_i=\frac{I_2}{I_2'}=\frac{m_1k_{w1}N_1}{m_2k_{w2}N_2} \tag{3.14}$$

因此，折算后，转子阻抗 R_2' 可表示为：

$$R_2'=\frac{m_2}{m_1}\left(\frac{I_2}{I_2'}\right)^2R_2=k_ik_eR_2 \tag{3.15}$$

图 3.9 所示即为交流感应电机经过频率折算和绕组折算之后建立的 T 形等效电路图（单相）。其中，R_m、X_m 分别为定子绕组相的励磁电阻和励磁电抗。

感应电机的 T 形等效电路主要适用于研究电机的输出转矩和损耗等差模电压。在电磁兼容方面，由于共模噪声对电磁干扰的贡献更为主要，共模噪声需要更多地考虑各部件之间的耦合参数和寄生参数，因此需要对电机的共模模型进行

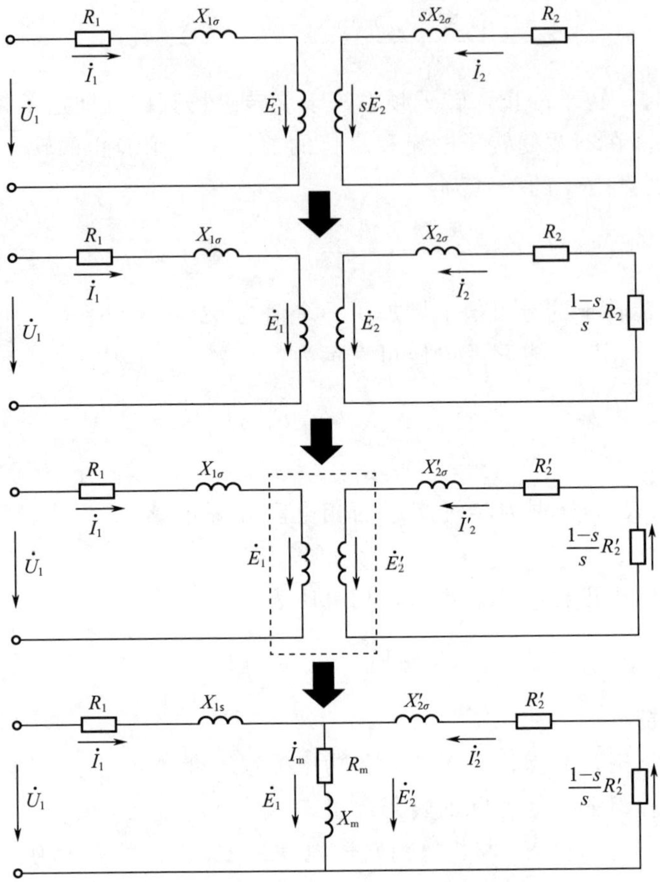

图 3.9　交流感应电机等效电路图（单相）

另外的研究。在高频工况下，电机部件之间的耦合主要表现为容性耦合，包括定子、转子和机壳三者之间的容性耦合。因此，在上述的 T 形等效电路的基础之上，交流感应电机的高频共模模型如图 3.10 所示。

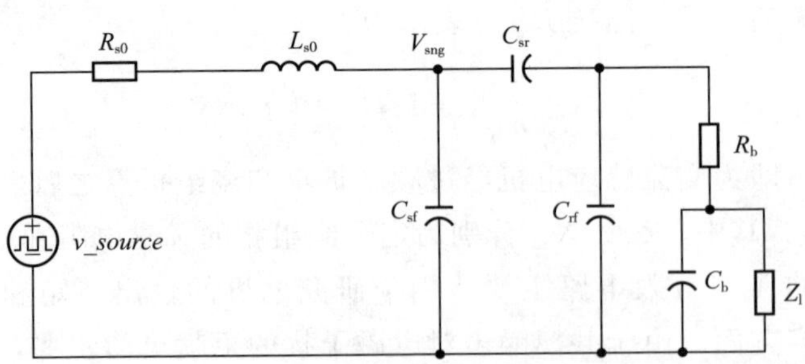

图 3.10　交流感应电机高频共模模型（单相）

图中，L_{s0}、R_{s0} 分别为定子绕组的共模阻抗，可通过对定子阻抗值的测量推算得到；C_{sf}、C_{sr}、C_{rf} 分别为定子对机壳电容、定子对转子电容、转子对机壳电容，其值可通过测量、推算得到，C_{sf}、C_{rf} 的数量级是 nF 级的，C_{sr} 的数量级是 pF 级的；R_b、C_b 分别为轴承电阻、轴承电容，其大小与轴承的材料和几何结构等都有关系，电阻的数量级是 mΩ 级的，电容的数量级是 pF 级的；Z_l 是非线性阻抗，其值与轴电压有关。

在实际应用中，图 3.10 所示的共模模型虽然可以更为准确地等效实际电机特性，但是模型的复杂和参数的繁多不利于更为直观地反应设计需求。因此，在研究电机电磁干扰的过程中，可适当地将上述等效模型进行简化，采用单一电容等效定子、转子、机壳之间的耦合电容和轴承电容、电阻，如图 3.11 所示。其中，C_{eq} 即为等效电容：

$$C_{eq}=\{C_{sf} /\!/ [C_{sr}+(C_{rf} /\!/ C_b)]\} \tag{3.16}$$

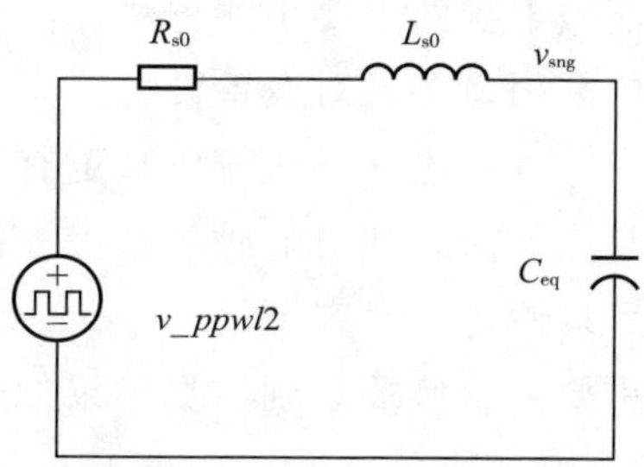

图 3.11　交流感应电机高频共模简化模型（单相）

第4章

基于不同仿真软件的电机驱动系统仿真建模与端口测试方法

建模仿真与测试同为电磁干扰的主要预测方法。由于对电力电子装置的电磁兼容模型进行建模预测简单易用，并且对设备没有太高的要求、花费少，该方法近来成为越来越受欢迎的研究方法之一。建模仿真更有利于对后续的滤波器设计等整改措施的研究。随着研究的深入和对电磁场精确控制要求的提高，必然要求人们对传输线理论和电磁场理论进行研究。

在仿真中建模过程很重要，直接关系到仿真结果的正确与精确程度。建模主要有时域建模和频域建模，从电路角度看，一般有模拟实际电路法及简化电路法。精确的时域模型能够反映真实的干扰情况，理解系统 EMI 发射机理。频域法可以找出干扰的频段范围及主要的干扰频段。本章主要介绍时域模拟实际电路法及时域简化电路法。

4.1 基于 RMxprt 仿真软件的电机建模

该建模方法建立在实验室已有电机模型和 PWM 控制工作基础上，能够比较全面地完善各个参数，获得更精确的仿真结果。

RMxprt 是 Ansoft 软件下面的一个专用的电机设计分析模块，基于电机等效电路和磁路的设计理念来计算、仿真各种电机模型，具有建立模型简单快捷、参数调整方便等优点，同时具备一定的设计精度和可靠性，此外，又为进一步的二维和三维有限元求解奠定了基础。RMxprt 可自动生成 Simplorer 系统仿真模型和一键求解的 Maxwell 2D 和 3D 模型。

以某测试用的永磁同步电机为例，电机额定电压为 30kW，电机原型如图

4.1 所示，极数为 8，基准速度为 4000r/min，交流驱动电机，驱动电路类型为 Y 形三相。根据电机参数建立电机磁路仿真模型，如图 4.2 所示。

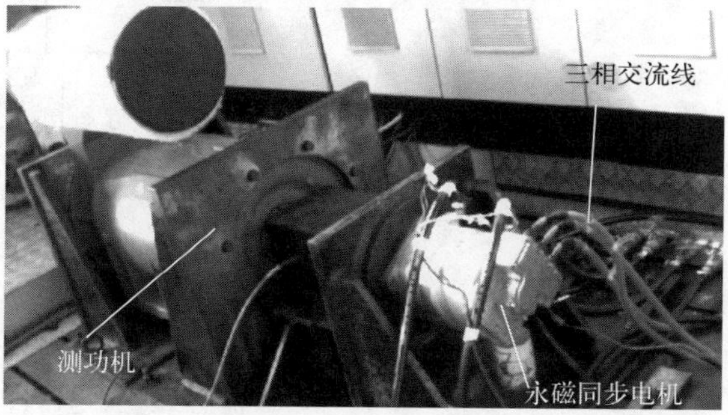

图 4.1　仿真电机原型

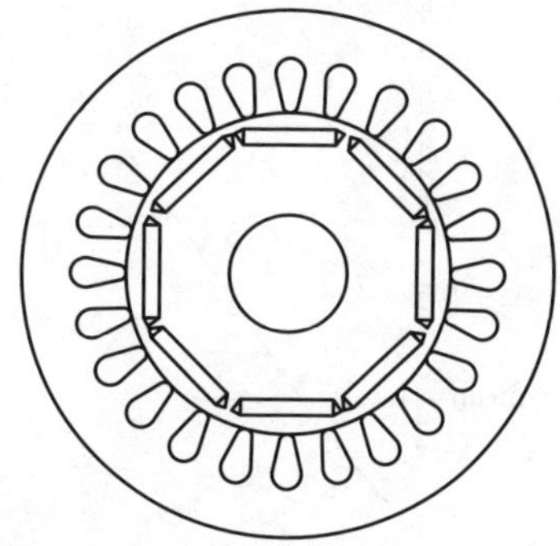

图 4.2　电机 RMxprt 磁路仿真模型

设置仿真参数，进行仿真，得到电机理想工作参数，图 4.3 所示为电机相电压与线电压曲线，峰值分别为 200V 和 350V 左右。图 4.4 所示为三相电流曲线，峰值约为 520A。两者均为正弦曲线，三相电流完全对称。

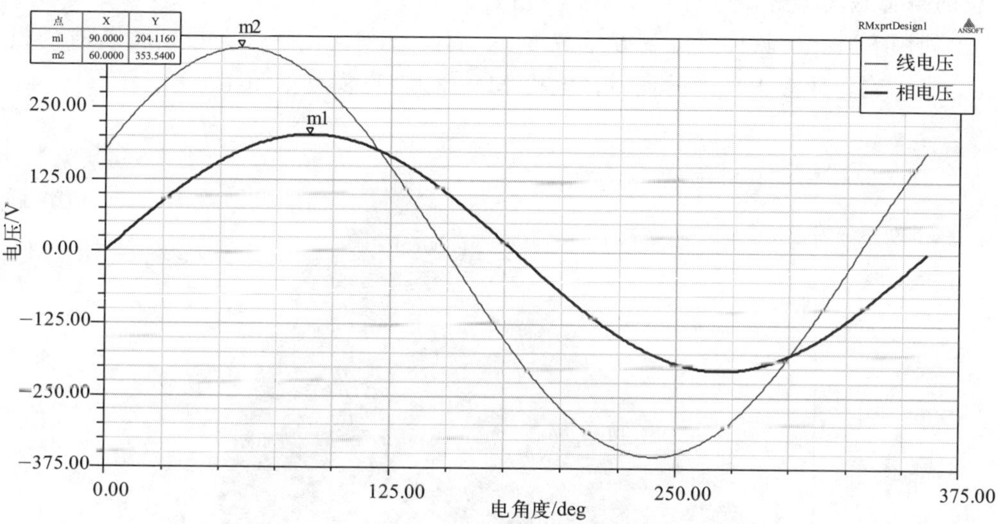

图 4.3　相电压与线电压曲线

Maxwell 2D 软件是二维电磁场有限元分析工具，主要用于结构具有 XY 或 RZ 平面对称的电磁设备的性能分析和优化设计。其利用有限元技术（FEM），结合静磁场、涡流场、瞬态磁场、静电场、直流传导场和交流传导场求解器，对稳态、频域和瞬态电磁场进行精确求解。其还可与 RMxprt、Simplorer 等模块无

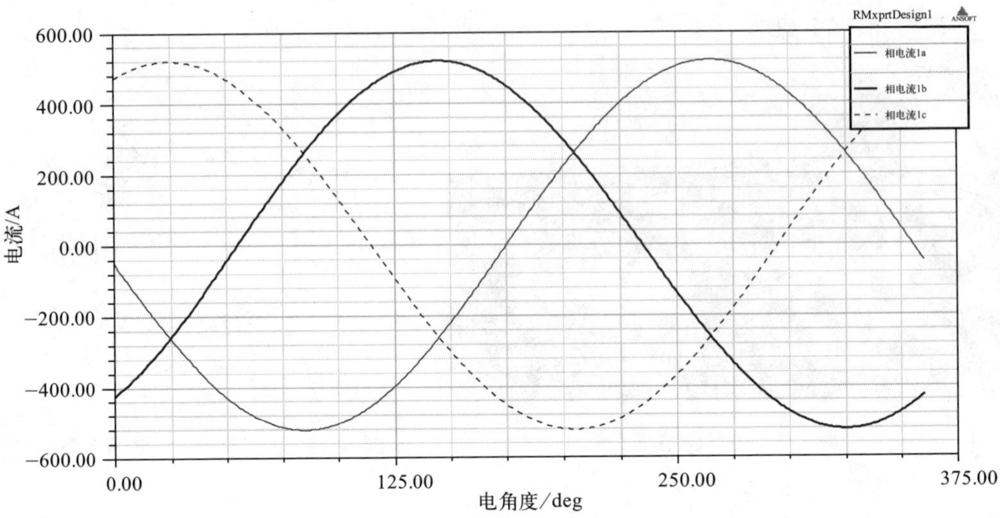

图 4.4　三相电流曲线

缝集成，实现电机、电源从部件到系统的一体化设计流程。本节将使用 Maxwell 2D 的瞬态磁场求解器进行有限元计算仿真。

利用 RMxprt 软件可以一键生成 Maxwell 2D 模型，软件会自动将所有的设置完成。检查并修正自动设置后，电机 Maxwell 2D 模型如图 4.5 所示。

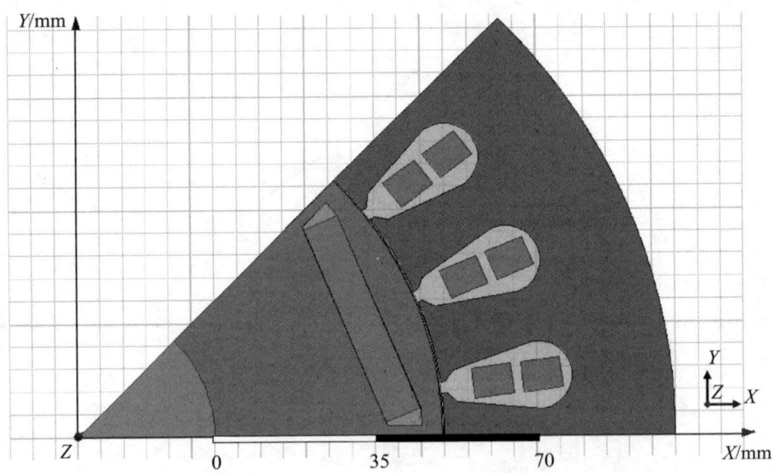

图 4.5　电机 Maxwell 2D 模型

进行网格剖分及求解参数设置后，仿真的电机的转矩曲线如图 4.6 所示，由图可看出，稳定后（即满载情况下）转矩恒定在约 210N・m。

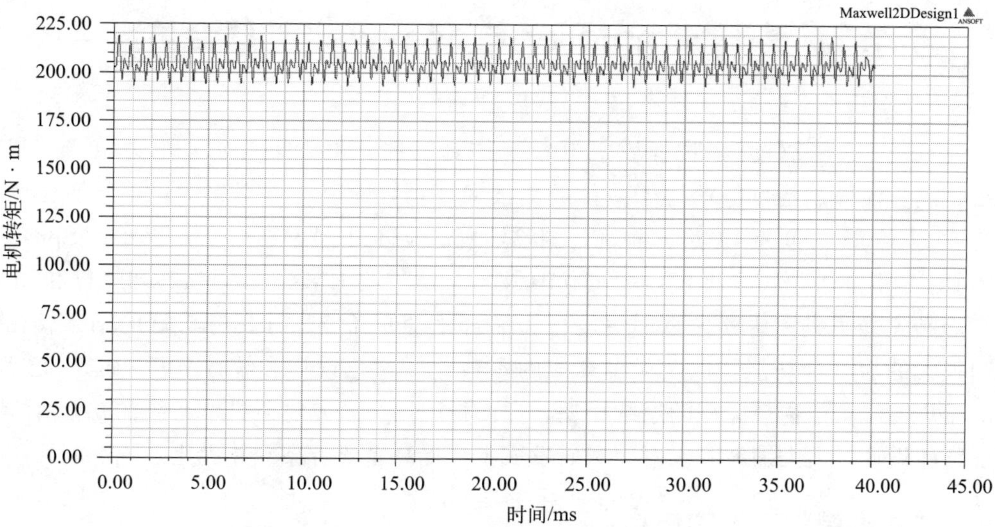

图 4.6 转矩曲线

图 4.7 所示是三相电流曲线，由图可看出，稳定后线圈电流峰值约 500A，与图 4.4 所示 RMxprt 模型下的三相电流曲线基本一致，电流曲线仍为标准的正弦曲线，三相电流基本对称。

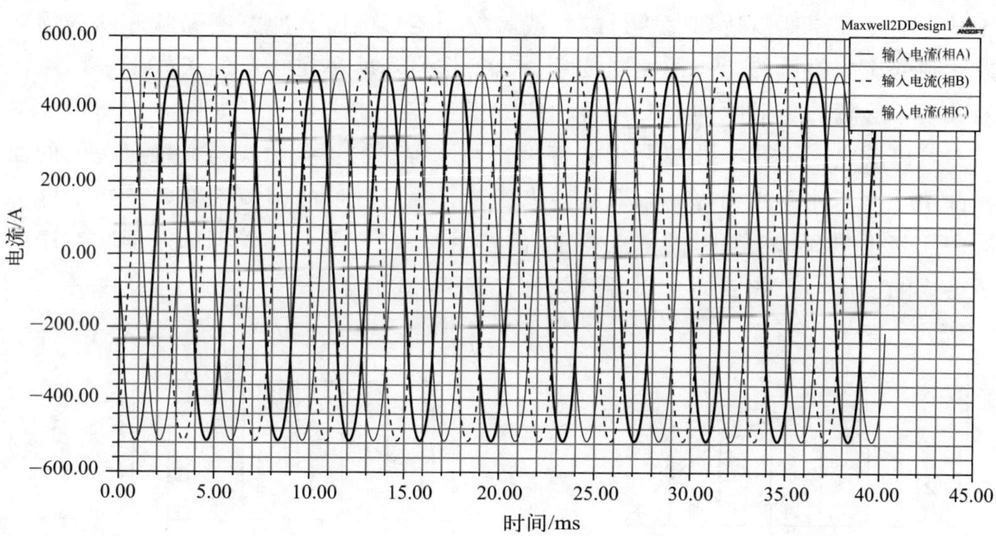

图 4.7 三相电流曲线

4.2 基于 Simplorer 与 Maxwell 的联合仿真

Simplorer 软件是多物理域机电系统仿真软件，用于集电磁、电力电子、机械、热、流体、控制算法等于一体的复杂多域系统建模、仿真和优化，具有强大的建模功能，包括电路、框图、状态机、VHDL-AMS、C/C++、Spice/PSPICE 等建模语言、多模块协同仿真技术，能够与 RMxprt、Maxwell 2D 和 3D 等产品无缝集成和协同仿真、集成化和平台化设计环境。其具有丰富的结果输出和强大的后处理功能，以及无缝集成的参数化、优化设计和统计分析功能，能帮助用户构建基于物理原型的系统模型，进而帮助用户研究复杂机电系统的功能并验证整体设计，大大缩减开发时间和研发成本，提高系统可靠性并优化系统性能。

4.2.1 理想状态下的仿真

基于 RMxprt 软件建立的模型为磁路法的理想模型，只能体现电机的工作特性，并不能体现电机工作时的许多频率特性及实际中的其他参数，因此，需在电机模型的基础上增加需要的阻抗及其他参数。

电机采用正弦脉宽调制技术。正弦脉宽调制（SPWM）控制技术是利用半导体主开关器件的导通与关断把直流电压变成矩形电压脉冲列，并通过控制矩形电压脉冲宽度和周期以达到变压目的，或者控制矩形电压脉冲宽度和脉冲列的周期以达到变压变频目的的一种控制技术。其工作原理就是在一定的条件下，用一系列等幅不等宽的矩形脉冲波形代替相应的正弦波，使之等效，如图 4.8 所示。从图中可以看出，正弦半波被分作 n 等份，每一等份的正弦曲线与横轴所包围的面积都用一个与此面积相等的矩形脉冲来代替，矩形脉冲的幅值不变，各矩形脉冲的中点与正弦波每一等份的中点相重合，这种由 n 个等幅不等宽的矩形脉冲序列所组成的波形与正弦波的半周等效，称作 SPWM 波形。

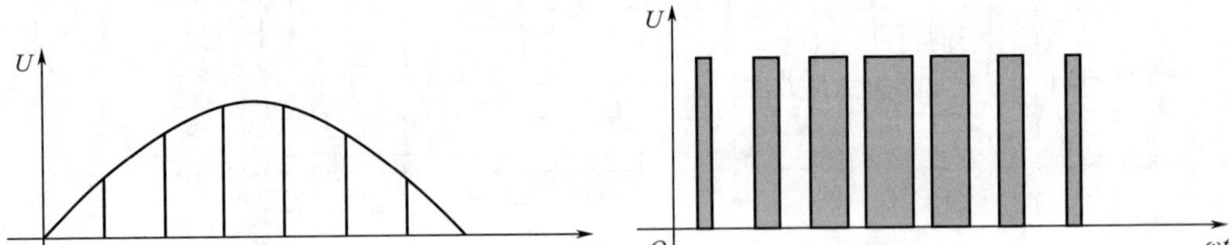

图 4.8 与正弦波等效的等幅不等宽矩形脉冲波序列

SPWM 逆变器进行调制时，通常选用正弦波为调制波，等腰三角波为载波，并将调制波与载波相交的交点作为 SPWM 逆变器开关器件的通断时刻，如图 4.9 所示。当调制波的频率和幅值改变时，所输出电压基波的频率和幅值也随之改变。当降低调制波幅值时，各段矩形脉冲波的宽度变窄，矩形脉冲波之间间距加大，从而使输出电压基波的幅值也相应减小，此时谐波幅值相应增大，谐波干扰明显加大，对负载电动机的影响也非常大；当提高调制波幅值时，各段矩形脉冲波的宽度变宽，矩形脉冲波之间间距减小，从而使输出电压基波的幅值也相应增大，此时谐波幅值相应减小，谐波干扰减弱，对负载电动机的影响降低。

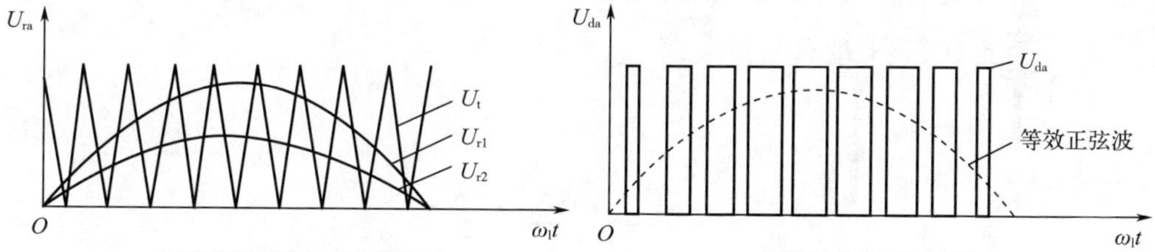

(a)正弦调制波与三角载波　　(b)输出的SPWM波形

图 4.9　单极式脉宽调制波的形成

SPWM 逆变器的调制方式与调制比 M 和载波比 N 两个重要参数有关，其中

$$M=U_{rm}/U_{tm} \tag{4.1}$$

$$N=f_t/f_r=W_t/W_r=T_r/T_t \tag{4.2}$$

式中，U_{rm}，$f_r(W_r，T_r)$ 为调制信号 u_r 的幅值、频率（角频率、周期）；U_{tm}，$f_t(W_t，T_t)$ 为载波信号 u_t 的幅值、频率（角频率、周期）。

在 SPWM 调制方式中，U_{tm} 值常保持不变，M 值的改变由改变 U_{rm} 来实现。在调制过程中，根据载频比 N 的取值及调速范围情况，将调制方式分为同步调制方式、异步调制方式和分段同步调制方式 3 种方式。

本书采用异步调制方式。采用异步调制方式进行调制时，通常保持输入的三角载波信号频率 f_t 不变，只改变正弦调制波信号频率 f_r，这样可提高低频时的载波比，从而使 SPWM 逆变器每个输出电压周期内的 SPWM 矩形脉冲数在输出频率 f_o 降低情况下增加，两脉冲间的间距缩小，谐波受到抑制而减小，负载电机产生的脉动转矩和噪声减小，有效改善低频工作时的性能。

理想情况下的联合仿真模型如图 4.10 所示：电源采用理想直流电压源 $E1$，电压为 250V；滤波电容 $C1$ 电容值选取为 9900μF；功率开关管采用 IGBT 加反向续流二极管，IGBT 导通电压为 0.8V；RMxprt 模型采用 4.1 节所设计的电机模型；转速应选择一个小于基准转速的数值，设定为 3750r/min；控制策略采用正弦脉宽调制（SPWM）；电流表 AM1～AM3 测量三相电流，电压表 VM1～

VM3 测量线电压，电流表 AM4 测量直流母线电流，电压表 VM4 测量三相相电压。电机采用等效电路法。

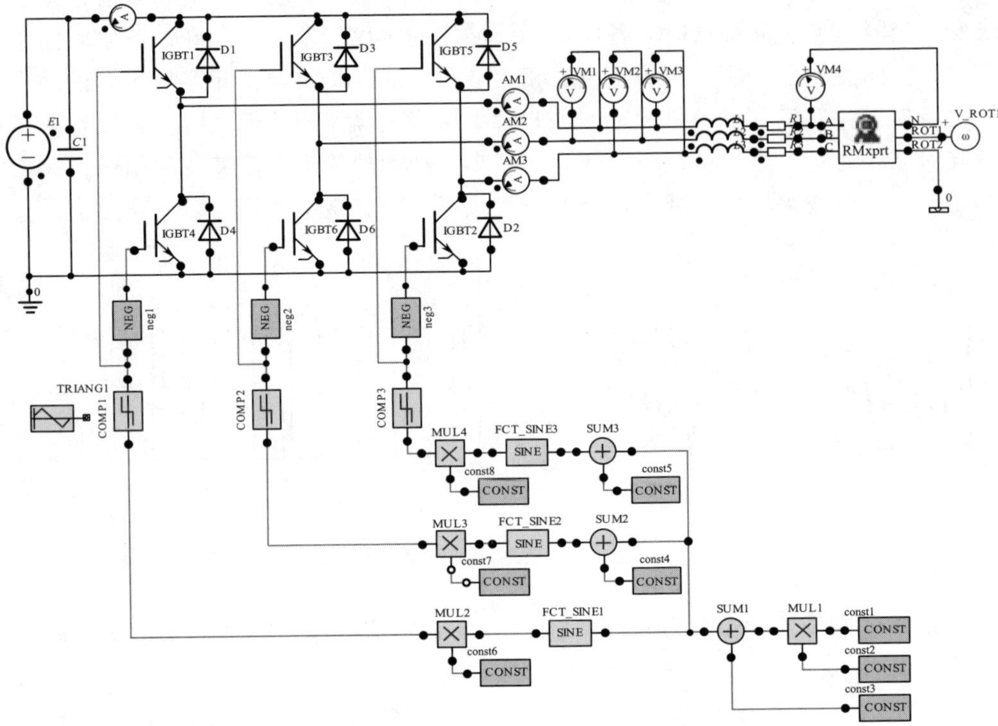

图 4.10 理想状况下 Simplorer 与 RMxprt 联合仿真

经过联合仿真，可得三相输入电流曲线如图 4.11 所示，稳定后，三相交流

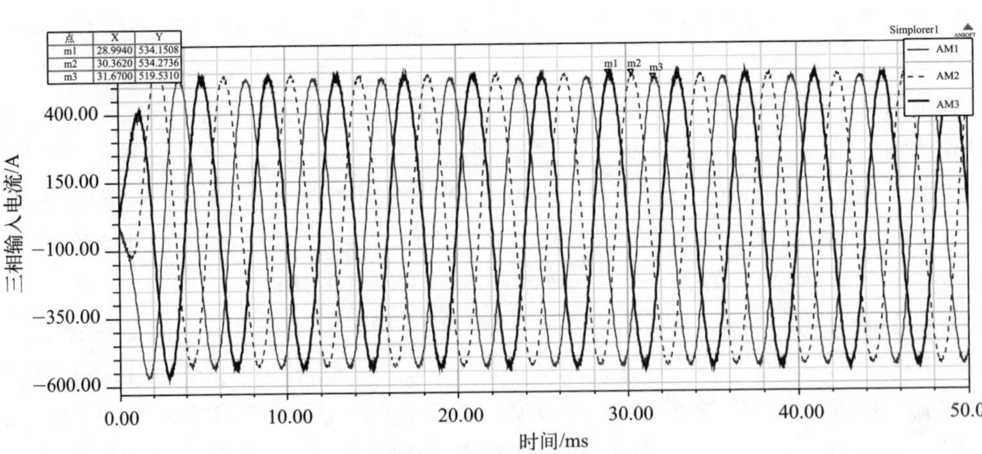

图 4.11 三相输入电流曲线

电流峰值大约为520A，可见，稳定后与理想状况大致一样。但是三相电流略有不同，可见，在理想状况下，三相电流也不是完全对称的，存在一定的偏置。电机输出转矩图如图4.12所示，输出转矩稳定后，大约停留在200N·m，比前面的210N·m略小，应该是增加了前面控制电路，其他元器件功率消耗的关系。图像与图4.6的理想转矩曲线基本相同。

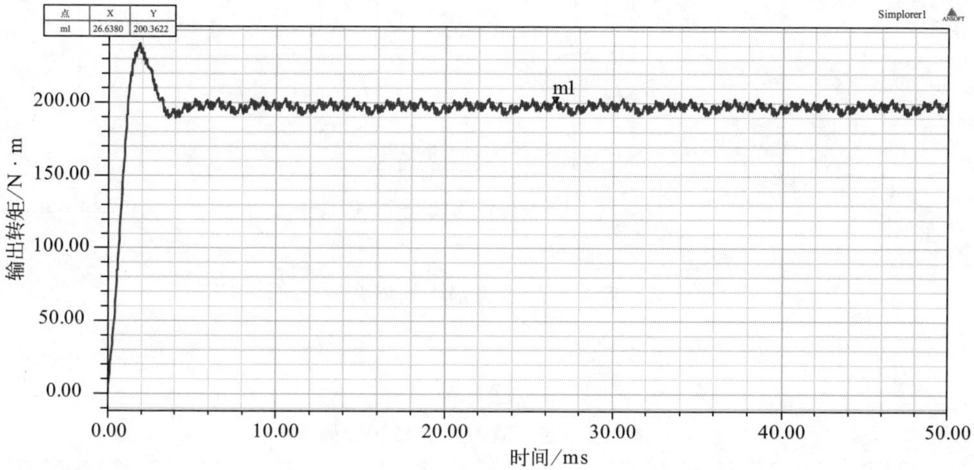

图 4.12 输出转矩曲线

4.2.2 模型建立

（1）逆变器等效模型

由于三相电机各相对称，即三相电路参数一致，因此分析时仅分析单相电路。

为了确保开关正常工作，不至于因为过热而失效，PWM电机驱动系统必须有散热器。为了防止电路短路并且更好地散热，一般将功率开关管的外壳直接与散热片连接，中间涂一层导热材料（绝缘硅脂）加以隔离，并将散热片接地。因此，功率装置和散热片之间形成了很大的寄生电容。

逆变器单相模型如图4.13所示。C_p 为IGBT与散热片间的寄生电容，可根据平板电容公式估计，或用阻抗分析仪（万用表）测得。

$$C_p = \varepsilon_0 \varepsilon_r A/d$$

式中，$\varepsilon_0 = 8.8 \times 10^{-12}$ F/m；ε_r 为绝缘介质的相对介电常数（硅胶为8.5）；A 为模块与散热片的接触面积；d 为绝缘介质厚度。图4.13中，L_h、R_h 分别为散热片与地间的寄生电感与寄生电阻。这两个参数一般被忽视。可以用阻抗分析仪测量。寄生参数测量值如表4.1所示。

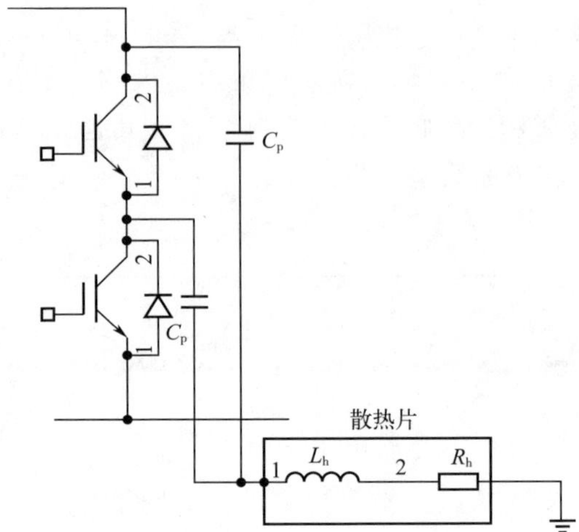

图 4.13　逆变器单相模型

表 4.1　逆变器寄生参数测量值

参数	测量值
C_p	280pF
L_h	145μH
R_h	10Ω

（2）电缆等效模型

电机与逆变器间的长电缆流过的电流属于高压电流，也是干扰的重要来源之一。根据传输线理论，认为分布电阻、分布电感、分布电容和分布电导这 4 个分布参数存在于传输线的所有位置上。当频率增高到射频，连接元器件的传输线由于“集肤效应”的出现，使传输线的有效面积减小，传输线上的电阻增加且分布在传输线上，可称为传输线的分布电阻；传输线上有高频电流流过，传输线周围就必然有高频磁场存在，沿线就存在电感，可称为传输线的分布电感；又因传输线两导体间有电压，故两导体间存在高频电场，沿线就分布着电容，可称为传输线的分布电容；传输线两导体间有漏电，沿线两导体间就存在着漏电导，可称为传输线的分布电导。由于 PWM 逆变器高速开关转换，电缆上的脉冲频率可达几十千赫兹到几十兆赫兹，再加上电机与逆变器之间的电缆一般有一定长度，因此，电缆的寄生参数不容忽视。为了更接近实际参数并模拟传输线的高频特性，

将采取 π 形模型等效法，模型如图 4.14 所示。

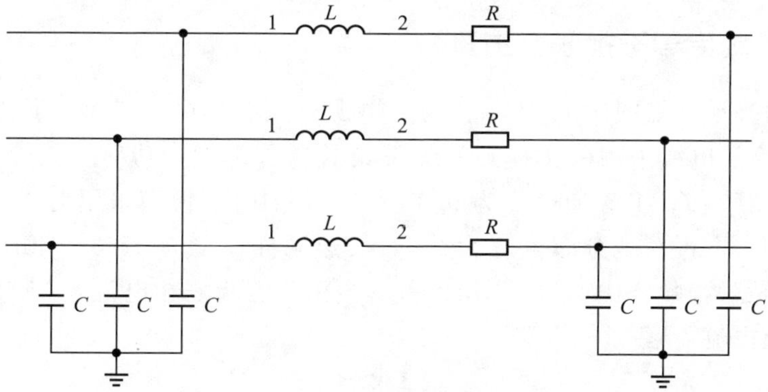

图 4.14 传输线模型

电缆模型参数可以通过计算一段频率范围内的短路阻抗（Z_{SC}）和开路阻抗（Z_{OC}）获得。电阻 R 和电感 L 与短路阻抗有关，电容 C 与开路阻抗有关。为了简化运算，忽略电抗 G。

$$R=\frac{2}{3}\text{Real}[Z_{SC}]_{f_{low}}$$

$$L=\frac{2}{3}\frac{1}{2\pi f_{high}}\text{Image}[Z_{SC}]_{f_{high}}$$

$$C=\left[(2\pi f_{low})\left(\frac{\text{Real}[Z_{OC}]_{f_{low}}}{\text{Image}[Z_{OC}]_{f_{low}}}\right)(2\text{Real}[Z_{OC}]_{f_{low}})\left[\left(\frac{\text{Image}[Z_{OC}]_{f_{low}}}{\text{Real}[Z_{OC}]_{f_{low}}}\right)^2+1\right]\right]^{-1}$$
$$-\left[(2\pi f_{high})\left(\frac{\text{Real}[Z_{OC}]_{f_{high}}}{\text{Image}[Z_{OC}]_{f_{high}}}\right)(2\text{Real}[Z_{OC}]_{f_{high}})\left[\left(\frac{\text{Image}[Z_{OC}]_{f_{high}}}{\text{Real}[Z_{OC}]_{f_{high}}}\right)^2+1\right]\right]^{-1}$$

每单位（米）参数计算值如表 4.2 所示。

表 4.2 电缆参数计算值

参数	计算值
L	2.8685×10^{-7}H
R	0.0421Ω
C	9.0867×10^{-11}F

在电动汽车上，空间有限，因此电缆取一米长度进行研究。

（3）电源端直流母线等效模型

在实际电动汽车上，逆变器前端接大功率 DC/DC 变换器，连接电缆也是大功率动力电缆，但是本书中不考虑此电缆的影响。因此，电源端电缆的等效模型采用较为简单的 T 形模型。

4.2.3 时域传导干扰联合仿真

联合仿真模型如图 4.15 所示：仿真电源采用共模电流模型，其对地分布电容为 C_{g1}；高压电缆采用前文提到的 π 形集总参数模型；功率开关管采用 IGBT 加反向二极管，IGBT 导通电压为 0.8V；Maxwell 2D 模型采用前文 4.1 节设计的电机模型，电机对地分布电容为 C_{g2}，转速同样设定为 3750r/min；控制策略采用正弦脉宽调制（SPWM）；AM1～AM3 用于测量三相电流，AM4、AM5 用于测量共模电流。

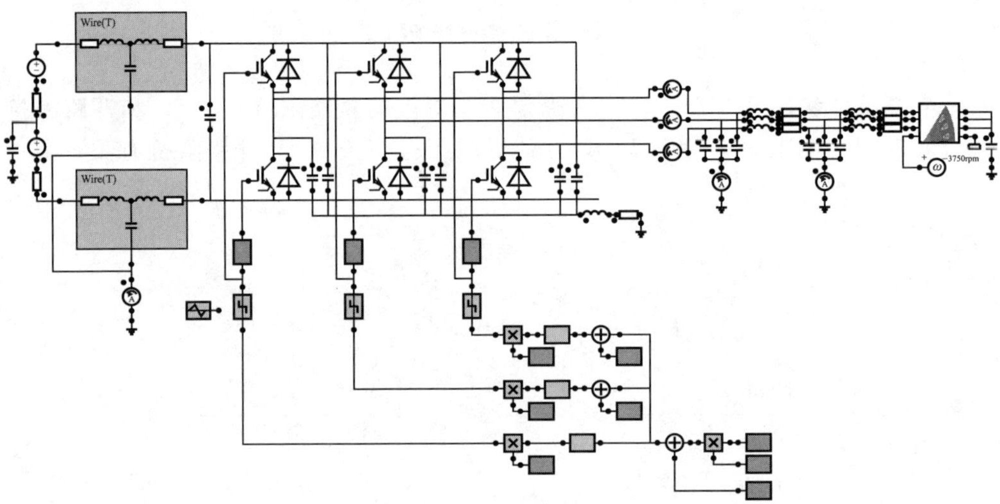

图 4.15 Simplorer 与 Maxwell 2D 联合仿真模型

仿真结果如图 4.16 和图 4.17 所示。图 4.16 所示为电机输出转矩曲线，可以看出，输出转矩稳定后扭矩稳定在 163N·m 左右，比理想状况下的 210N·m 降低约 50N·m 左右。可见，各种寄生参数的存在对电源功率的消耗极大，导致电机转矩下降较大。图 4.17 为 AM1～AM3 测得的三相电流曲线，可以看出，三相交流电缆上的电流虽然峰值仍为 520A 左右，但曲线形状已经不是标准的正弦曲线，而是有很多锯齿波动，说明三相交流线上的传导共模干扰噪声比较明显，并且三相曲线并没有完全对称，说明定子三相绕组中性点电压并不为零，而是有一定的偏置电压，此电压是由于逆变器上下桥臂交替工作时，桥臂中点会产生电位偏置。

通过 AM4 和 AM5 可以测得直流端高压电缆和交流端高压电缆通过与地面

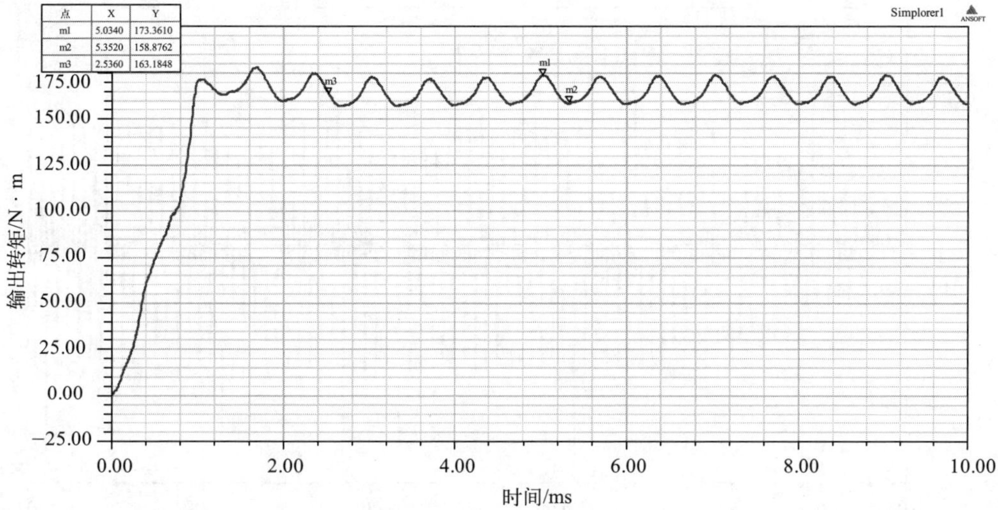

图 4.16　电机输出转矩曲线

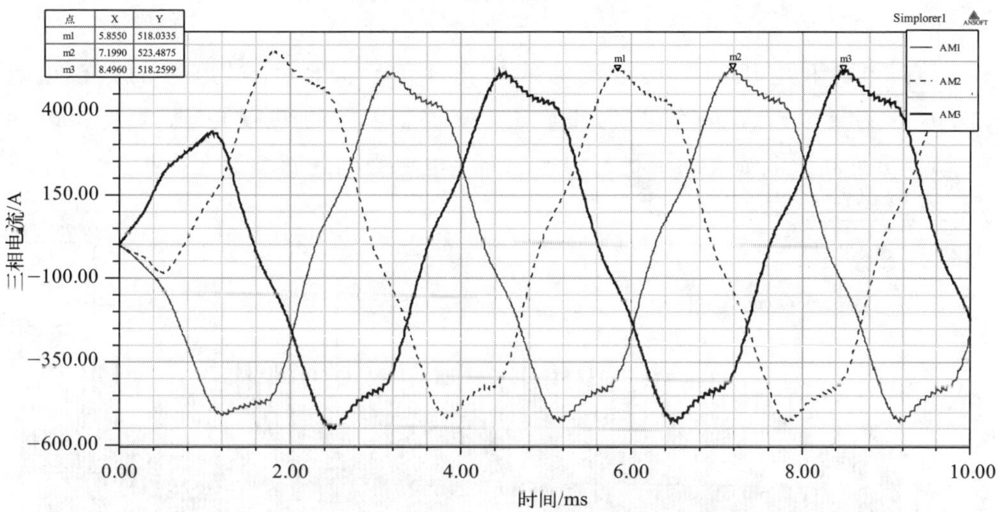

图 4.17　AM1～AM3 测得的三相电流曲线

之间耦合电容的共模电流曲线，如图 4.18 所示。曲线为共模干扰时域曲线，其中直流端高压电缆到地的共模电流（AM4）约为 30mA，峰值约为 40mA。交流端三相电缆到地的共模电流（AM5）约为 130mA，峰值约为 230mA。可见交流电缆上的干扰要比直流端干扰大。观察交流端共模干扰，可以发现，230mA 峰值出现的时间是变化的，是由 IGBT 的基波频率干扰及其谐波频率干扰导致的。

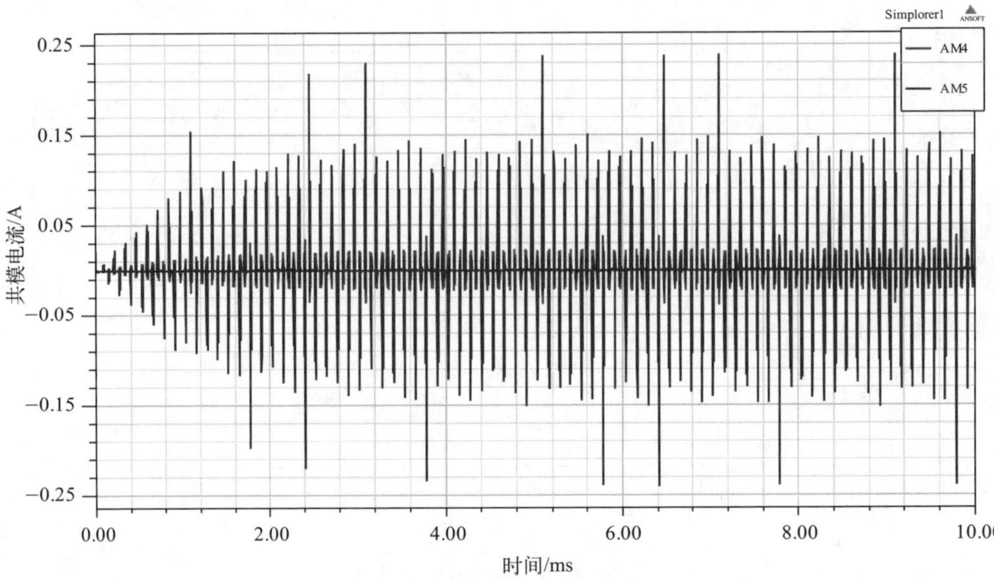

图 4.18　高压电缆到地的共模电流曲线

流过电源和电机的共模电流曲线如图 4.19 所示。流过电源的共模电流（C_{g1}）约为 560mA，峰值约为 900mA，流过电机的共模电流约为 400mA（C_{g2}）。可见高压电缆上的干扰都较大，而且电源受到的影响更大一些。

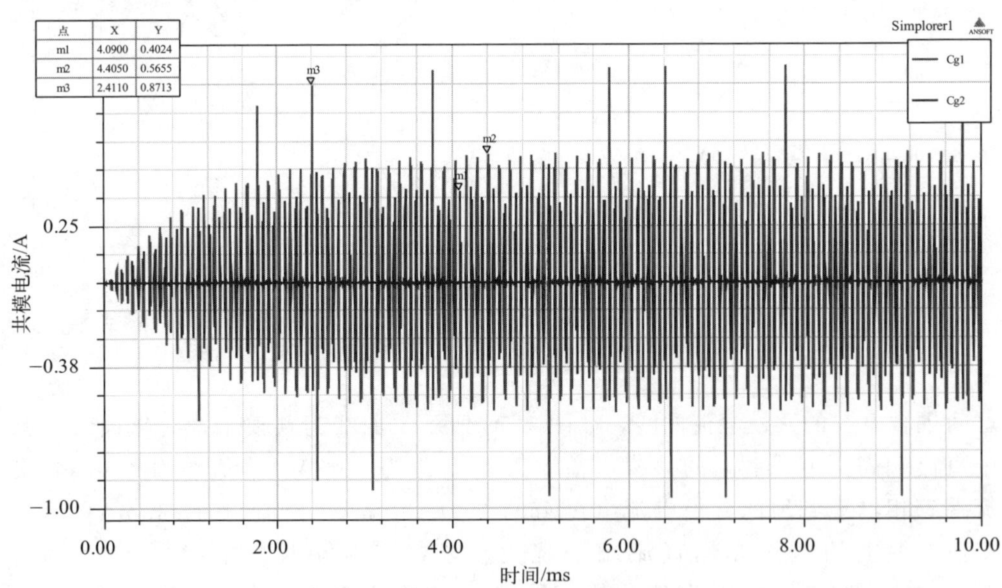

图 4.19　流过电源和电机的共模电流曲线

若将电源和电机对地寄生电容减小一个数量级（如并联一个阻抗小的电容），流过电源和交流电缆的共模电流曲线及流过电机和电源的共模电流曲线分别如图4.20、图4.21所示。图4.20中，电源电缆上的共模电流约为30mA左右，电机端三相交流电缆上的共模电流约为70mA，峰值约为120mA，比大寄生电容下的共模电流大大减小。图4.21中，电源共模电流约为70mA，峰值约为140mA。电机共模电流约为30mA，峰值约为40mA，可见共模电流明显减小。也可以证明寄生电容的存在及大小对共模干扰的影响很大。

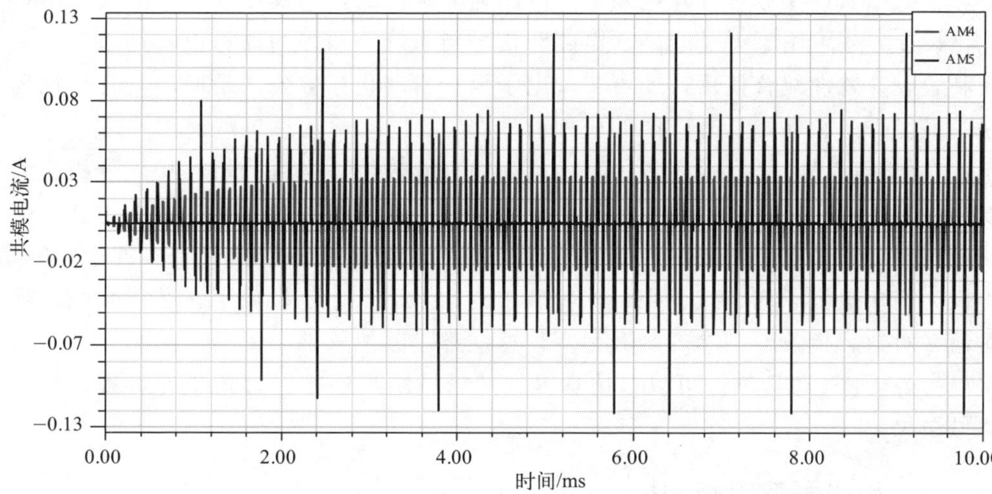

图4.20　减小寄生电容后流过电源电缆和交流电缆上的共模电流曲线

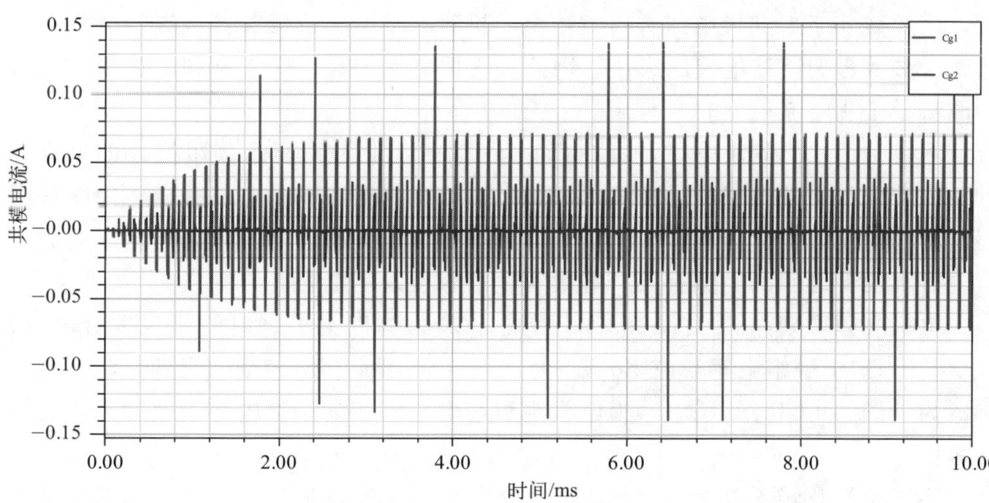

图4.21　减小寄生电容后流过电源和电机的共模电流曲线

4.3 基于 PSPICE 仿真的等效电路法仿真

PSPICE 软件是一种强大的通用模拟混合模式电路仿真器，可以用于验证电路设计并且预知电路的行为。软件具有强大的电路图绘制功能、电路模拟仿真功能、图形后处理功能和元器件符号制作功能，以图形方式输入，自动进行电路检查，生成图表，模拟和计算电路。它的用途非常广泛，不仅可以用于电路分析和优化设计，还可用于电子线路、电路和信号与系统等课程的计算机辅助教学。与印制版设计软件配合使用，还可实现电子设计自动化。被公认是通用电路模拟程序中最优秀的软件，具有广阔的应用前景。

在 PSPICE 内集成了许多仿真功能，如直流分析、交流分析、噪声分析、温度分析等，用户只需在要观察的节点放置电压（电流）探针，就可以在仿真结果图中观察到其“电压（或电流）-时间图”。而且该软件还集成了诸多数学运算，不仅为用户提供了加、减、乘、除等基本的数学运算，还提供了正弦、余弦、绝对值、对数、指数等基本的函数运算，这些都是其他软件所无法比拟的。

另外，PSPICE 软件可以对仿真得到的时域结果进行一键傅里叶变换，得到频域结果。

4.3.1 电机等效电路模型

PWM 电机驱动系统存在高频开关，高频谐波电压变化范围为数千赫兹到数兆赫兹。定子绕组与电机外壳之间也存在寄生电容，为了确保安全，电机外壳接地，因此高 du/dt 共模电压将对寄生电容进行充放电，形成共模电流。电机杂散和寄生参数影响谐波电流的大小。因此，提取寄生参数，建立高频电机模型，对预测传导干扰电流模型非常有用。

本书采用永磁同步电机，其在低频下（$f<10\text{kHz}$）显示高阻抗，即电容特性，随着 PWM 开关速度的增加，电机阻抗减小，绕组寄生电容耦合作用变得明显。由于定子绕组沿电机定子内径均匀分布在定子槽里，电机外壳与绕组间的耦合电容与两者之间的间隙有关。等效寄生电容可以用电容表测量。

电机高频模型如图 4.22 所示。图中，C_r 为电机定子绕组的相对耦合电容；L_r、R_r 为定子绕组电感与电阻；L_r 为几百微亨级别；R_r 为毫欧级别，电机绕组抽象为如图的 LCR 形式；C_g 为电机绕组与电机框架的杂散电容，电容大小为纳法级。

定子绕组及转子以及定子机组间存在其他寄生耦合阻抗，由于他们对传动轴及轴承感应电压及电流影响较小，可以忽略。

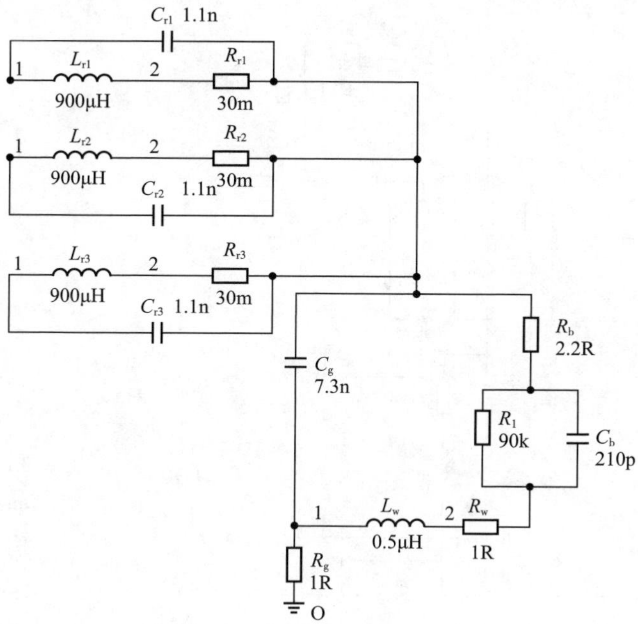

图 4.22　电机高频模型

由于电机轴承滚珠的润滑脂的部分绝缘效应，电机轴承间有平行耦合路径，产生气隙电容。轴承部分可以抽象成一个电容 C_b 与非线性电阻 R_l 并联，并串联轴承滚珠与轴承圈的接触电阻 R_b。轴承滚珠与轴承圈间有绝缘润滑脂，形成等效电容 C_b 和等效电阻 R_b。电机电流流经三相绕组后通过 C_b、R_b。其他两相电路类似。

轴承电流 I_b 流经电线阻抗（L_w、R_w）。机壳对地间考虑有一个电阻 R_g。

感应电机的寄生参数模型如表 4.3 所示。

表 4.3　电机寄生参数

参数	数值	参数	数值	参数	数值
R_W	1Ω	R_r	30mΩ	C_b	210pF
L_W	0.5μH	C_g	7.3nF	R_g	1Ω
L_r	900μH	R_l	90kΩ		
C_r	1.1nF	R_b	2.2Ω		

4.3.2　PSPICE 建模仿真

三相桥式逆变电路实际应用很广泛，图 4.23 是电压型三相桥式逆变电路。仿真中，IGBT 用简单的脉冲信号，频率约为 10kHz。同一桥臂上、下两个开关

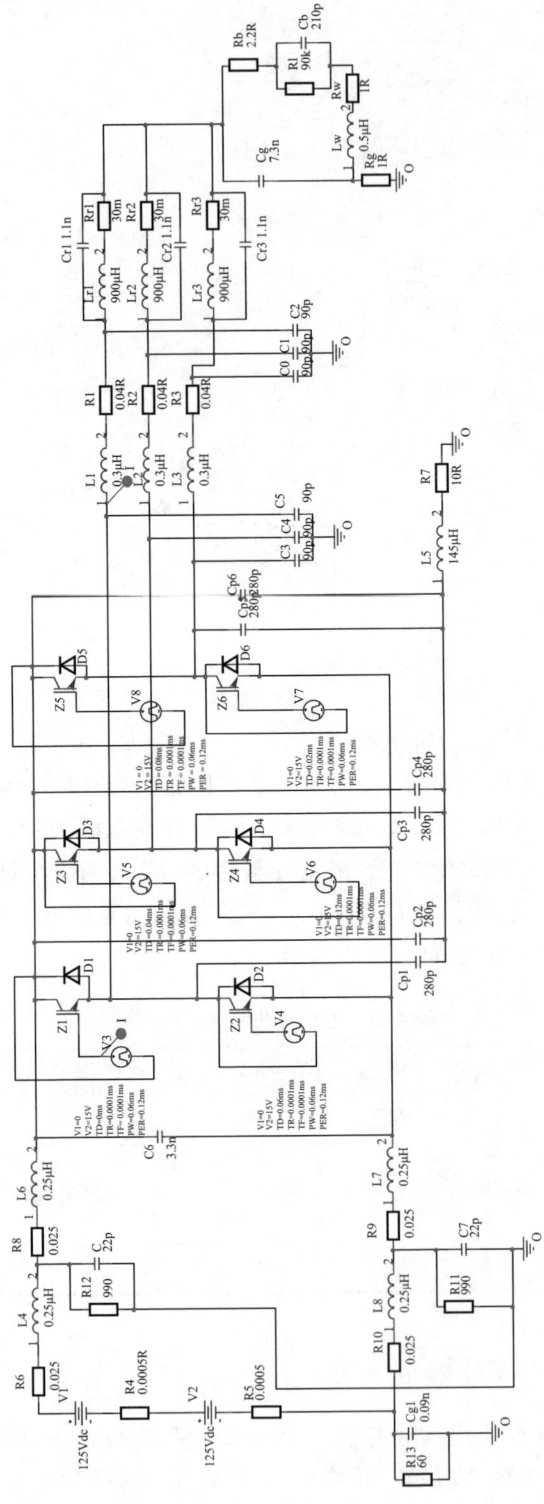

图4.23 基于PSPICE软件的仿真电压型三相桥式逆变电路图

互补通、断。电压型三相桥式逆变电路的基本工作方式也是180°导电方式，即每个桥臂的导电角度为180°，同一相上下两个臂交替导电，各相开始导电的角度依次相差120°。这样在任一瞬间，将有三个桥臂同时导通。每次换流都是在同一相上下两个桥臂之间进行的，因此也被称为纵向换流。

采取的原始PWM脉冲信号图见图4.24。设置仿真步长为100ms，仿真结果如下。图4.25、图4.26分别为经逆变器调制后的电流图像和流入电机的电流图像，可以看到，经过调制后图像上多了许多尖峰脉冲，图像形状与初始脉冲相差也很大，流入电机的图像与经过逆变器调制的图像相似。对电流图像进行傅里叶变换，得到电流的频率为10kHz，与逆变器调制频率相同。

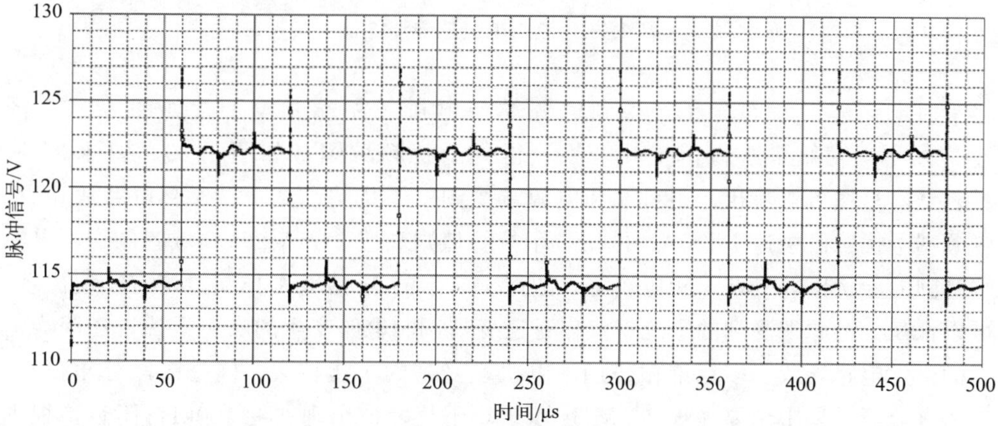

图4.24 输入原始脉冲图

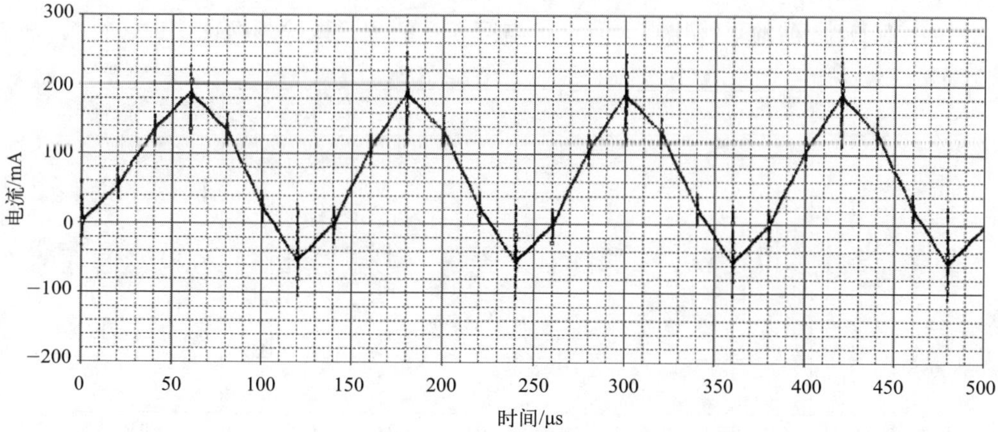

图4.25 经IGBT调制后的电流图像

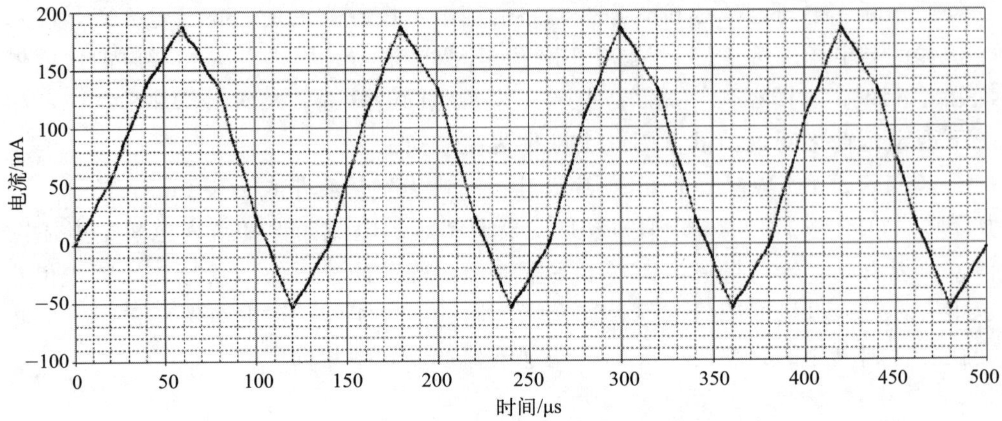

图 4.26 流入电机的电流图像

对电路进行瞬态分析，得到电源端与电机三相端共模干扰如图 4.27、图 4.28 所示。对结果进行傅里叶变换，得到干扰频域图像如图 4.29、图 4.30 所示。从时域图可以看出，电机端和电源端受到的干扰与前文模拟实际电路法相近，电源端干扰峰值接近 1.3mA，电机端干扰峰值则高达 21mA。从频域图像看，电源端受到的干扰比较复杂，频段较宽，图像中显示的 0～2.0MHz 频段均有峰值出现，可以推断，电源端受到的干扰不仅仅是逆变器调制电路产生的噪声干扰，还因为复杂的寄生电路导致了多点谐振作用。电机端受到的干扰较大，但是频段分布很短，在仿真分析结果中主要体现在 1MHz 以下，干扰峰值出现在约 100kHz 附近，根据前文分析，电机端干扰主要来自 IGBT 开关作用，由于 IGBT 开关频率约 10kHz，干扰峰值正好是开关频率的十倍谐振点；由频域图像结果可以看到，干扰噪声集中在低频段，其中，电源端所受到的干扰从 0～10MHz 幅度均很大，电机端受到的干扰则在 5MHz 之前的干扰比较大，这也与第 3 章的测试试验相吻合。

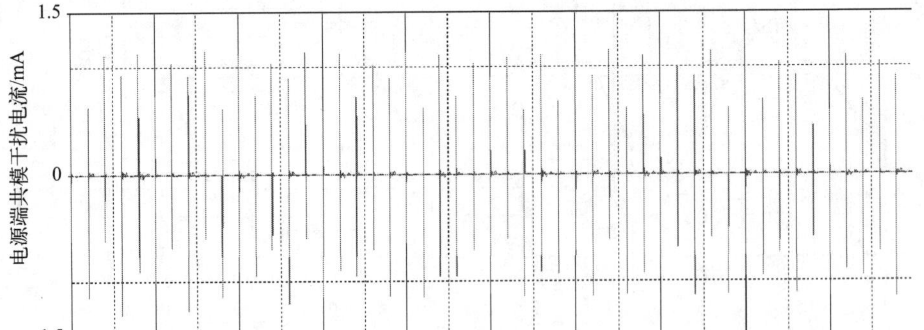

图 4.27 电源端所受的干扰

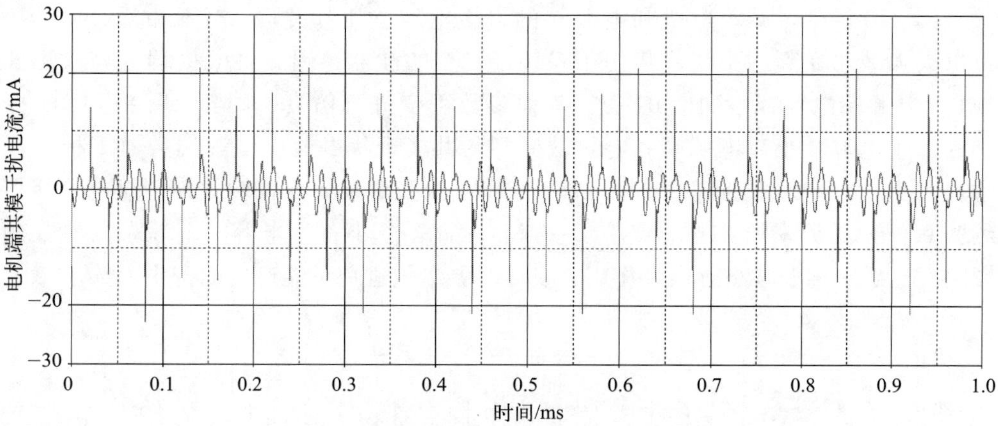

图 4.28 电机端所受的干扰

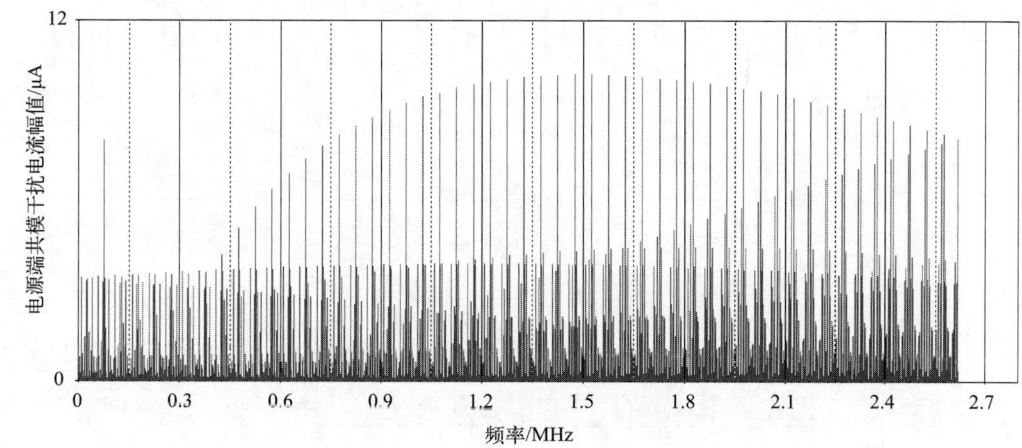

图 4.29 电源端干扰频谱图

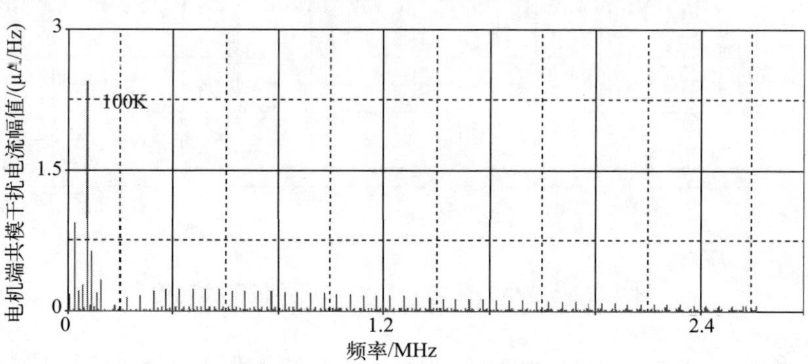

图 4.30 电机端干扰频域图

第 3 章讲到，减小电机和电源端的寄生电容（比如并联一个阻抗小的电容）可以大大减小受到的干扰，相当于安装了一个滤波器，因此将电机端电容减小到 1nF，电源端电容减小到 0.01nF，其他参数不变进行仿真。图 4.31、图 4.32 分别为寄生电容减小后电源端和电机端受到的共模干扰电流，电源端共模干扰电流峰值约为 120μA，比原来的 1.3mA 减小了一个数量级；电机端共模干扰电流峰值约为 9.0mA，原来的 21mA 减小了一半。因此，减小寄生电容，消除杂散参数的影响对电磁干扰的减小有很大作用，设计时要尽量避免可能产生的寄生参数。

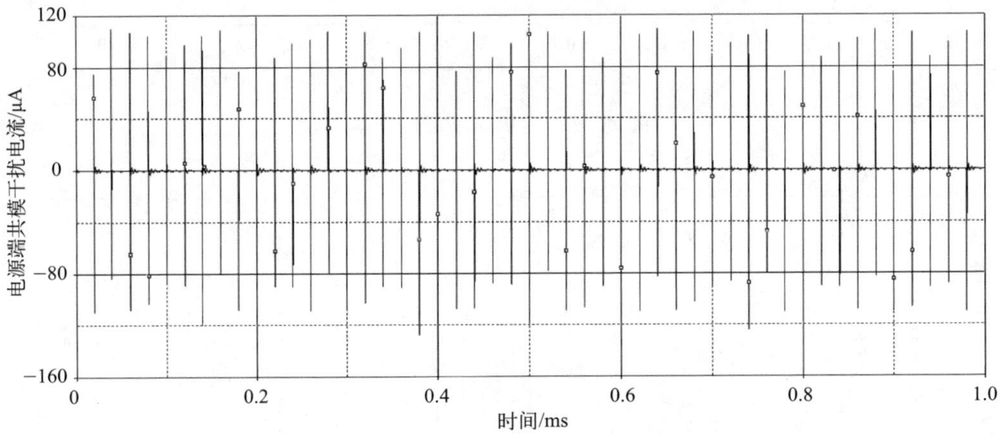

图 4.31　减小寄生电容后电源端共模干扰电流

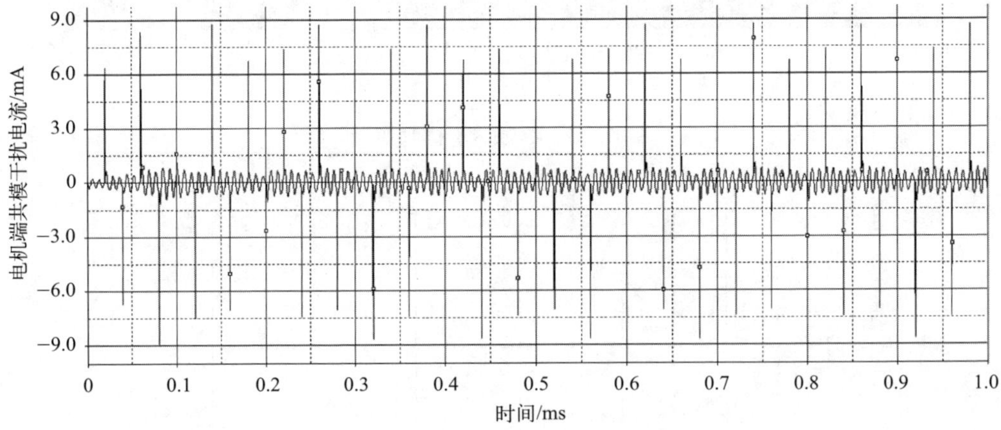

图 4.32　减小寄生电容后电机端共模干扰电流

图 4.33、图 4.34 分别为电源端和电机端共模干扰电流的频谱图，电源端主要干扰频段为 0～4.0MHz，比原来显示的增加，但是幅值减小。电机端干扰主

要存在 3MHz 之前，其中，在 100kHz 附近峰值最大，约为开关频率的十倍谐波点。100kHz～2.0MHz 频段随着频率增加，幅值逐渐减小，原因为振荡为阻尼振荡，随着谐振频率增加，能量消耗，因此干扰最终收敛。观察频谱图，干扰峰值大约每隔 50kHz 左右出现一次，即约每隔 5 倍频出现一次谐振峰值点。

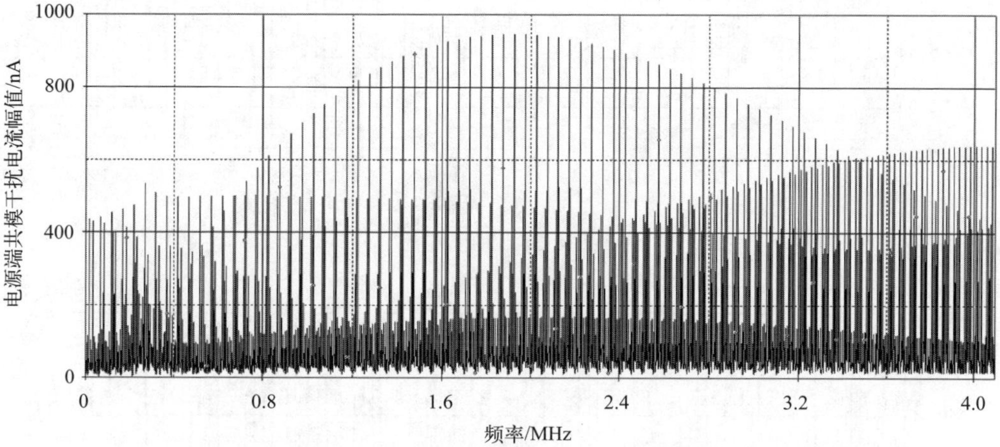

图 4.33　电源端共模干扰电流频谱图

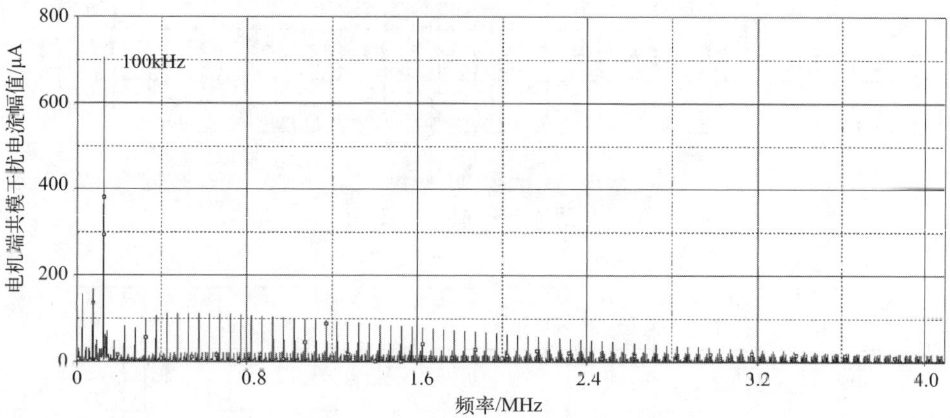

图 4.34　电机端共模干扰电流频谱图

电机受到干扰时，在轴承上会产生轴电压，轴承电压过大甚至会损坏轴承，影响电机寿命图 4.35、图 4.36 分别为轴承等效模型上的干扰电流与干扰电压时域图。可见，干扰电压与电流不仅幅值很大，其上的尖峰脉冲也很大，获得电压的频谱图见图 4.37，干扰主要集中在 2MHz 以下，并且在 0～1MHz 频段内，随着频率升高，干扰降低。

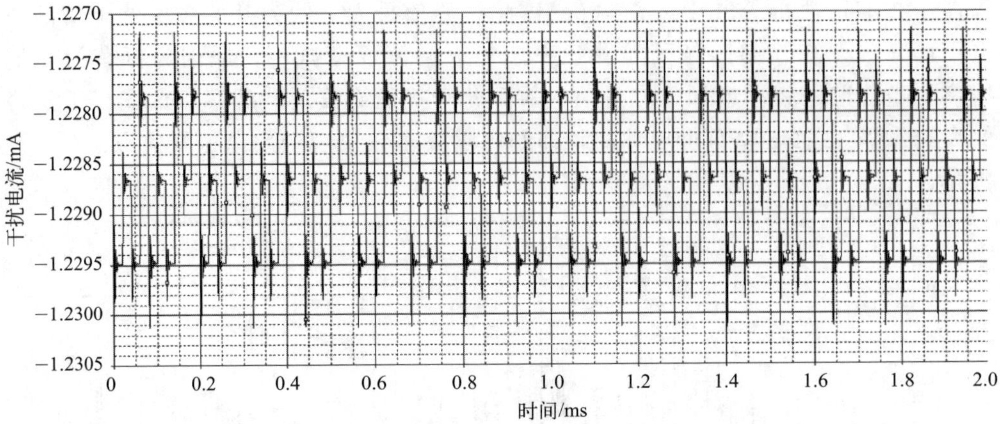

图 4.35 轴承电流

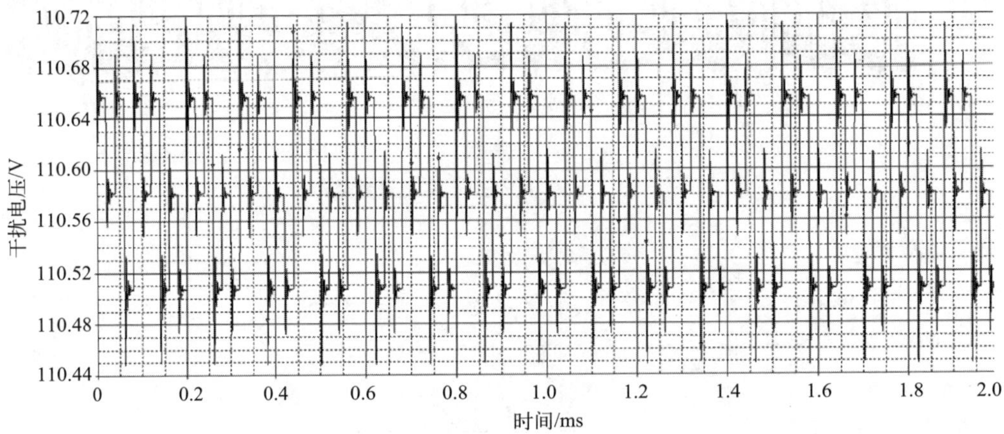

图 4.36 轴承电压

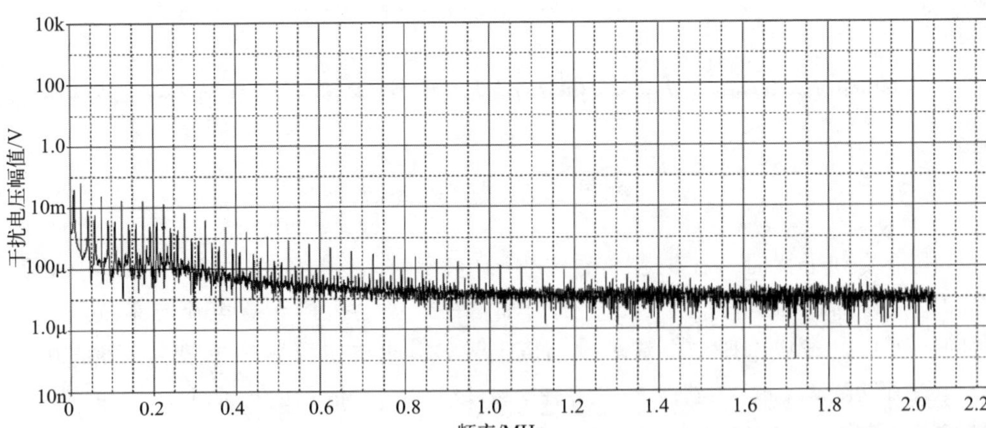

图 4.37 轴承电压频谱图

4.4 基于 Saber 仿真的电机驱动系统等效电路仿真建模

Saber 仿真软件主要用于外围电路的模拟及混合信号仿真，主要包括 Saber Sketch（用于绘制电路图）、Saber Designer（用于对电路进行仿真模拟）和 Saber Scope（用于查看模拟结果），具有以下优点。

① 仿真速度快。Saber 在结构上采用硬件描述语言 MAST 与单内核混合仿真，并对传统仿真算法进行改进，仿真更迅速有效。

② 集成度高。Saber 软件支持用户在同一个环境中完成图形绘制、仿真模拟和结果查询，无需切换工作环境。

③ 具有各种高级仿真分析。Saber 软件可进行偏置点分析、瞬态工作点分析、DC 分析、AC 分析、傅立叶分析、蒙特卡诺分析、噪声分析等。

④ 模块化。Saber 软件支持用户将一部分电路创建成一个模块，方便用于层次设计，并可对子模块和整体电路进行电路仿真模拟。

本节将借助 Saber 仿真软件，对电机驱动系统进行等效电路的建模，包括直流供电电源、逆变器及其控制电路和三相交流感应电机等部分的等效电路模型的建立，并在此基础上，通过对系统电路结构和控制策略的优化，探讨电机驱动系统电磁兼容措施。

4.4.1 三相三桥臂 IGBT 开关电路建模

逆变器等效电路建立部分包括三相三桥臂的 IGBT 开关电路、SPWM 脉冲信号生成电路和直流电输入电路三部分。

图 4.38 所示为逆变器的 IGBT 开关电路的仿真电路图。可见，每一个单独的桥臂是由 IGBT 开关模块、VCVS 模块（压控电压源，带增益功能）、二极管和电阻组成的。

在 Saber 仿真软件中，可通过电路等级建模方法，将用户自己绘制的模型组合打包成一个器件符号，方便使用和对子电路进行修改。图 4.39 为将三相三桥臂 IGBT 开关电路打包而成的子模块符号图。三相控制开关导通或关断的信号源由 up1、up2、up3、down1、down2、down3 六个接口输入。逆变器的三相输出 output_phase1、output_phase2、output_phase3 分别接入电机的三相电源输入。

逆变器的母线电源为 380V 的直流电压，通过 dc_input 接口输入。直流供电电压模块如图 4.40 所示。

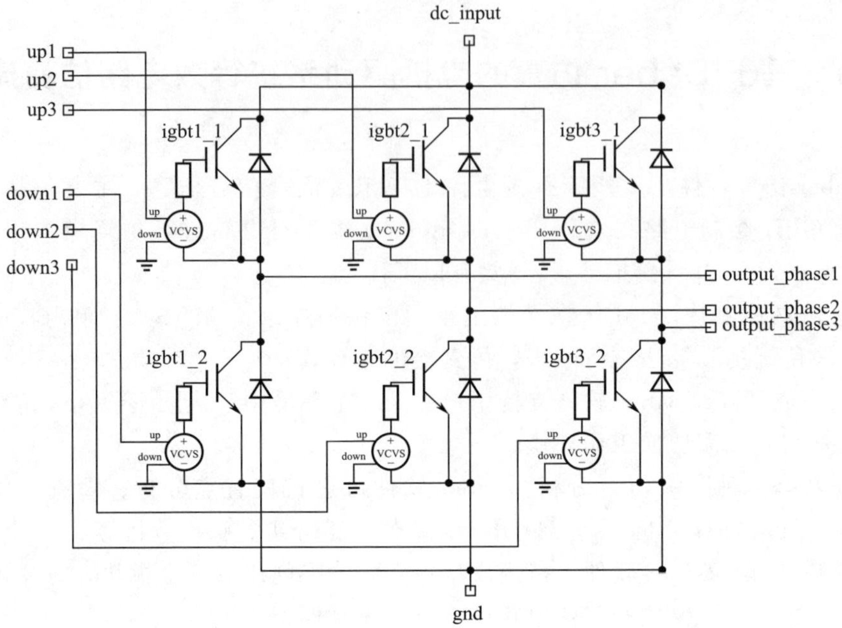

图 4.38　三相三桥臂 IGBT 开关电路仿真电路图

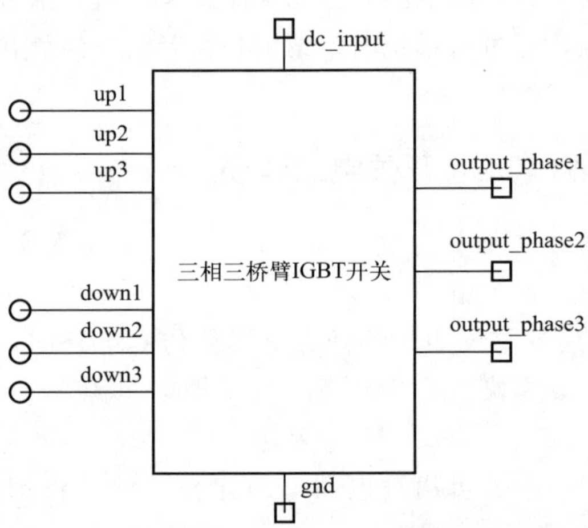

图 4.39　三相三桥臂 IGBT 开关电路子模块符号图

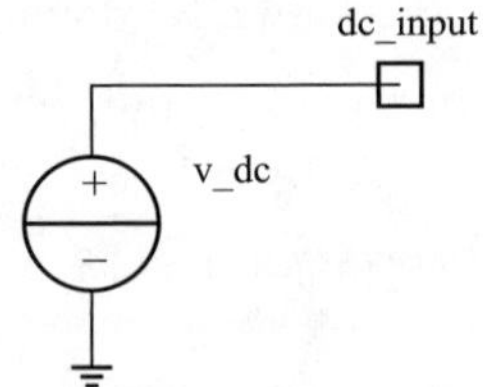

图 4.40　380V 直流电源模块

4.4.2 SPWM 控制信号建模

正弦脉宽调制（Sinusoidal Pulse Width Modulation，SPWM）一般是以正弦波为基波，三角波为载波，利用正弦波与三角波的交点作为控制 IGBT 开关导通或关断的控制信号，如图 4.41 所示。在 SPWM 调制方式中，载波比（载波数量与基波数量之比）和调制指数（调制波幅值与载波幅值之比）是两个重要的参数，对开关频率和直流电压的利用率有十分重要的影响。

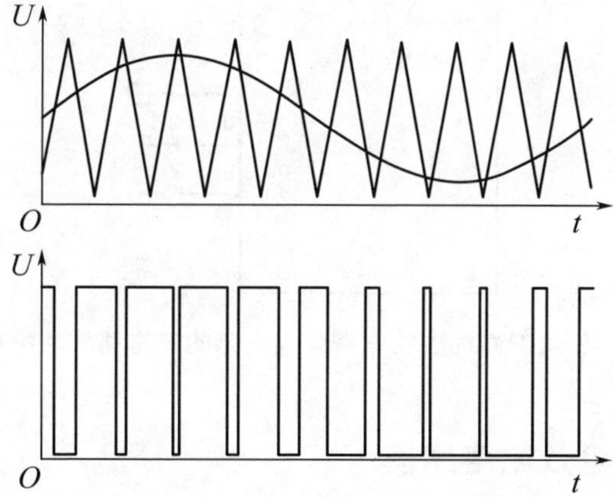

图 4.41 正弦波与三角波的调制

图 4.42 所示是在 Saber 仿真环境下，逆变器其中一相的开关控制信号生成的电路图。正弦基波由 vsine 产生，三角载波通过 v_pulse 产生，通过比较器（Comparator）得到正弦方波信号。经过比较器的控制信号经过逻辑变化后产生两个完全相反的方波信号，从而可以控制逆变器同一相的上下两个桥臂的导通与关断。

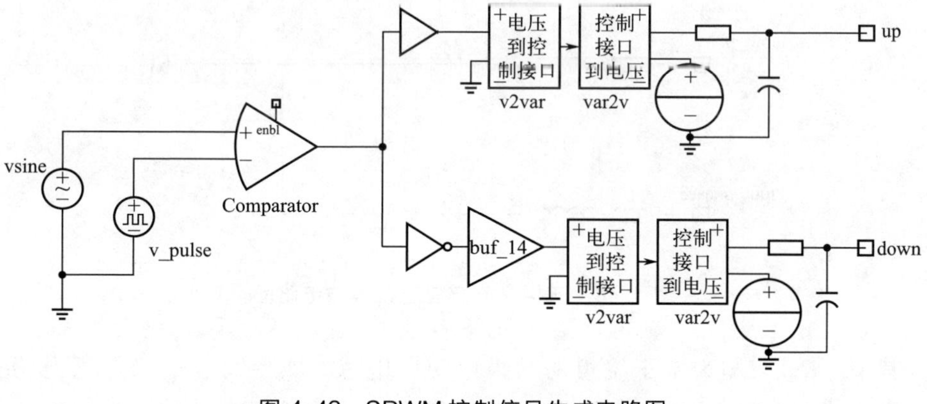

图 4.42 SPWM 控制信号生成电路图

为了在后续仿真模型建立过程中方便使用和修改控制信号生成电路，需借助 Saber 软件的电路等级建模功能，将 SPWM 控制信号生成电路打包成子电路模块符号，如图 4.43 所示。模块的输出端口与三相桥 IGBT 开关的输入端相连。

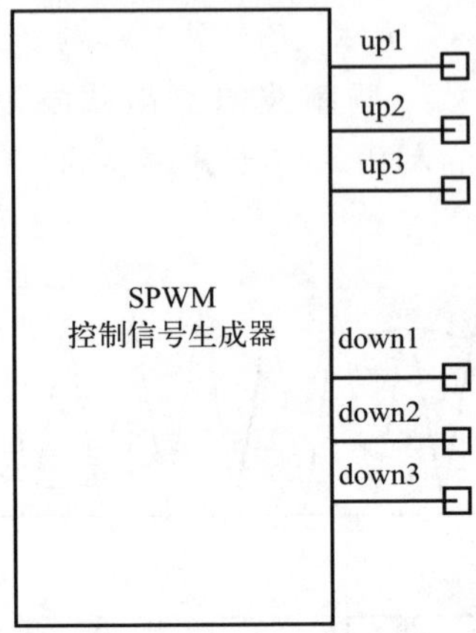

图 4.43 SPWM 控制信号生成电路的子电路模块符号图

4.4.3 三相电机等效电路建模

如前文所述，交流感应电机等效电路的建立过程中，主要考量的是定子绕组的共模阻抗和定子、转子、机壳三者之间的相对电容。图 4.44 所示是根据交流感应电机构造建立的三相交流感应电机的等效电路模型。

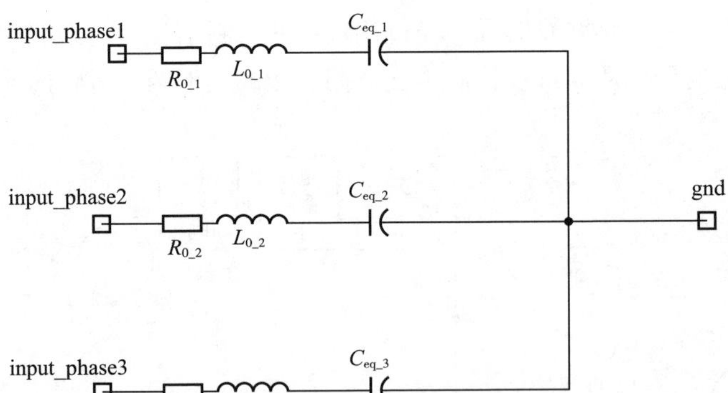

图 4.44 三相交流感应电机等效电路图

其中，R_0、L_0 为定子绕组的共模电阻、电感，C_{eq} 为定子、转子、机壳耦合电容的等效电容。图 4.45 所示为电机等效电路图打包成的模块符号图。

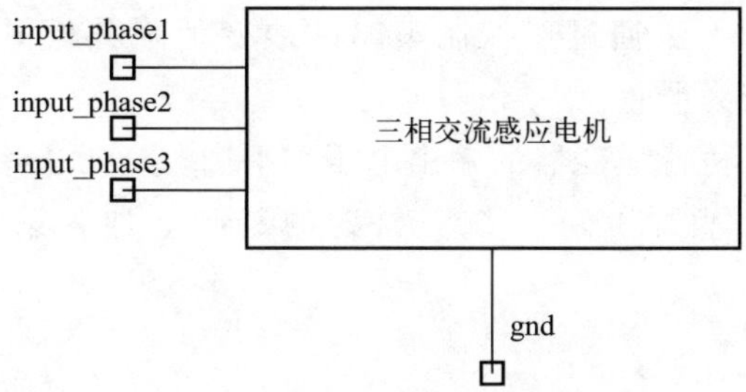

图 4.45 三相交流感应电机等效电路模块符号图

如图 4.46 所示，三相交流感应电机驱动系统的 Saber 等效电路图中，包括直流电源、三相桥逆变器及其 SPWM 控制信号生成器和三相交流感应电机。

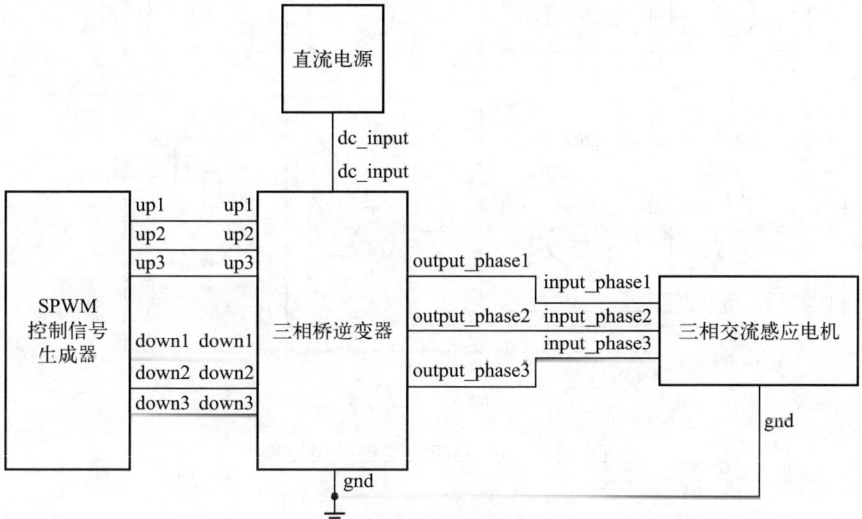

图 4.46 三相交流感应电机驱动系统等效电路图

4.4.4 基于三相四桥臂的 SPWM 载波移相控制

一般，定义共模电压为逆变器输出中点对参考地的点位差。在三相三桥臂的逆变电路中，共模电压可以表示为：

$$V_g = \frac{1}{(L_f + L)C_g s^2 + RC_g s + 3}(V_a + V_b + V_c) \qquad (4.3)$$

式中，L 和 R 分别是电机的等效电感和电阻；C_g 是电机的等效共模电容；L_f 是滤波电感；V_a、V_b 和 V_c 是逆变器 A、B、C 三个桥臂的输出电压。可见，V_a、

V_b、V_c 的值要么是 $+V_D/2$，要么是 $-V_D/2$，所以不可能出现 $V_a+V_b+V_c=0$ 的情况。也就是说，无法通过对控制策略的改变消除共模电压和共模电流的存在，共模干扰现象较为严重。

为了解决三相三桥臂逆变器的输出电压不平衡，通常采用三相四桥臂的方案解决问题。三相四桥臂就是在传统三桥臂的基础上加入第四桥臂，如图 4.47 所示。

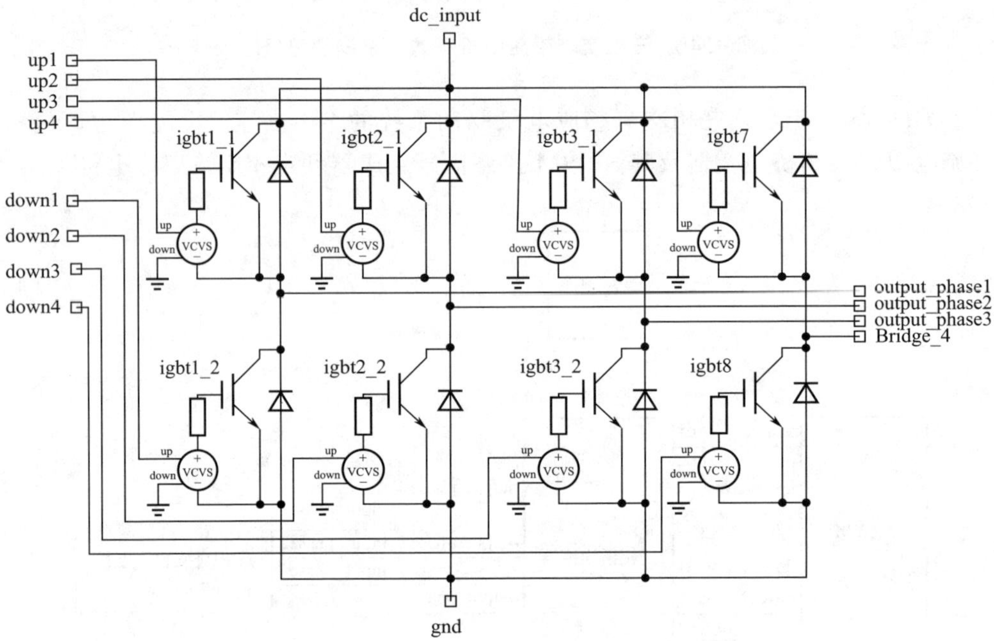

图 4.47　三相四桥臂等效电路图

在该系统中，可以通过控制策略使得 $V_a+V_b+V_c+V_d=0$ 成立（V_d 是第四桥臂的输出电压），即使得任意时刻都有两个上桥臂和两个下桥臂导通，从而达到共模电压为 0。然而，一般情况下，SPWM 脉宽控制技术采用三个相位差 120° 的正弦波基波与同一个三角载波进行调制，这样的控制信号输出波会使得在三角波的每个峰值附近都出现三相输出电压同时为 $+V_D/2$ 或 $-V_D/2$ 的情况。此时，无论采用哪种控制方法控制第四桥臂，都不可能使 $V_a+V_b+V_c+V_d=0$ 成立。因此，需对控制信号采用载波移相控制，即采用三个峰值错开的三角波作为载波进行调制（三个载波峰值时刻差为 $T_C/3$，T_C 为载波周期），并根据前三个桥臂的状态控制第四个桥臂的控制信号，从而使 $V_a+V_b+V_c+V_d=0$ 成立。

4.5 电机驱动系统电磁干扰端口测试方法

4.5.1 电机传导共模干扰测试

大功率系统的高电压、大电流等特点导致系统的电磁兼容问题主要是电磁发射问题。本书只考虑系统的电磁发射中的传导共模发射问题。电动汽车驱动系统的主要干扰源来自电机 DC/AC 逆变器。DC/AC 逆变器是由 IGBT、功率二极管等电力电子开关器件组成的。导通与关断状态转换暂态过程中的开关管，是 DC/AC 逆变器重要的电磁干扰源。

测试系统参考 CISPR 25：2016 标准但需要加以改进。CISPR 25：2016 在我国的体现形式是 GB/T 18655，是为了保护车载接收机而提出的待测设备电磁发射的限值和测量方法。CISPR 25 适用于 12V 和 24V 电源供电的车载零部件。标准规定的传导发射频段为 150kHz～108MHz，辐射发射频段为 150kHZ～1GHz，且被测频段不连续，体现了为了保护车载接收机的初衷。但是随着新能源汽车的发展，汽车电压系统出现 72V 甚至到三百多伏、五百伏。电磁兼容的现有标准不适合新的电压系统；制定用于保护车载接收机或车外接收机的初衷不能实现；高电压强干扰下对人体的危害也需进一步检验。

上文提到电机驱动系统包括强电和弱电系统，由于暂时不知道电机在什么工况下发射值最大，应该安排多种工况测量。启动状态、额定状态、最大工况状态都需要测量。若能够获得最大发射工作状态，则按照最大发射工作状态测量。将电机驱动系统作为一个整体进行测试，测试时电机用测功机加载，测量步骤如下：

① 测试系统上电，电机转速为 0，测试背景噪声；

② 电机以很低的转速转动，测功机改变电机负载功率；

③ 电机以额定转速转动，测功机改变电机负载功率；

④ 电机以最大功率转动，测功机改变电机负载功率。

另外，为了确认电机的转速对电磁干扰的影响，可以再测量几个中间转速。

根据常用传导干扰测试标准 CISPR 11、CISPR 16、CISPR 13、CISPR 15、CISPR 32、EN 55032 及汽车传导干扰测试标准 CISPR 25 的要求，传导干扰测试主要需要如下设备：

① EMI 自动测试控制系统（电脑及界面单元）。

② EMI 测试接收机。

③ 电源线性阻抗稳定网络（Line Impedance Stabilization Network，LISN）

或称为人工电源网络（Artificial Mains Network，AMN），电源阻抗稳定网络是一种耦合去耦电路，主要用于提供纯净的交流或直流电源，并使受试设备干扰不会回馈至电源及 PF 耦合，同时提供特定的阻抗特性。

④ 电流探头（Current Probe），是利用流过导体的电流产生的磁场能被另一线圈感应这一互感原理制造的，一般用于对信号线进行传导干扰测试。

与辐射发射测试相比，传导干扰测试需要的仪器较少，不过，需要一个 2m×2m 以上面积的参考接地平面，并超出 EUT 边界至少 0.5m。因为屏蔽室的金属墙面或地板可以作为接地板，所以传导干扰测试通常在屏蔽室内进行。图 4.48 是共模传导干扰测试配置图，LISN 实现传导干扰信号的获取和阻抗匹配，再将信号传送至接收机。对于落地式设备，测试时，需将受试设备放置在离地 0.1m 高的绝缘支撑上。除电源端口需要进行传导干扰测试外，信号、通信端口也要进行传导干扰测试。信号端口的测试方法相对比较复杂，有电压法与电流法两种。测试结果分别与标准中的电流限值与电压限值比较，以确定测试是否合格。

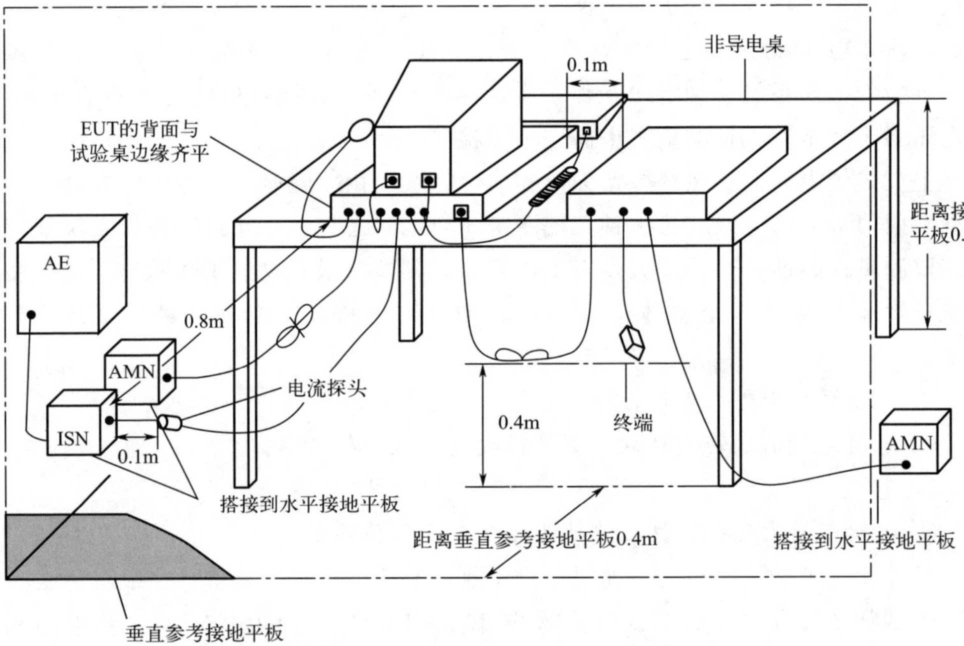

图 4.48　共模传导干扰测试布置

EUT—受试设备；AE—人工地；ISN—阻抗稳定网络

LISN 是电力系统中电磁兼容测试中的一项重要辅助设备。它可以隔离电网干扰，提供稳定的测试阻抗，并起到滤波的作用。其电路图如图 4.49 所示。

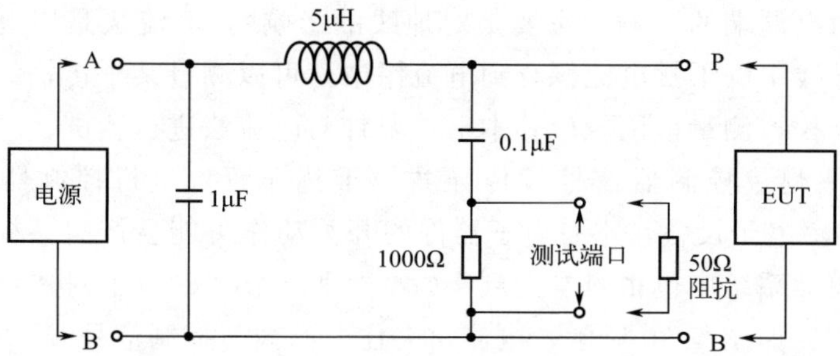

图 4.49　LISN 电路图

LISN 是在进行传导干扰发射测试中，为了客观地考核受试设备（EUT）的干扰，在电网与受试设备之间加入的网络。该网络具有以下功能。

① 在规定的频率范围内提供一个规定的稳定的线路阻抗。由于电网受各种因素影响，使其线路阻抗不稳定。可是，在传导干扰的测量中，阻抗是非常重要的。为了用电压法在进行传导发射电压的测量中有一个统一的测试条件，而人为地拟制一个稳定的线路阻抗。一般在射频段提供 50Ω 网络阻抗。

② LISN 将电网与受试设备进行隔离。供给 EUT 的电源必须是纯净的。否则，电网将会向 EUT 注入干扰，EUT 也会向电网馈入干扰，这就会导致在 EMC 分析仪上分不清哪些是 EUT 上的干扰。所以，只有将二者隔离，测量结果才是有效的。

③ 利用 LISN 的高通滤波器使 EUT 产生的干扰信号耦合至 EMC 分析仪上，并阻止电网电压加至 EMC 分析仪。

LISN 使用主要注意以下几点。

① LISN 的接地要可靠。最好与接地平板搭接。

② 不同的网络对电网的干扰隔离能力不尽相同。为确定所测传导干扰数据的可信性，试验前应检查经阻抗网络窜入的剩余传导干扰。其方法是从网络上撤去 EUT 的电源线，保留网络的电源进线和网络与 EMC 分析仪之间的连接电缆，在 EMC 分析仪上测出这些干扰值（相当于背景噪声）。只有当这些剩余干扰电压小于 EUT 的干扰极限值 6dB 以上，试验才是有效的。如果该值太大，可在网络之前加接电源 EMI 滤波器。

③ LISN 在低频段和高频段的阻抗值都会偏离标称值，所以，网络出厂时都会给出校正曲线（系数），使在电磁兼容传导测量时加以修正。

由于本测试中具有高压供电电源和低压供电电源，理想方法是在高低压供电电源线和地线上均串联线性阻抗稳定网络。

本书测试驱动系统传导共模干扰，因此只需在屏蔽室中或者在外界干扰比较小的地方进行。本书测试以驱动系统整体为研究对象。

根据 CISPR 25：2016，传导干扰测试分为电压法与电流法，电压法主要测量被测设备对电源端的影响（主要是对地线的影响）。电流法是用电流钳夹住被测导线，将导线中的干扰电流耦合到电流钳中，可以测量某个传输线或信号线上任意一处的干扰，测量范围较广。本书主要针对电流法进行测试。

① 电流法测量控制器信号线传导共模干扰布置。电机控制器供电电压为12V，为小功率电子设备，本身电子器件的开关动作可能会产生共模干扰，工作在大功率的驱动系统中也很容易受到干扰。按照 CISPR 25 中对传统汽车电子零部件的测试布置如图 4.50 所示，电流钳夹住电源线与控制信号线。

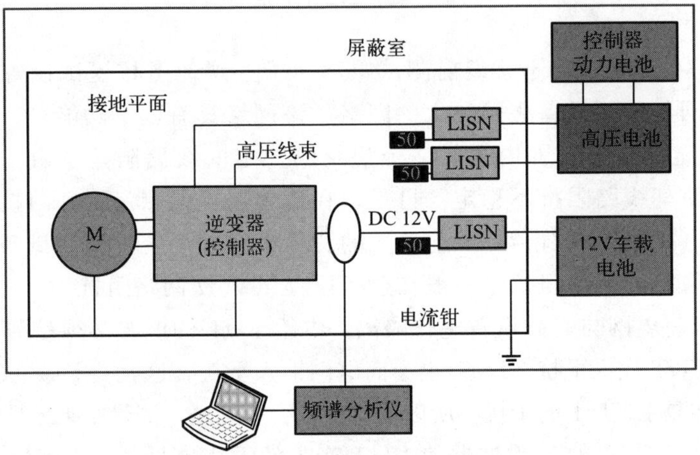

图 4.50　电流法测量控制器信号线传导共模干扰布置图

② 电流法测量三相交流线共模干扰布置。用来测量电机三相交流线（属于高压设备测量）上的干扰电流时，设计的理想布置方案图如图 4.51 所示。

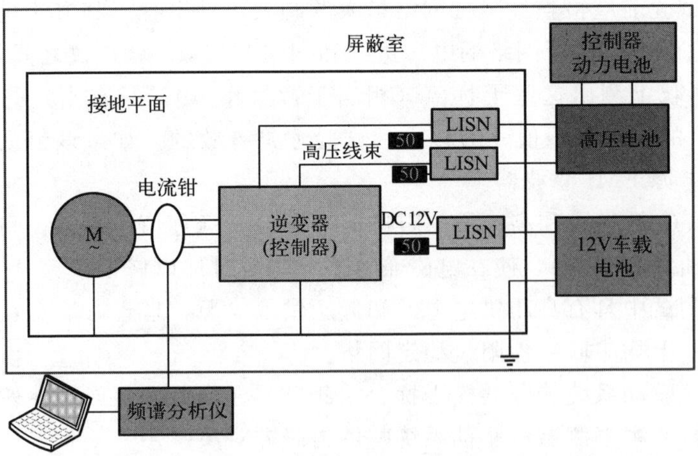

图 4.51　电流法测量三相交流线共模干扰布置图

实际测试布置图与理想测试布置有所区别，只用了两个 LISN，分别接在高压电源去线与回线两条线上；为了方便，测试在原本的电机台架上进行，设备摆放位置并没有严格按照图中安排。在汽车上，电机等壳体接车身地，属于浮动接地方式，但一般测试中的接地方式为直接接地。测试时电机接测功机负载，这与以前的测试不同。另外，为了保护频谱分析仪，在频谱分析仪前端接了一个 10dB 前置衰减器。

③ 实际布置。实际测试布置图如图 4.52、图 4.53 所示，图 4.52 为电流法测量控制器信号线传导干扰，图 4.53 为电流法测量电机高压三相交流线布置图。

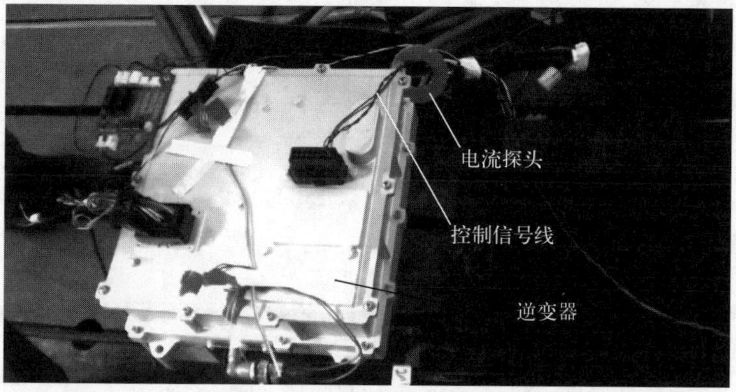

图 4.52 电流法测量控制器信号线传导干扰布置图

图 4.53 电流法测量高压三相交流线传导干扰布置图

频谱分析仪上测得的输出信号已经经过了衰减器衰减，因此，分析测量结果时应该加上 10（dB）。

本次试验测试方法为固定转速，改变负载功率测量，其中功率计算公式为：

$$P=\frac{rN}{9559}(\mathrm{kW}) \tag{4.4}$$

(1) 控制器传导干扰试验

选择转速分别为 500r/min、3000r/min（额定）、6000r/min（最大），转速固定时改变测功机加载功率分别测试，观察电机负载功率变化对传导干扰的影响。

控制器属于电动汽车驱动系统中的传统电子器件，供电电压为 12V，按照图 4.52 进行测试。环境噪声如图 4.54 所示，在 0.15～1.5MHz 频段，噪声随频率增加而减小，1.5～108MHz 频段干扰值在 9dBμV 上下浮动。

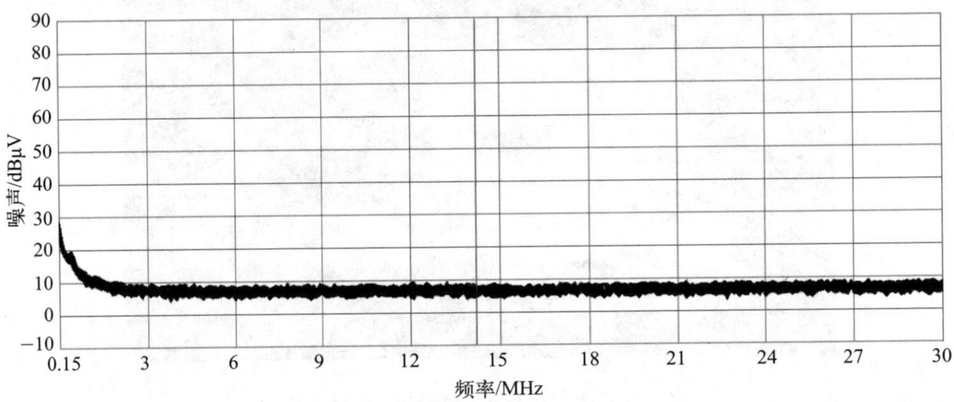

图 4.54 环境噪声 150kHz～30MHz

控制电路上电时测量结果如图 4.55 所示，干扰值几乎没有变化，即控制电路本身传导共模干扰很小。

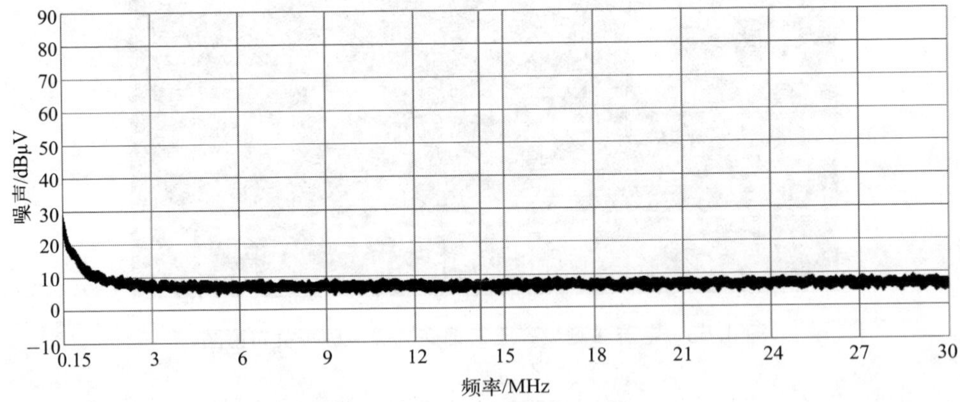

图 4.55 控制电路上电，电机不工作时控制电路噪声（150kHz～30MHz）

① 转速为500r/min、频率范围为150kHz～108MHz，控制电路信号线负载与噪声的关系如图4.56～图4.60所示。

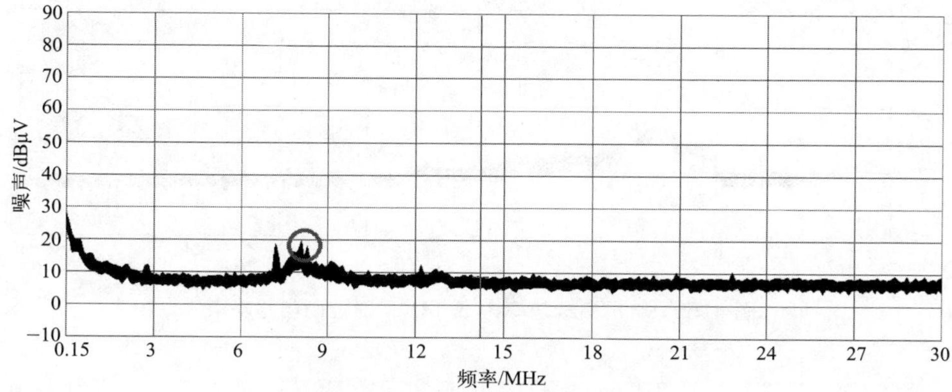

图4.56　电机空载时控制电路噪声

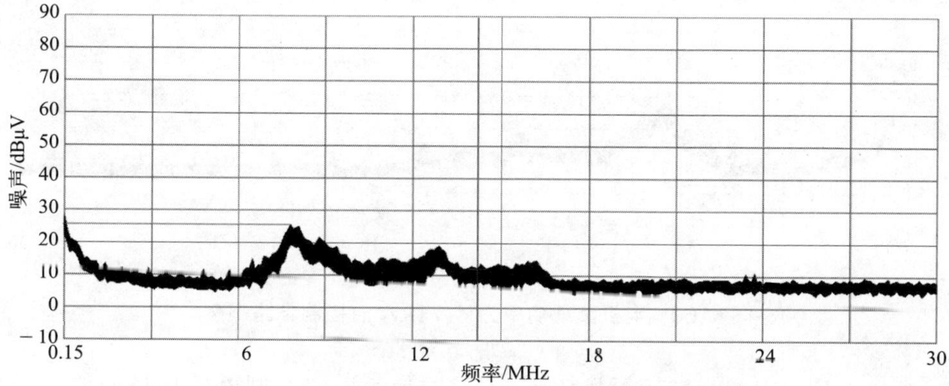

图4.57　电机负载功率为0.52kW时控制电路噪声

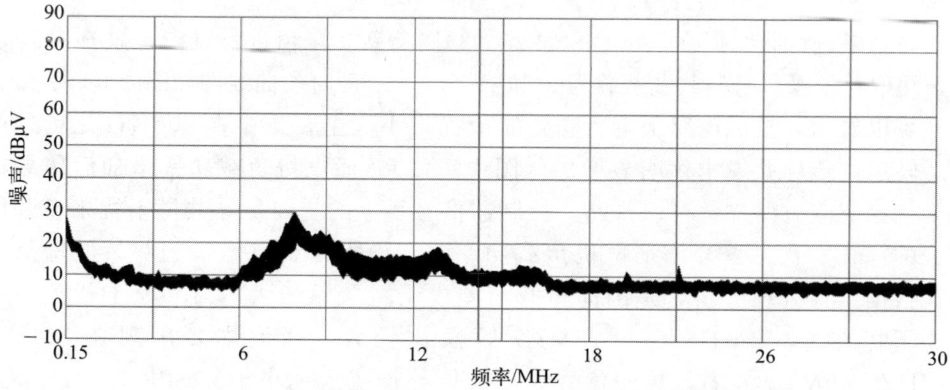

图4.58　电机负载功率为1.57kW时控制电路噪声

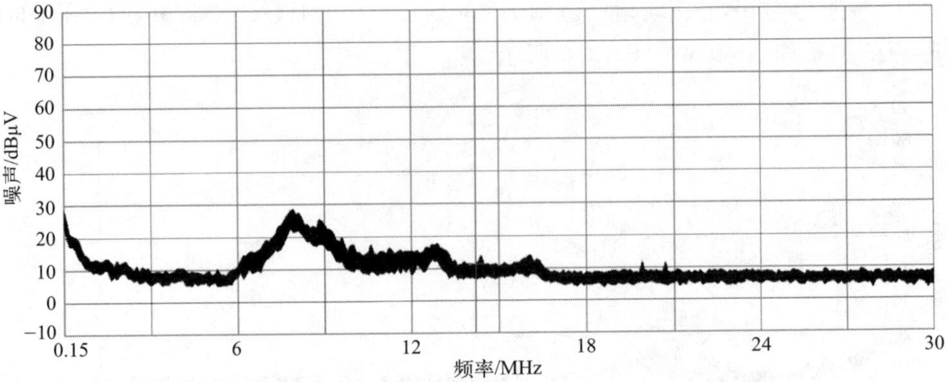

图 4.59　电机负载功率为 3.14kW 时控制电路噪声

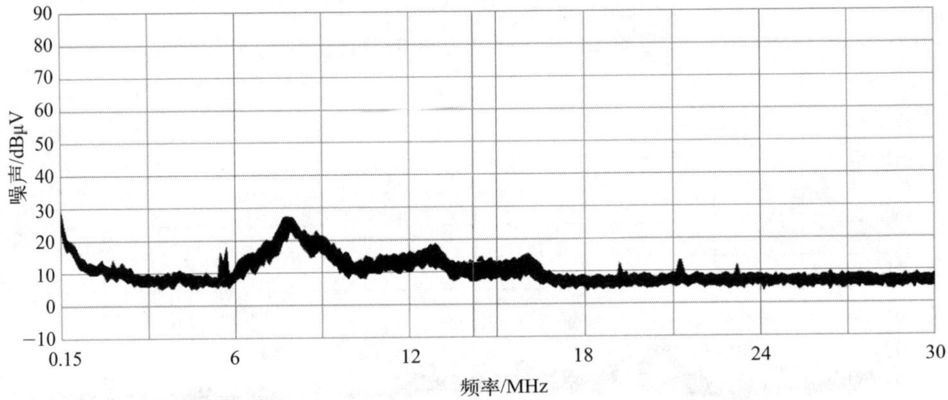

图 4.60　电机负载功率为 4.71kW 时控制电路噪声

可以看到，电机运转后干扰比图 4.54 增加，说明控制电路自身的传导干扰很小，可以忽略，信号线上的主要传导共模干扰来自于主电路的干扰，并且，增加负载功率后，干扰相较空载时变大。

将结果进行曲线拟合，与 CISPR 25：2016 等级 1 限值进行对比，如图 4.61 所示，提取背景噪声、空载及负载为 3.14kW、4.71kW 时的曲线图如图 4.62 所示。

可以看出，控制电路上电后受到的干扰很小，主要集中在 20MHz 之前，电机运转后，传导共模干扰明显增加（图中黄线），而电机负载功率增加后传导共模干扰比空载时增加，可以推断，控制器信号线上的主要传导共模干扰来自强电部分的耦合干扰。继续增加电机负载功率时，噪声干扰有增加趋势，但增加不大，根据干扰机理分析，是因为负载与差模干扰关系较大，与共模干扰关系不大。干扰在 0～3MHz、5～16MHz 频段比较大，峰值主要出现在 8MHz、13MHZ、16MHz 左右。控制信号线上的传导干扰远远小于 CISPR 25 的等级 1 限值。

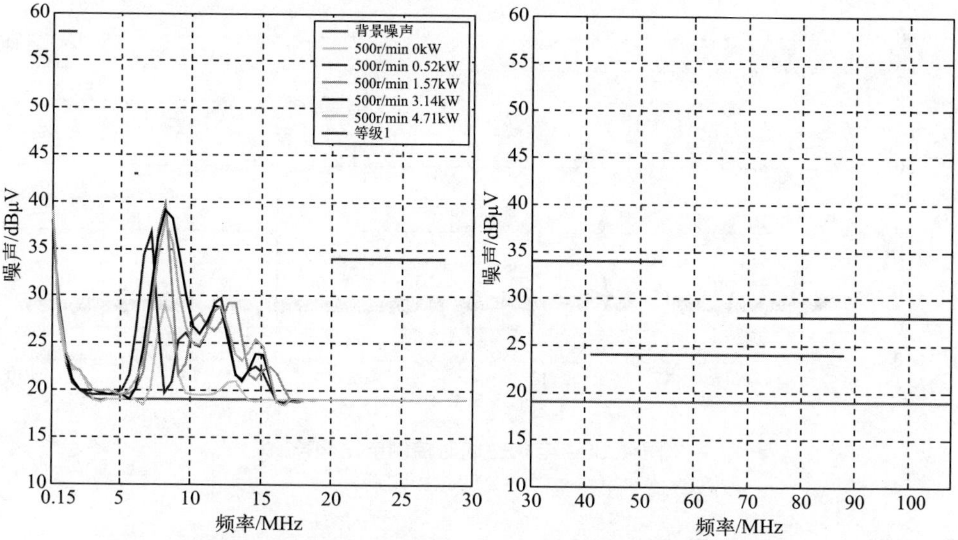

(a)负载对控制信号线的影响(150kHz~30MHz)　(b)负载对控制信号线的影响(30~108MHz)

图 4.61　电机 500r/min 控制电路噪声曲线拟合

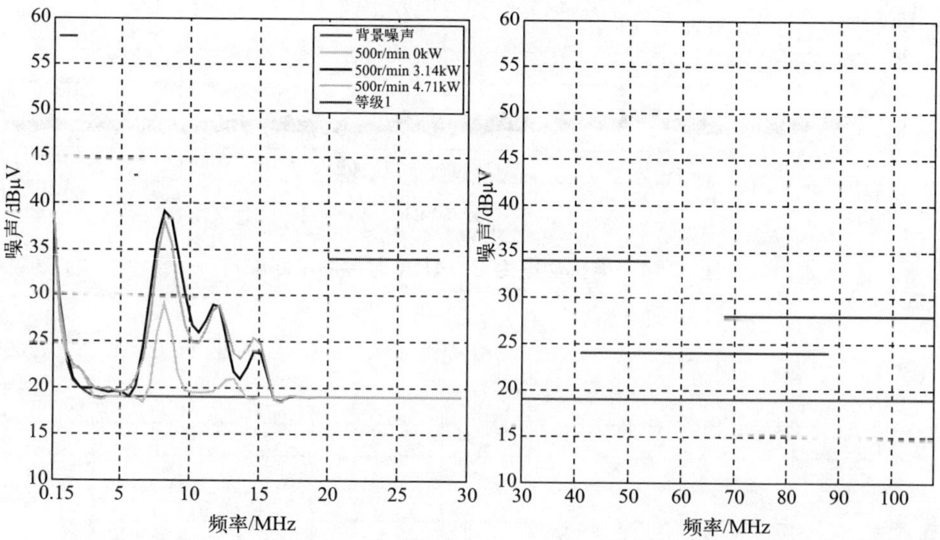

(a)负载对控制信号线的影响(150kHz~30MHz)　(b)负载对控制信号线的影响(30~108MHz)

图 4.62　不同功率时控制电路噪声曲线拟合

② 转速为 3000r/min、频率范围为 150kHz～108MHz，控制电路信号线负载与噪声的关系如图 4.63～图 4.67 所示。

将上述结果进行曲线拟合，并与 CISPR 25 的等级 1 限值进行对比，如图 4.68 所示。

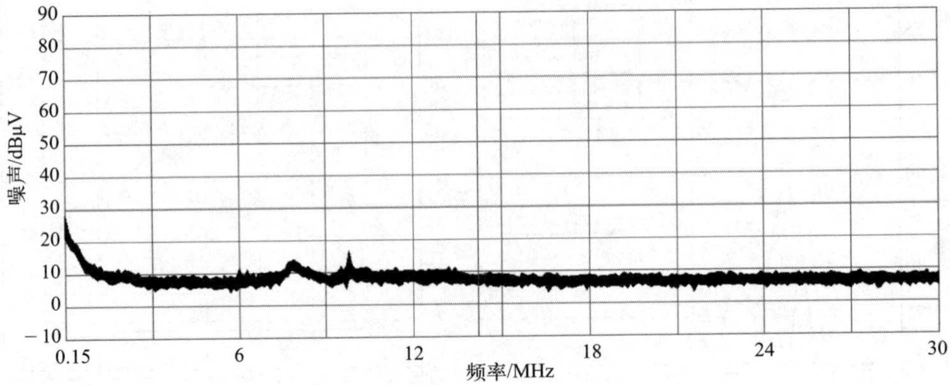

图 4.63　电机空载时控制电路噪声

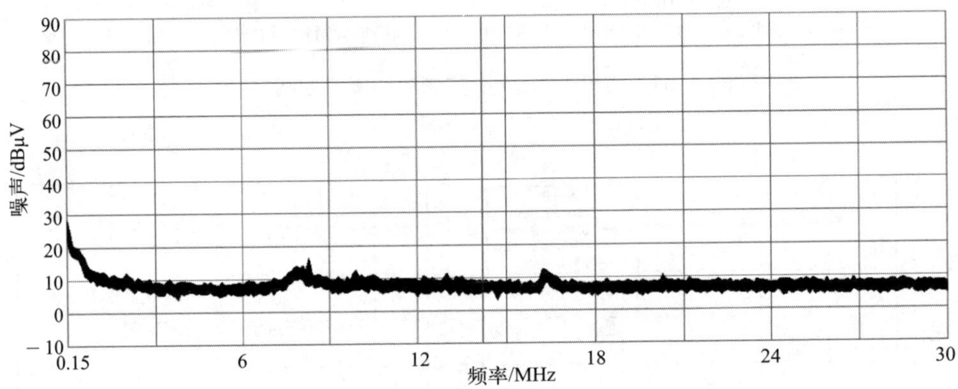

图 4.64　电机功率为 3.14kW 时控制电路噪声

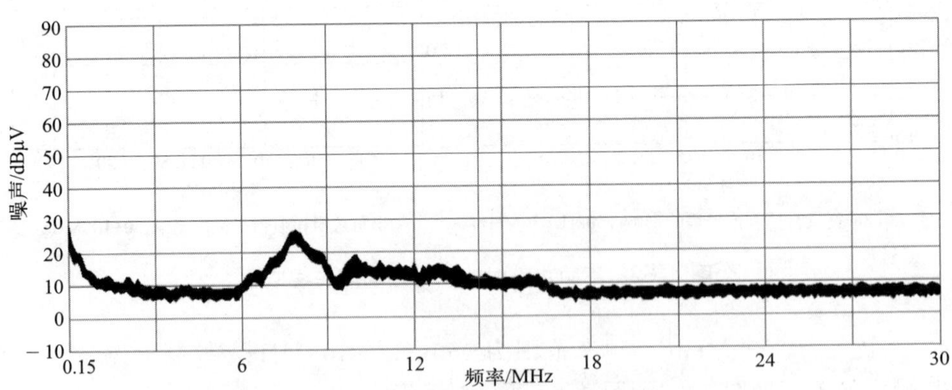

图 4.65　电机功率为 9.42kW 时控制电路噪声

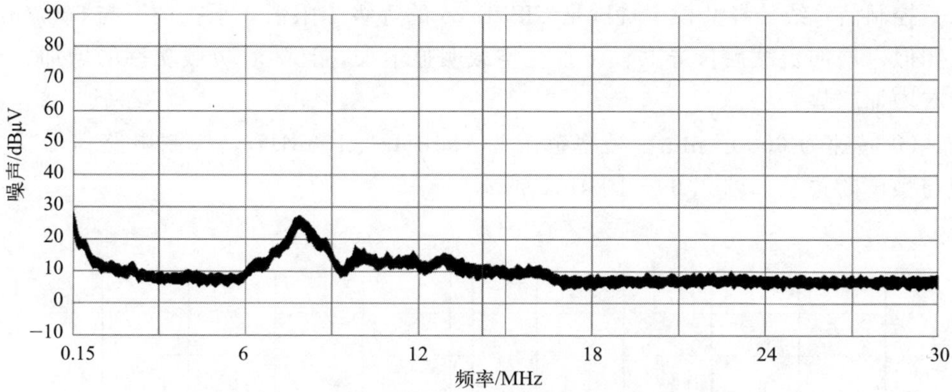

图 4.66　电机功率为 18.85kW 时控制电路噪声

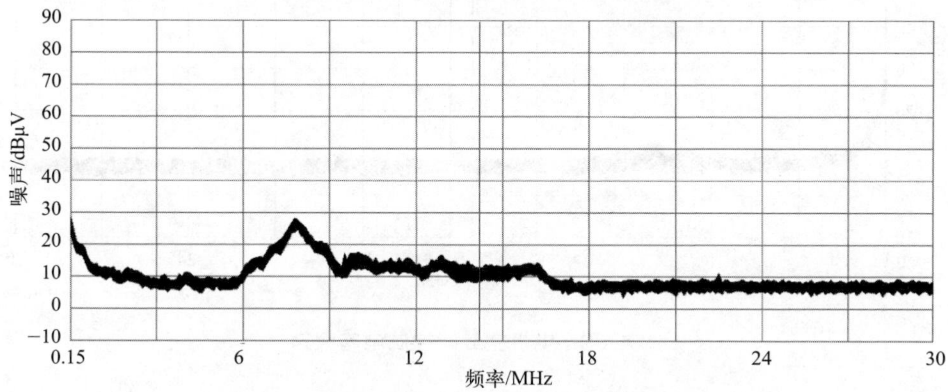

图 4.67　电机功率为 28.27kW 时控制电路噪声

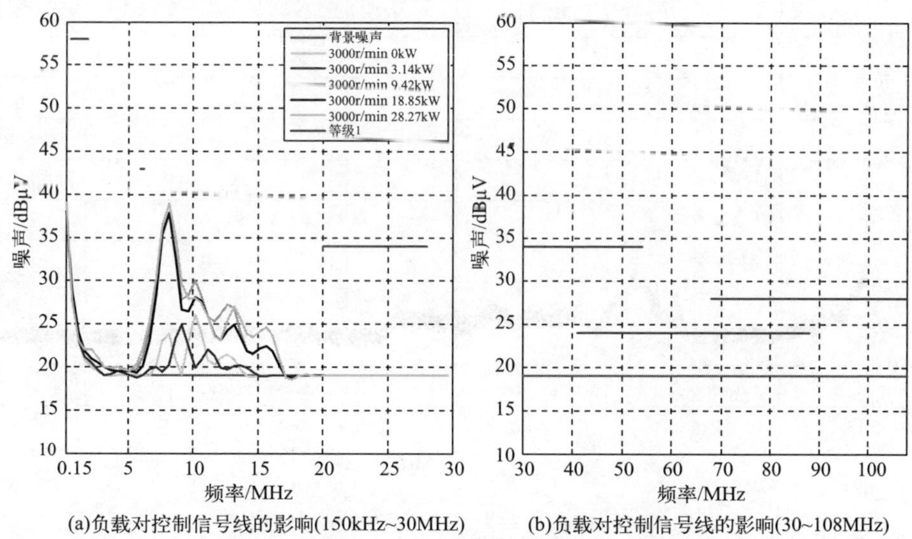

(a)负载对控制信号线的影响(150kHz~30MHz)　(b)负载对控制信号线的影响(30~108MHz)

图 4.68　电机 3000r/min 控制电路噪声曲线拟合

控制信号线传导共模干扰满足 CISPR 25 的等级 1 限值，干扰情况与 500r/min 时相似，增加负载后传导共模干扰比空载明显增加，且随着负载功率的增加，干扰有增加趋势。

③ 转速为 6000r/min、频率范围为 150kHz～108MHz，控制电路信号线负载与噪声的关系如图 4.69～图 4.72 所示。

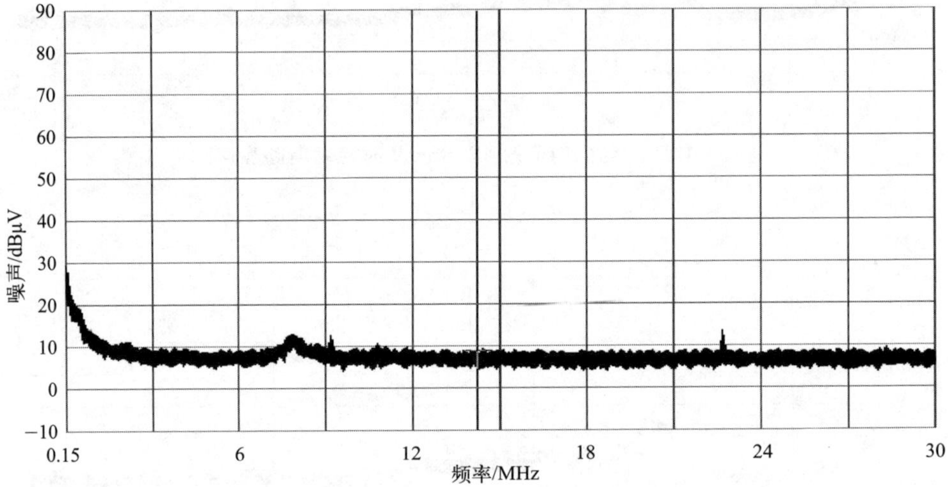

图 4.69　电机空载时控制电路噪声

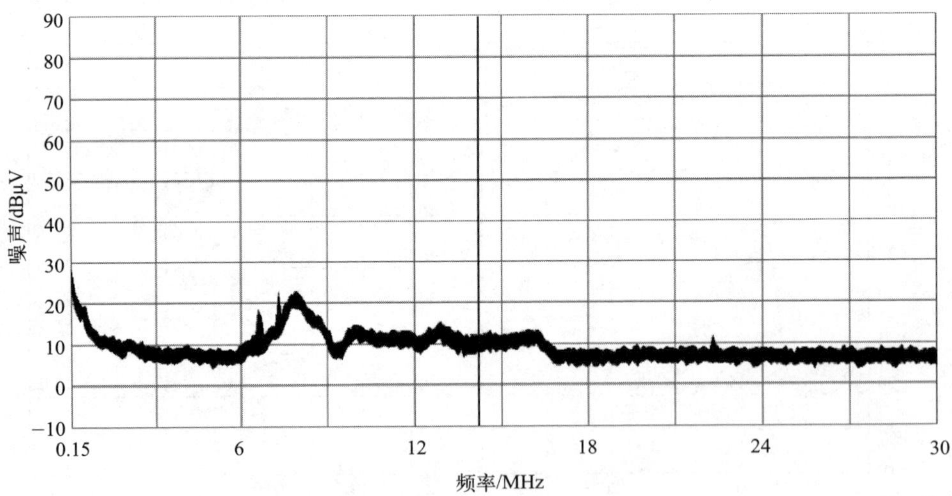

图 4.70　电机功率为 6.3kW 时控制电路噪声

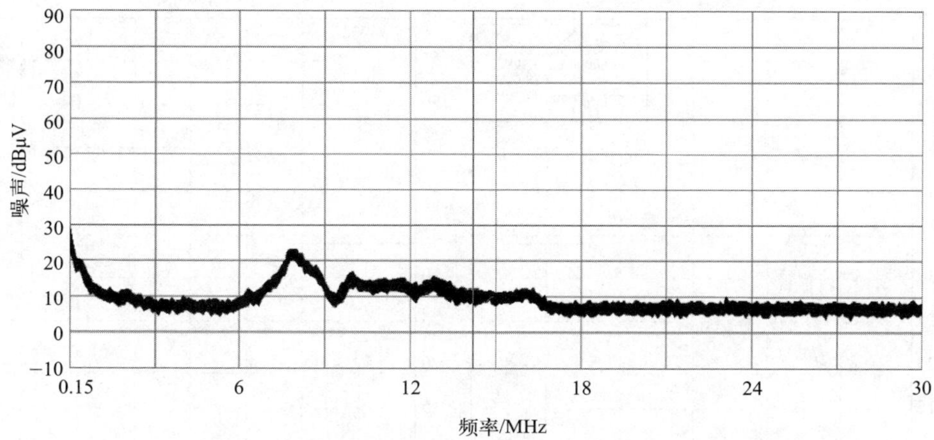

图 4.71 电机功率为 18.9kW 时控制电路噪声

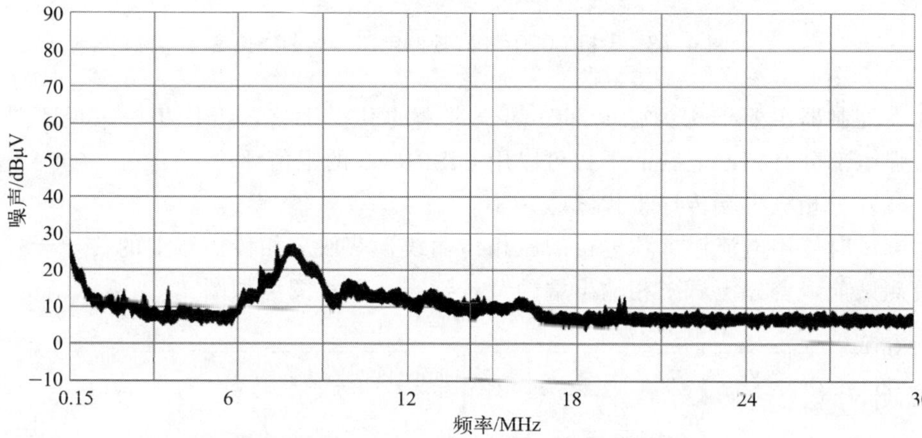

图 4.72 电机功率为 37.7kW 时控制电路噪声

将上述结果用 Matlab 进行曲线拟合，并与 CISPR 25：2016 等级 1 限值进行对比，结果如图 4.73 所示。

综合上图可以看出，控制器单独工作时传导共模干扰很小，电机工作后干扰明显增加，随着负载功率的持续增加，信号线的传导共模干扰有增大趋势，但随转速增加，传导共模干扰变化规律不明显。可以推断，电机工作后信号线的传导共模干扰主要来自强电部分的干扰。控制电路受到的干扰频段主要在 0～3MHz、5～18MHz 频段，峰值主要出现在 8MHz、13MHZ、16MHz 左右。

控制器尽管是大功率驱动系统一部分，但由于控制器本身属于小功率驱动，信号线传导干扰很小，电机工作后传导共模干扰变大，但与 CISPR 25 的限值相比，一般能满足等级 1 限值要求。通过对控制器控制信号线的传导共模干扰测试

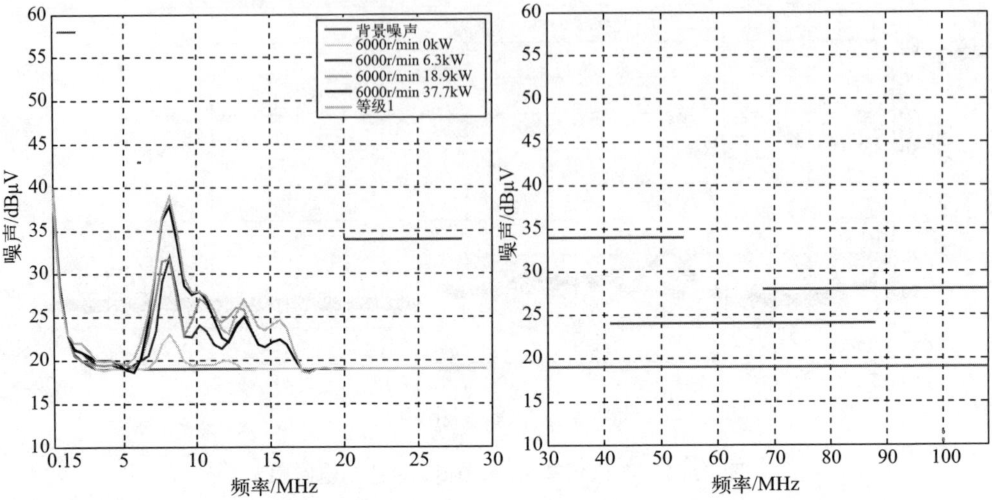

(a)负载对控制信号线的影响(150kHz~30MHz)　(b)负载对控制信号线的影响(30~108MHz)

图 4.73　电机 6000r/min 控制电路噪声曲线拟合

可知，控制器主要干扰为强电部分耦合过来的共模干扰，干扰相对来说不是很大，强电部分对控制电路的干扰可以用 CISPR 25 的限值评价。

(2) 三相输出端传导干扰试验

测试时使用电流钳夹住电机的三相传输线，获取三相传输线上的传导干扰信号。测试前，首先测试三相输出端的背景噪声，所得图像如图 4.74 所示。

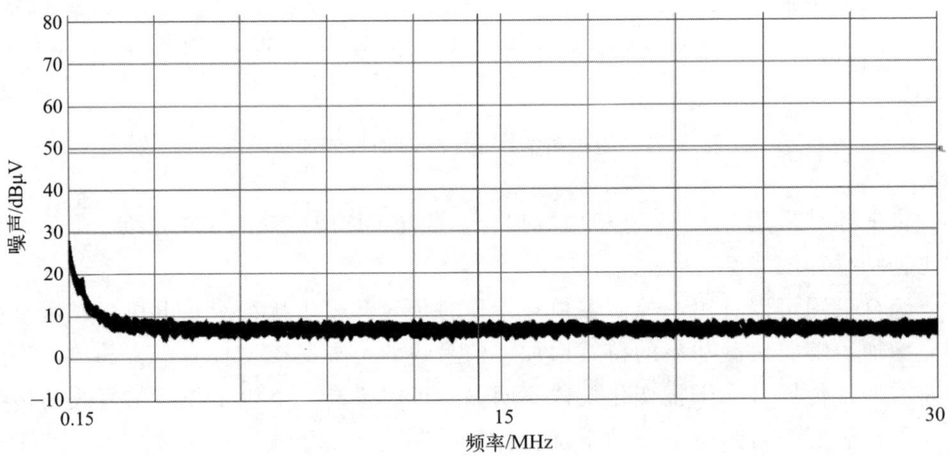

图 4.74　背景噪声

① 转速为 500r/min、频率范围为 150kHz～108MHz，三相输出端负载与噪声的关系如图 4.75～图 4.78 所示。

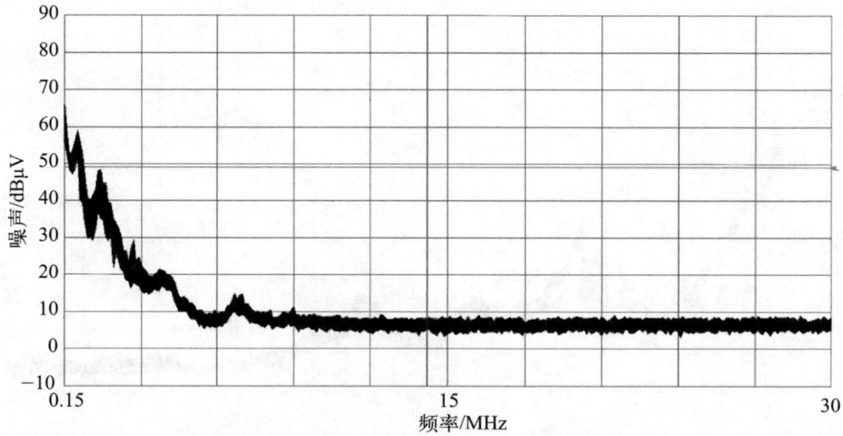

图 4.75　上电时三相输出端噪声

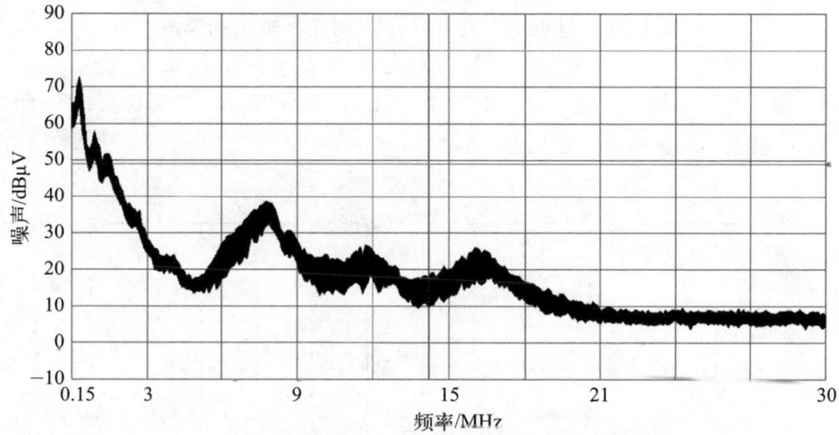

图 4.76　电机功率为 0.52kW 时三相输出端噪声

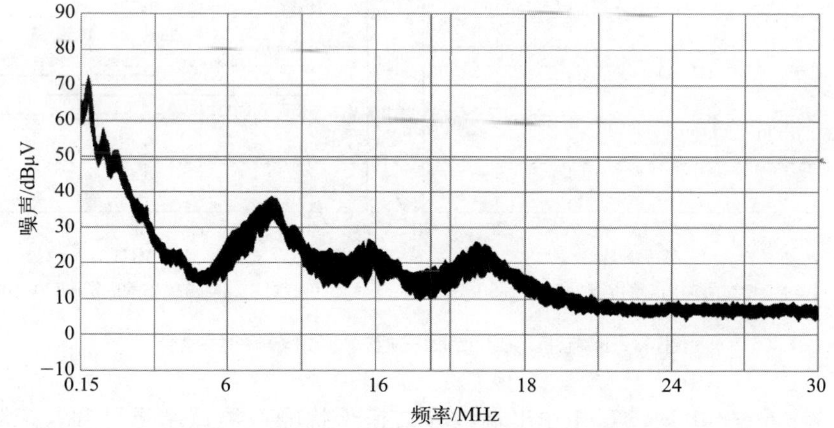

图 4.77　电机功率为 1.57kW 时三相输出端噪声

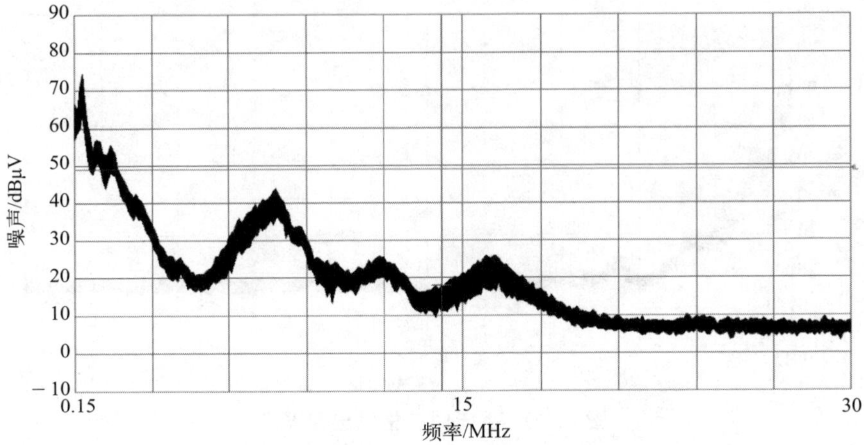

图 4.78　电机功率为 4.71kW 时三相输出端噪声

将上述结果用 Matlab 进行曲线拟合，并与 CISPR 25：2016 等级 1 限值进行对比，结果如图 4.79 所示。

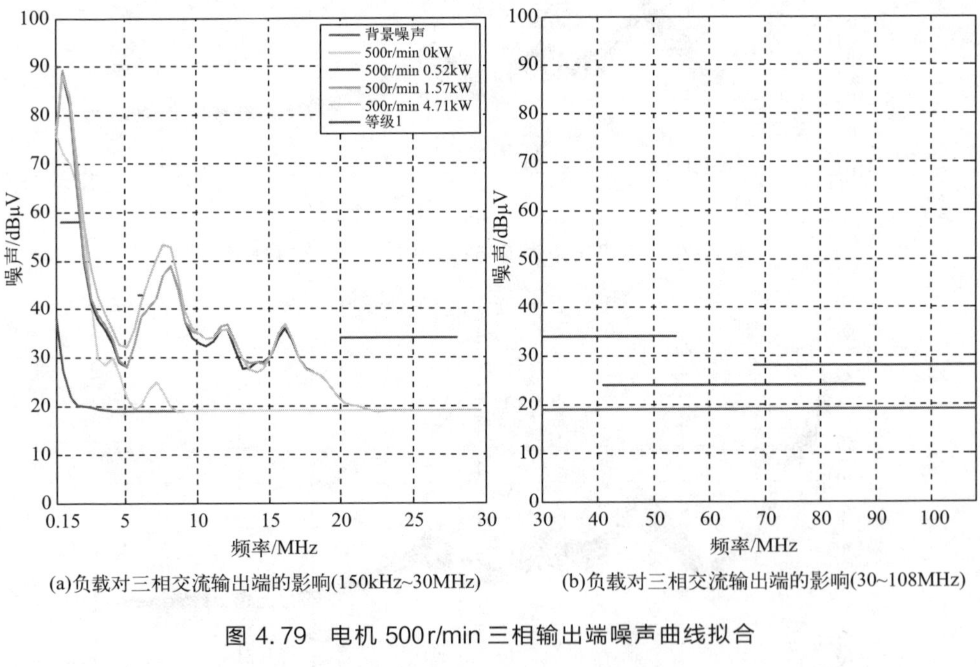

图 4.79　电机 500r/min 三相输出端噪声曲线拟合

根据 500r/min 时的三相输出端传导共模干扰噪声测试结果可知，三相交流端干扰很大，并且主要干扰集中在 150kHz～25MHz 左右，25MHz 以后几乎没有干扰。其原因主要为：一是驱动系统中的主要干扰源——开关器件频率较低，主要集中在几十到几十万赫兹左右；二是频率升高时，尤其是 $f>10\text{MHz}$ 后，导线的天线效应开始发挥作用，干扰能量将以辐射方式传播出去。

与标准等级 1 限值相比，干扰在 0.53～1.8MHz 频段及 5.9～6.2MHz 频段严重超标，分别超出 30dBμV、10dBμV。

② 转速为 3000r/min、频率范围为 150kHz～108MHz，三相输出端负载与噪声的关系如图 4.80～图 4.83 所示。

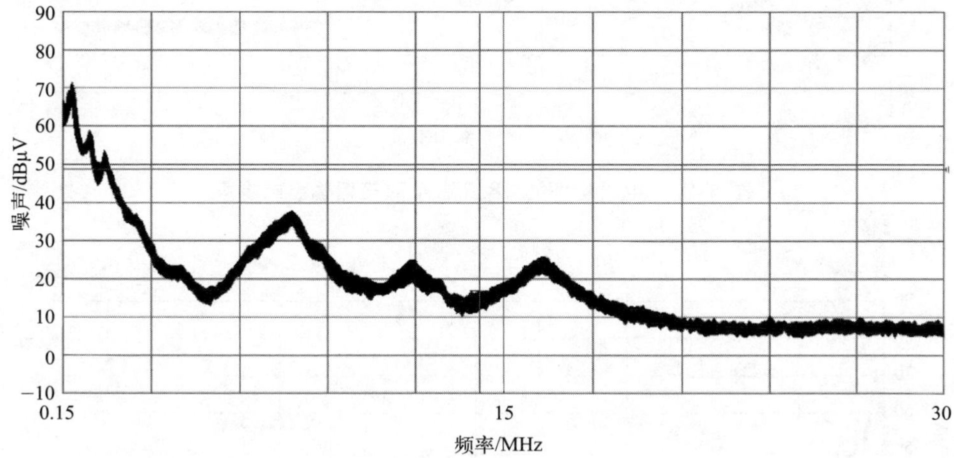

图 4.80　电机功率为 3.14kW 时三相输出端噪声

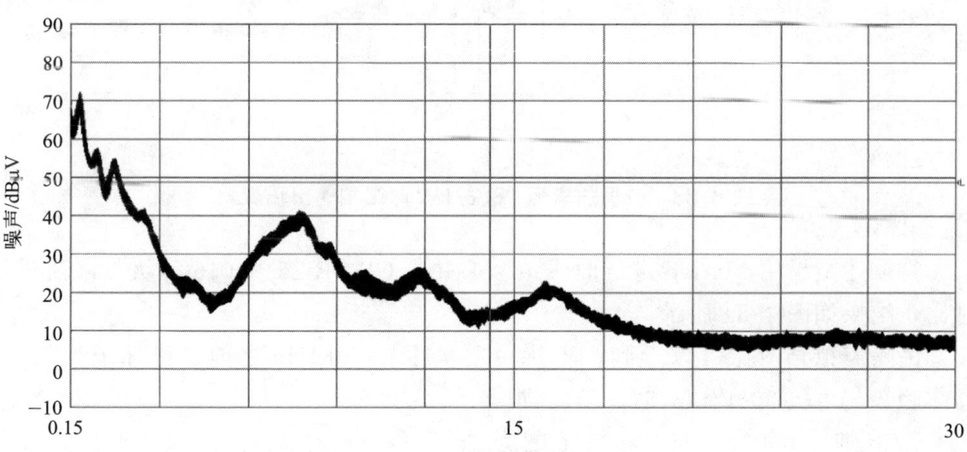

图 4.81　电机功率为 9.42kW 时三相输出端噪声

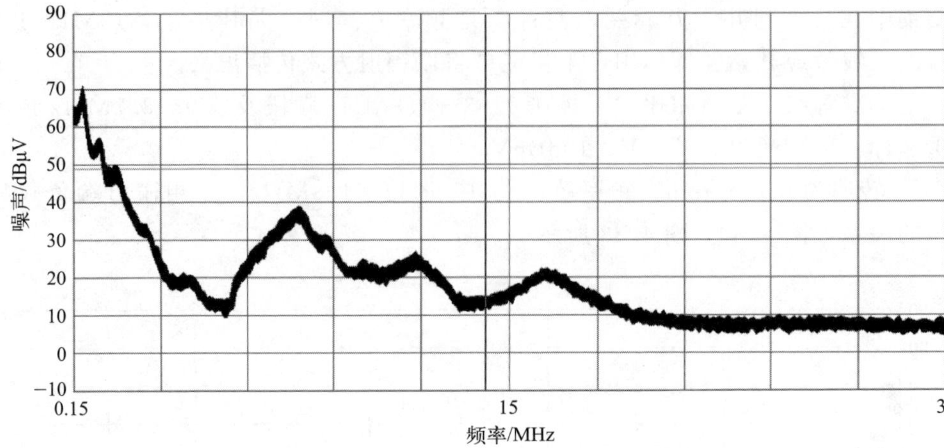

图 4.82　电机功率为 18.85kW 时三相输出端噪声

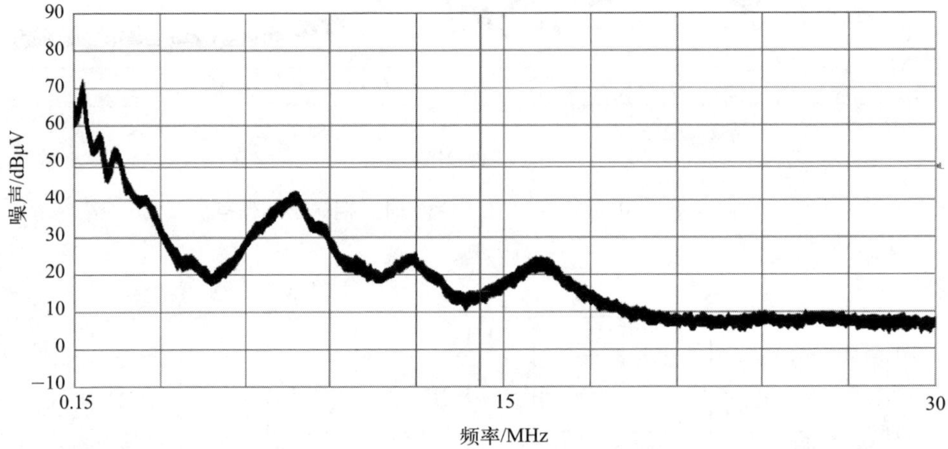

图 4.83　电机功率为 28.27kW 时三相输出端噪声

将上述结果用 Matlab 进行曲线拟合，并与 CISPR 25：2016 等级 1 限值进行对比，结果如图 4.84 所示。

由噪声拟合图像可以看到，干扰主要集中在 25MHz 之前，传导干扰很大，具体趋势与电机 500r/min 时趋势相同。

③ 转速为 6000r/min、频率范围为 150kHz～108MHz，三相输出端负载与噪声的关系如图 4.85～图 4.88 所示。

将上面图形进行曲线拟合，并与 CISPR 25 等级 1 限值进行对比，如图 4.89 所示。

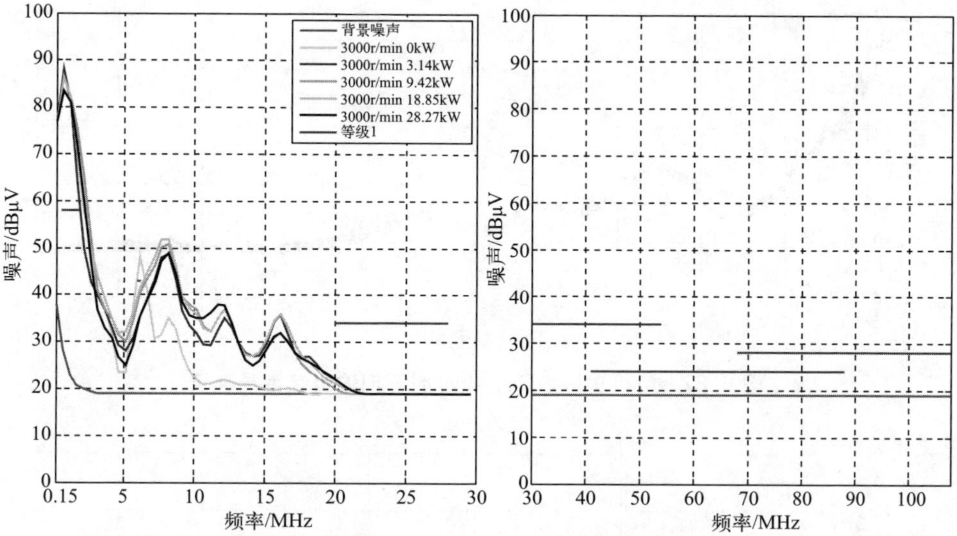

(a)负载对三相交流输出端的影响(150kHz~30MHz)　(b)负载对三相交流输出端的影响(30~108MHz)

图 4.84　3000r/min 三相输出端噪声曲线拟合

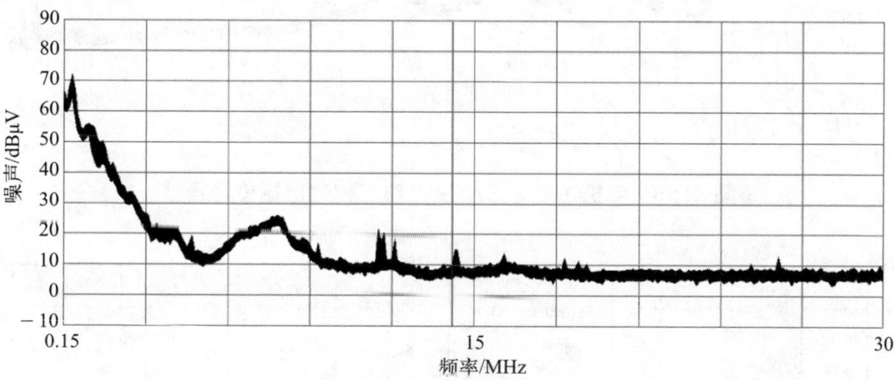

图 4.85　空载时三相输出端传导噪声

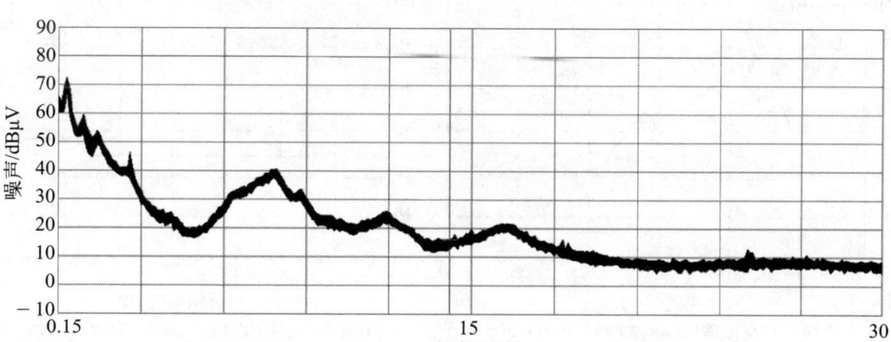

图 4.86　电机功率为 6.3kW 时三相输出端传导噪声

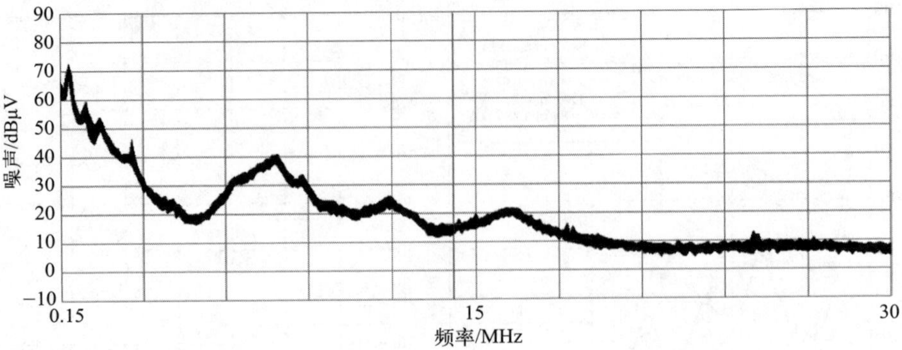

图 4.87　电机功率为 18.9kW 时三相输出端传导噪声

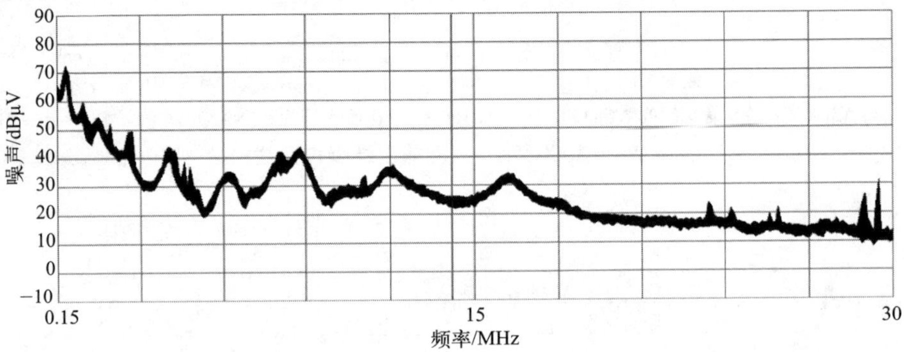

图 4.88　电机功率为 37.7kW 时三相输出端传导噪声

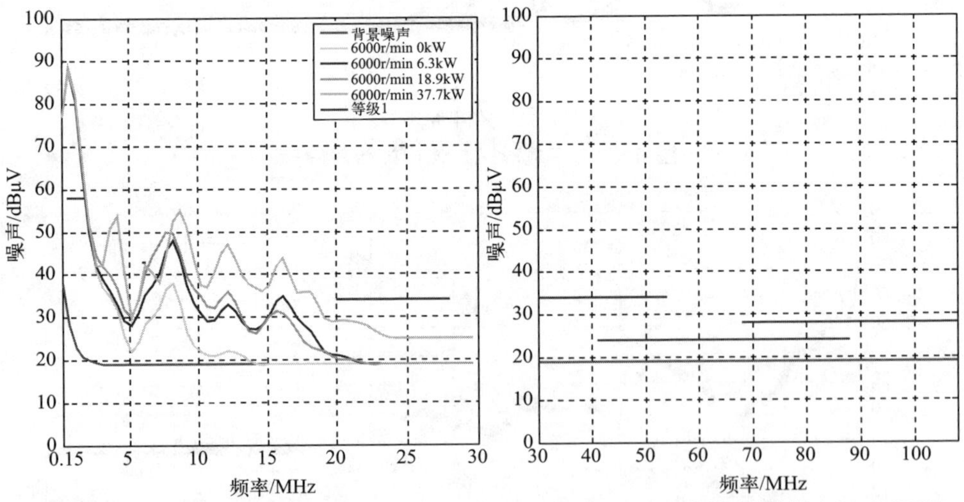

图 4.89　6000r/min 三相输出端噪声曲线拟合

观察试验结果和拟合图像，可以看出三相输出端干扰很大，主要干扰频段集中在150kHz～25MHz左右，25MHz以后几乎没有干扰。其中，一个原因是驱动系统中的主要干扰源——开关器件频率较低，主要集中在几十到几十万赫兹左右；另一原因是频率升高时，尤其是$f>10$MHz后，导线的天线效应开始发挥作用，干扰能量将以辐射方式传播出去。

与标准等级1限值相比，干扰在0.53～1.8MHz频段及5.9～6.2MHz频段严重超出限值，分别超出30dBμV、10dBμV左右。三相输出端传导共模干扰在空载时比负载不为零时明显增加，但负载功率继续增加时干扰变化不大，主要是负载功率大小主要与差模干扰有关，与共模干扰关系较小。

三相交流线传导干扰的主要峰值出现在500kHz、8MHz、12MHz、16MHz左右，峰值读数如表4.4所示，转速变化时峰值干扰有增大趋势，但是变化不明显。

表4.4　三相交流线传导干扰峰值

转速/(r/min)	500kHz	8MHz	12MHz	16MHz
500	89dBμV	52dBμV	36dBμV	36dBμV
3000	89dBμV	52dBμV	38dBμV	37dBμV
6000	89dBμV	54dBμV	46dBμV	42dBμV

(3) 试验结果分析

由上述两组测试结果可以看出：

① 电机在负载不为零时比空载时传导共模干扰幅度明显增加，但是功率继续增加时传导干扰增加幅度不大，由第2章分析可知，负载与差模干扰关系较大，与共模干扰关系较小，因此负载增加时传导干扰变化不大；

② 控制器会受到主电路传导干扰的影响，但影响不大，三相交流线干扰在0.53～1.8MHz频段及5.9～6.2MHz严重超过限值，传导干扰峰值分别为500kHz、8MHz左右，本书中IGBT开关频率大约为10kHz，因此最大峰值应为IGBT开关谐波频率干扰。

4.5.2 DC/AC逆变器输入端口传导发射测试

为了研究大功率电机系统电源端口的传导发射特性，须在电路输入电源端口加装一对大功率汽车LISN进行频域电压测试。由于路况的不同，汽车行驶过程中经常会在不同的工况之间进行切换，为了更加真实地模拟电机系统的工作状况，本方案增加一套电机加装设备，使测试结果更符合实际情况，其他方面与传统汽车零部件传导发射电压法测试相同。频谱分析仪和上位机用于观察和存储系统的电磁噪声。频谱分析仪输入端接10dB衰减器，可以防止输入信号强度过大损坏频谱分析仪。图 4.90 示出了电机系统电源端口 EMI 测试原理。

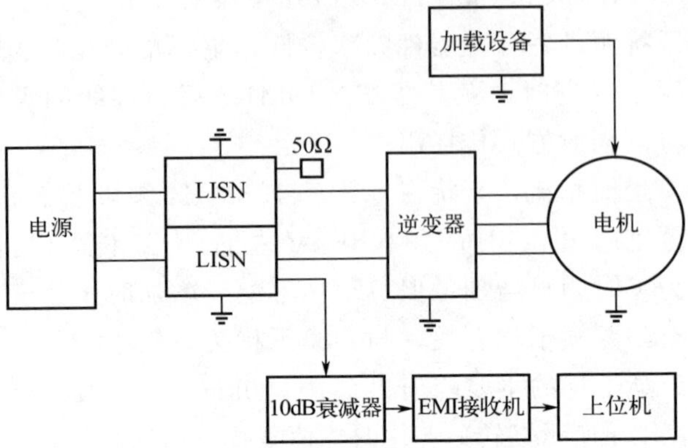

图 4.90 逆变器输入端口测试原理

逆变器和电机外壳、大功率人工电源网络和加载装置均需接地，动力线缆不接地。在进行其他电源线的传导发射测试时，只需将待测线路人工电源网络的 50Ω 终端电阻移到已测线路上，将待测信号通过同轴电缆接入 EMI 接收机。

转速分别固定在 500r/min、3000r/min、4500r/min 和 6000r/min，调节电机转矩使之分别为 0N·m、10N·m、30N·m、60N·m、90N·m，通过大功率 LISN 和频谱分析仪获得电机系统电源端口传导骚扰噪声在频率范围 150kHz～30MHz 内的传导噪声。图 4.91 为电源输入端口上的背景噪声，可见电源本身的质量基本良好。将转矩转为负载功率测量，其中功率计算公式为：

$$P=\frac{rN}{9550} \tag{4.5}$$

电机转速固定为 500r/min、频率范围 150kHz～30MHz 时不同负载功率时的传导噪声如图 4.91～图 4.96 所示。

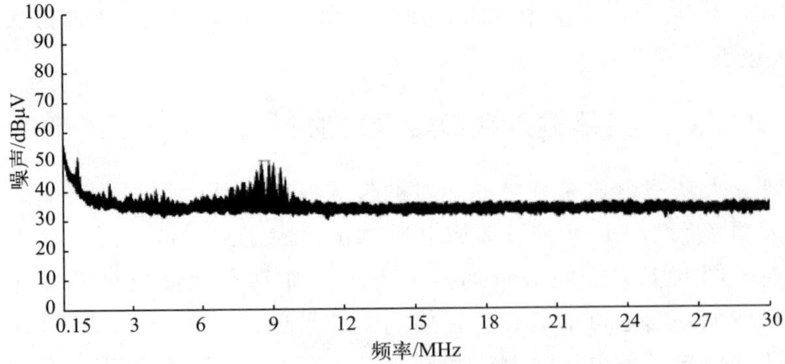

图 4.91 背景噪声

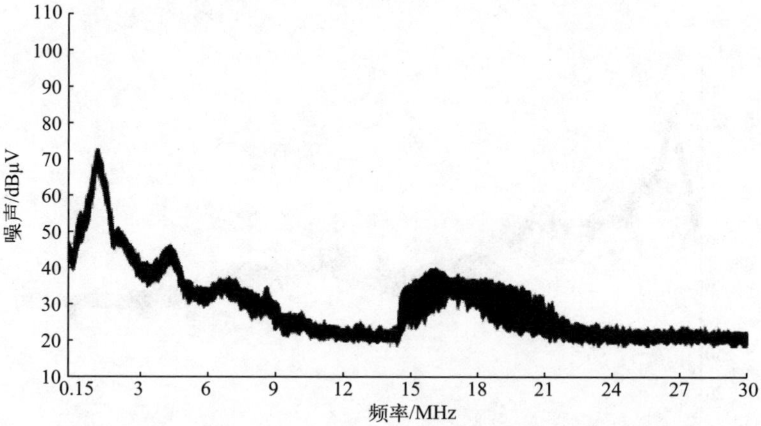

图 4.92 电机转速 500r/min、负载功率 0kW 时的频谱图

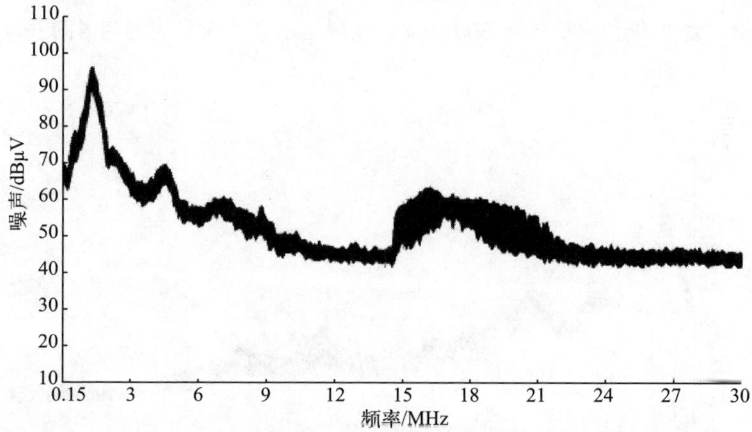

图 4.93 电机转速 500r/min、负载功率 0.52kW 时的频谱图

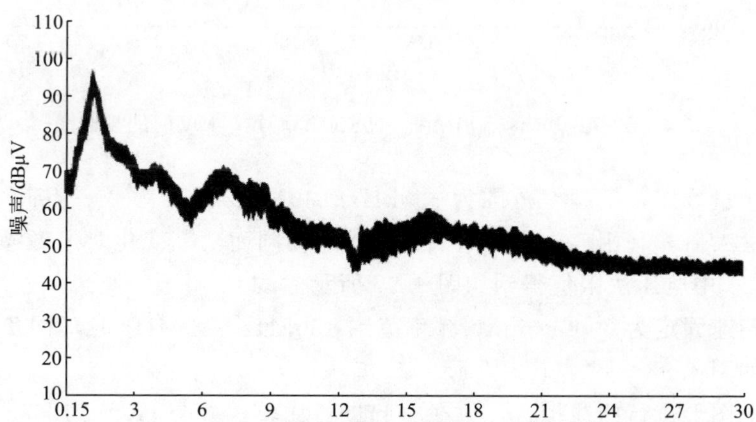

图 4.94 电机转速 500r/min、负载功率 1.57kW 时的频谱图

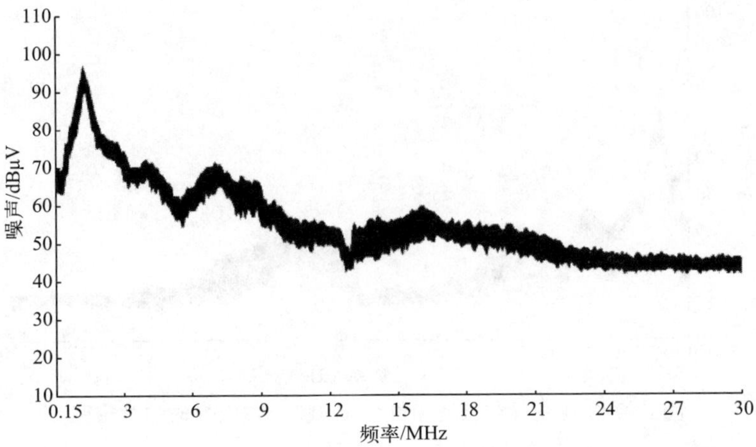

图 4.95　电机转速 500r/min、负载功率 3.14kW 时的频谱图

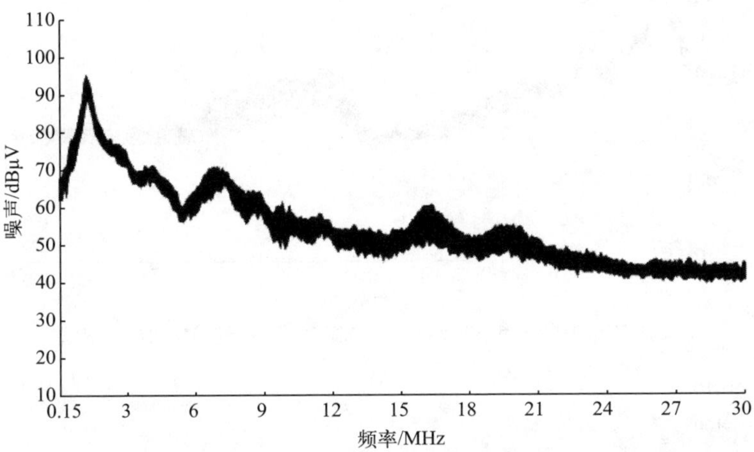

图 4.96　电机转速 500r/min、负载功率 4.71kW 时的频谱图

根据测量数据，把频率范围为 150kHz～30MHz 平分为 20 等份，选取对应频率点的最大值，利用三次样条曲线拟合转速相同而功率变化时电磁噪声，并用 GB/T 18655 中电压法限值得到如图 4.97 所示曲线。

电机转速固定为 3000r/min、频率范围 150kHz～30MHz 时不同负载功率下的频谱图如图 4.98～图 4.102 所示。

将以上图形进行曲线拟合，放在一起进行比较，并与 GB/T 18655 中限值进行对比，如图 4.103 所示。

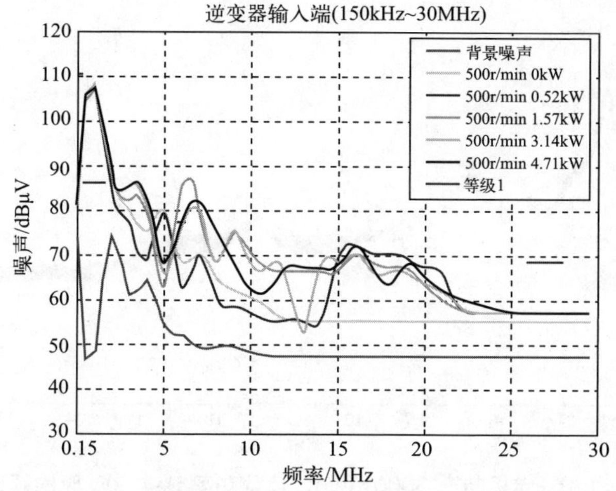

图 4.97　电机转速为 500r/min 功率变化时的噪声图

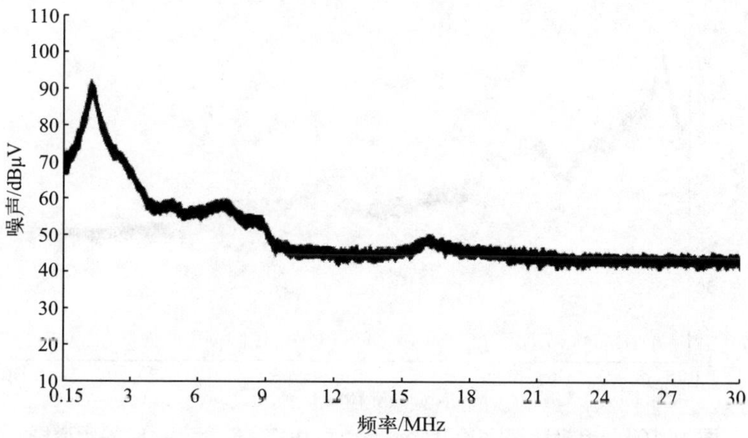

图 4.98　电机转速 3000r/min、负载功率 0kW 时的频谱图

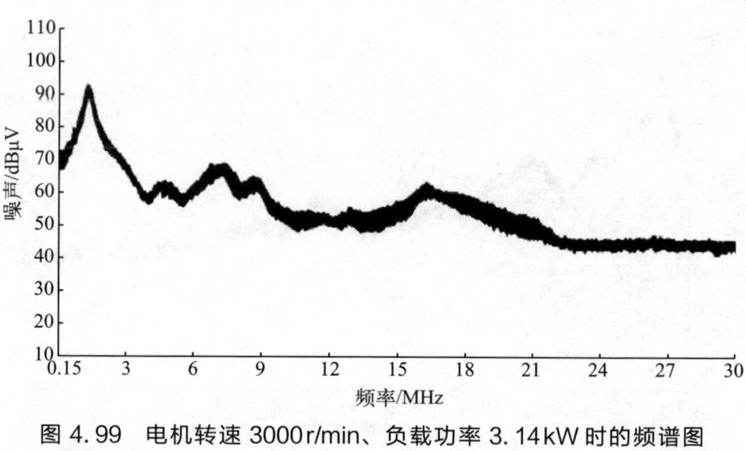

图 4.99　电机转速 3000r/min、负载功率 3.14kW 时的频谱图

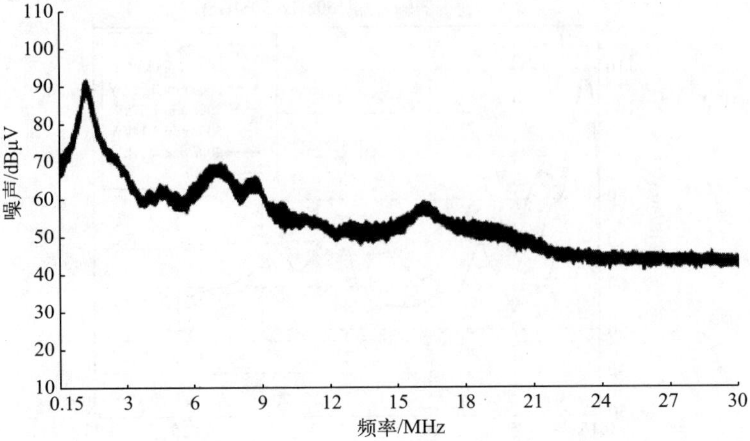

图 4.100　电机转速 3000r/min、负载功率 9.42kW 时的频谱图

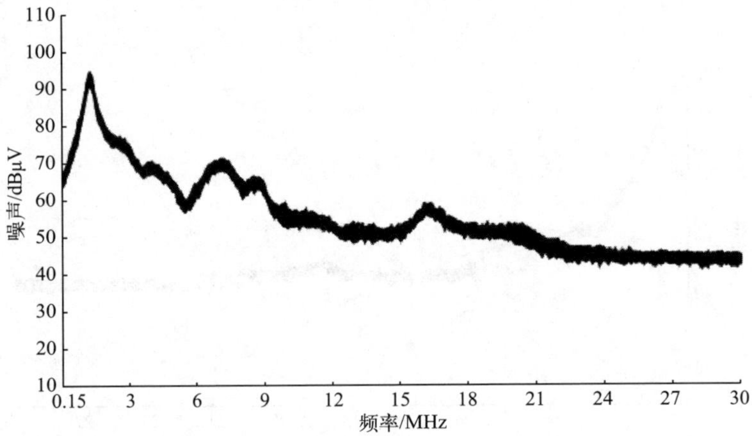

图 4.101　电机转速 3000r/min、负载功率 18.85kW 时的频谱图

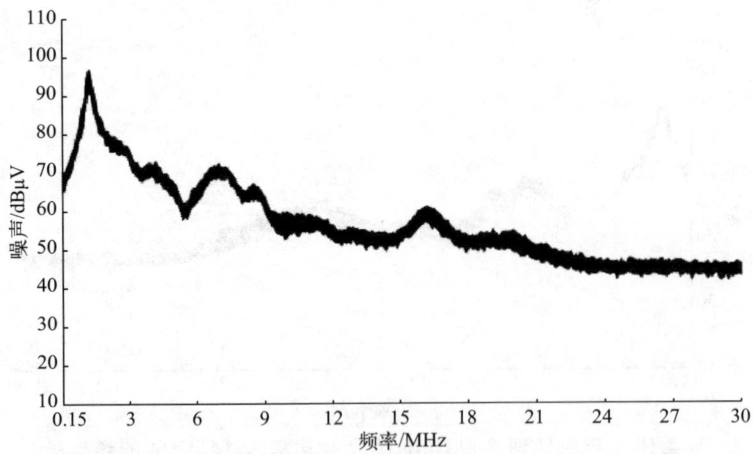

图 4.102　电机转速 3000r/min、负载功率 28.27kW 时的频谱图

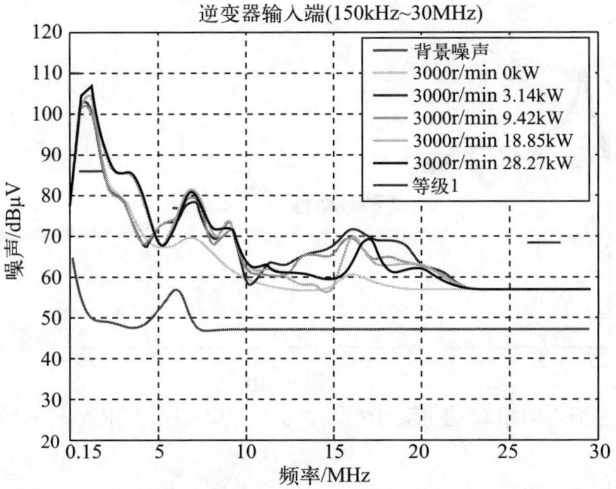

图 4.103　电机转速为 3000r/min 功率变化时的噪声图

电机转速固定为 4500r/min、频率范围 150kHz～30MHz 时不同负载功率下的频谱图如图 4.104～图 4.107 所示。

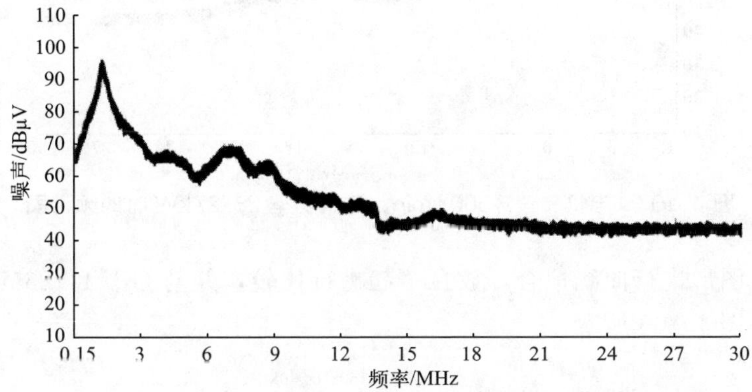

图 4.104　电机转速 4500r/min、负载功率 0kW 时的频谱图

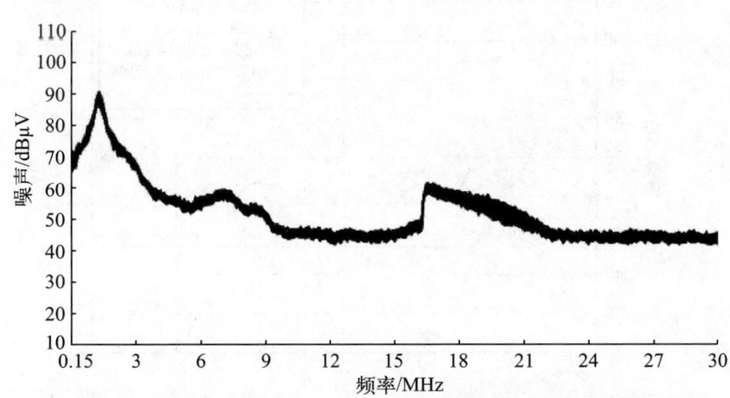

图 4.105　电机转速 4500r/min、负载功率 4.71kW 时的频谱图

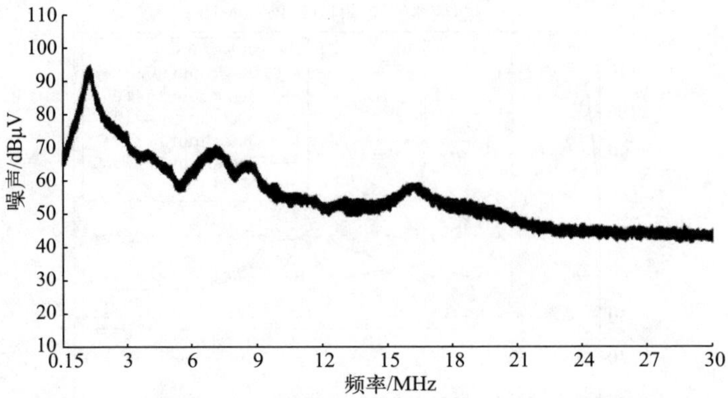

图 4.106　电机转速 4500r/min、负载功率 14.13kW 时的频谱图

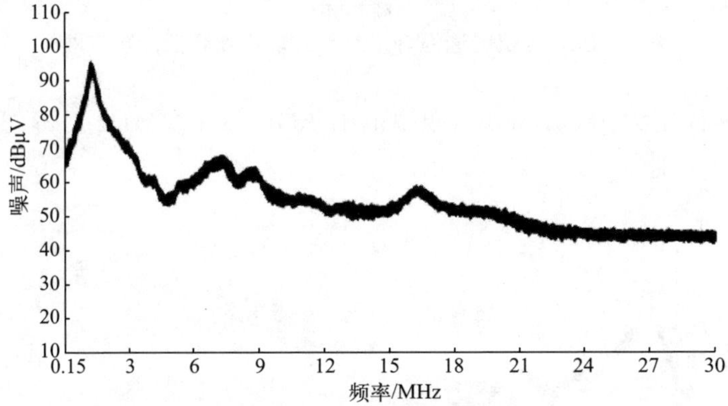

图 4.107　电机转速 4500r/min、负载功率 28.27kW 时的频谱图

将以上图形进行曲线拟合，放在一起进行比较，并与 GB/T 18655 中限值进行对比，如图 4.108 所示。

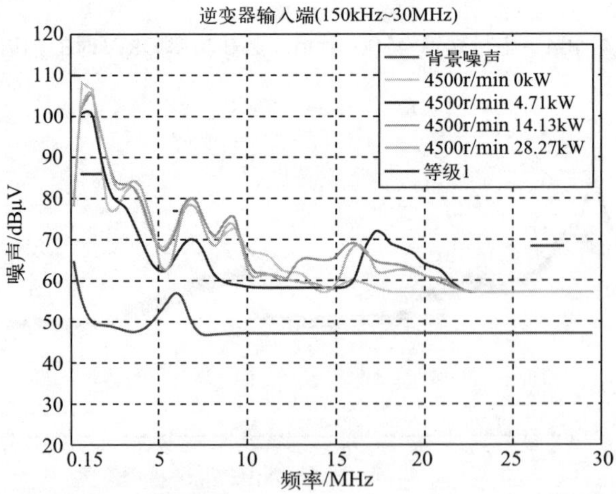

图 4.108　电机转速为 4500r/min 功率变化时的噪声图

电机转速固定为 6000r/min、频率范围 150kHz～30MHz 时不同负载功率下的频谱图如图 4.109～图 4.112 所示。

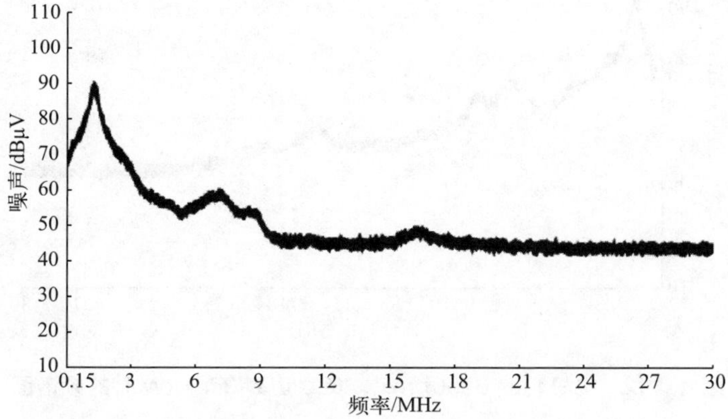

图 4.109　电机转速 6000r/min、负载功率 0kW 时的频谱图

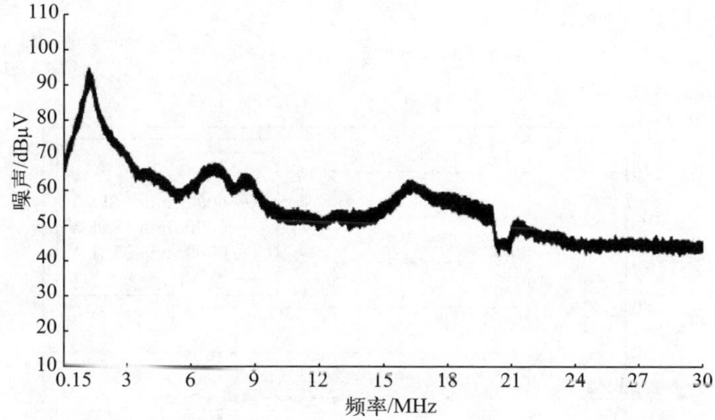

图 4.110　电机转速 6000r/min、负载功率 6.3kW 时的频谱图

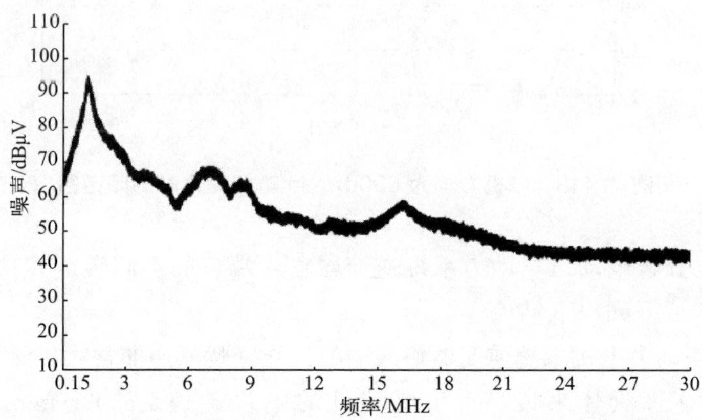

图 4.111　电机转速 6000r/min、负载功率 18.9kW 时的频谱图

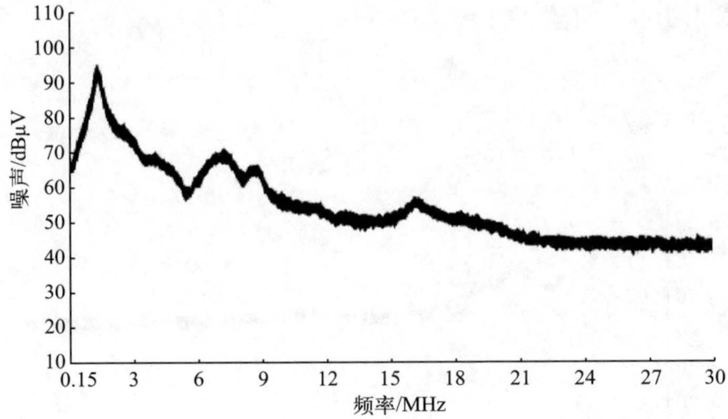

图 4.112 电机转速 6000r/min、负载功率 37.7kW 时的频谱图

将以上图形进行曲线拟合，放在一起进行比较，并与 GB/T 18655 中限值进行对比，如图 4.113 所示。

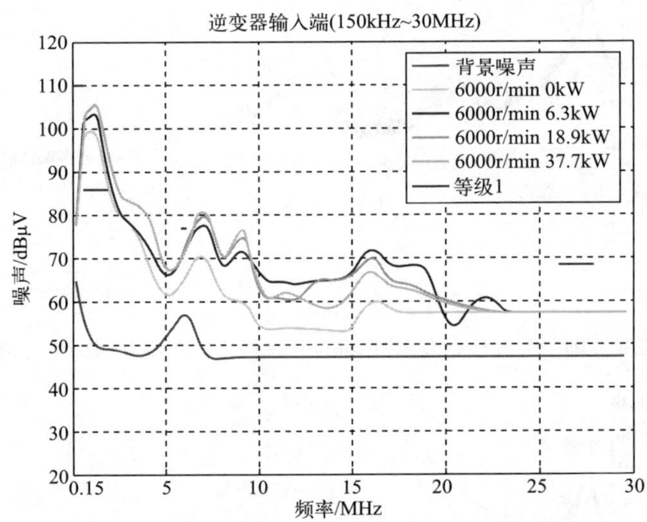

图 4.113 电机转速为 6000r/min 功率变化时的频谱图

通过对比分析电动汽车动力系统逆变器输入端口的不同转速和功率下的传导噪声频谱图，可得到以下结论。

① 大功率动力电机系统逆变器输入端的传导骚扰噪声非常大，无法满足 GB/T 18655 限值要求。具体来说，对于所测试的电机转速为 500r/min、3000r/min、4500r/min 和 6000r/min 的超标频段均为 MW（中波）频段和 SW（短波）频段，

MW 频段超标高达 30dB 以上。

② 电机加载后，传导噪声增加很大。转速一定时，电机空载状态时高频段传导发射噪声比较小，当电机加载后，在 5～20MHz 之间频段的噪声明显增大，最大可达 15dB，随着负载进一步增大，传导噪声有所变化，但幅值不大。因此以后测试中，测试空载和额定负载或满载时的传导噪声即可。

4.5.3 电机三相输入端口传导发射测试

电机三相输入端口传导测试原理如图 4.114 所示。为研究大功率电机三相输入端口的传导发射特性，须在逆变器输入电源端口加装一对大功率汽车 LISN。电流探头夹住三相线，通过 50Ω 同轴线缆接到 EMI 接收机（频谱分析仪），记录仪可以记录和存储电磁噪声数据。与电源端口测试原理相同，本方案也有一套给电机加载的设备（测功机）。考虑到电机加载后在运行中会剧烈震动等原因，电机没有放在桌面上，而是固定在铸铁平板上。逆变器和电机外壳、大功率人工电源网络和加载装置均需接地，动力线缆不接地。

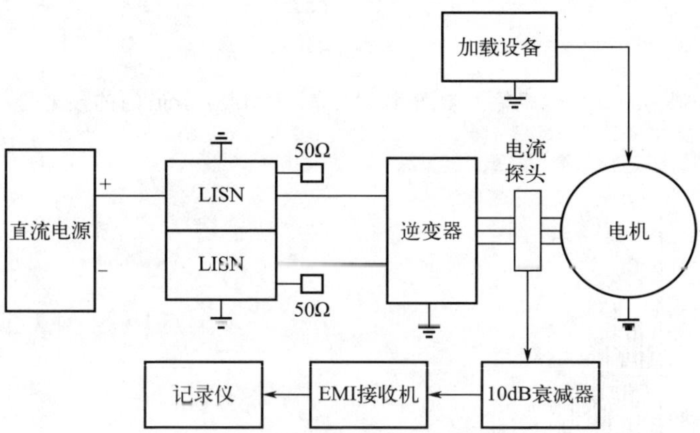

图 4.114 电机三相输入端口测试方案

大功率电机产生电磁噪声最根本的原因，就是 IGBT 工作过程中产生很高的电流变化率和电压变化率，二者产生的浪涌电流和尖峰电压形成了干扰源。电压变化率产生的共模电流通过设备与地之间的寄生电容回到地平面。为了更好地考察低频段的电磁噪声，本次测试的频率为 9kHz～30MHz。

图 4.115～图 4.117 给出了不同输入电压下的共模噪声频谱图。图中横坐标表示频率，纵坐标表示转速固定在 1000r/min 时共模电流流经端接 50Ω 电阻所产生的电磁噪声。它们的变化趋势基本相同，开始时，9kHz 时噪声功率很高，为 −15dBm，随着频率的逐步增加，噪声功率逐渐减小，到 27MHz 时，电磁噪声基

本稳定在−70dBm。从 9kHz 到 9MHz，噪声降低非常快，幅值最低有达−70dBm，随后噪声随频率增加小幅度波动，并最终趋于稳定。

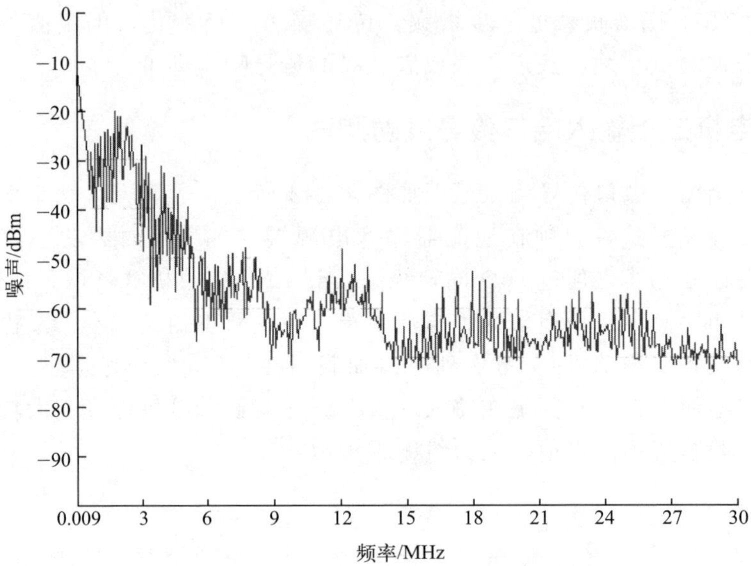

图 4.115 电机输入电压 120V、转速 1000r/min 时的频谱图

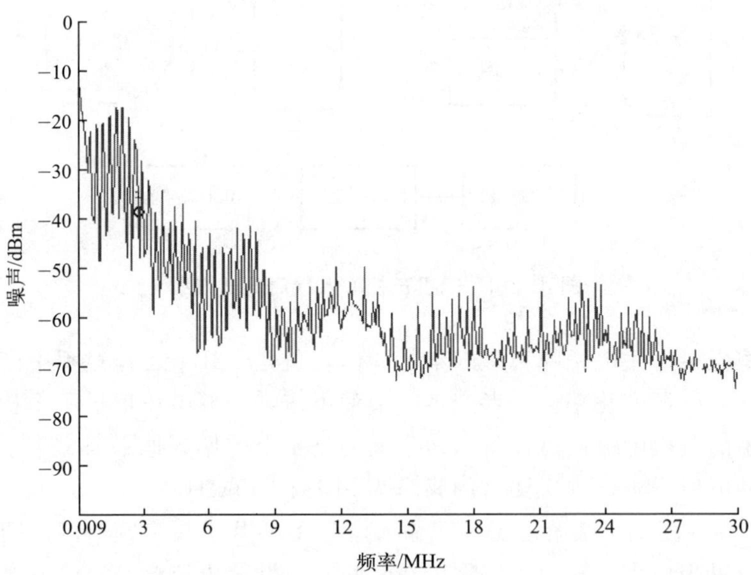

图 4.116 电机输入电压 240V、转速 1000r/min 时的频谱图

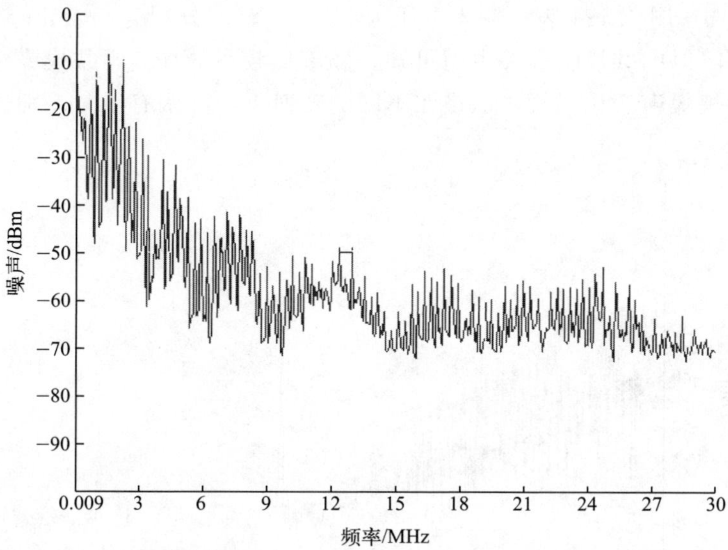

图 4.117　电机输入电压 360V、转速 1000r/min 时的频谱图

根据测量数据，把频率范围为 9kHz～30MHz 平分为 20 等份，选取对应频率点的最大值，利用三次样条曲线拟合转速相同而电压不同时电磁噪声，得到图 4.118 所示曲线。从图 4.118 可以看出，随着电机动力系统三相主回路输入电压的升高，噪声有所增加，但增加幅度很有限，分别为－2.4dBm 和－2.9dBm。另外值得注意的是，120V 和 240V 时噪声功率的峰值均为－15dBm，而 360kHz 时，噪声功率的峰值为－11dBm。

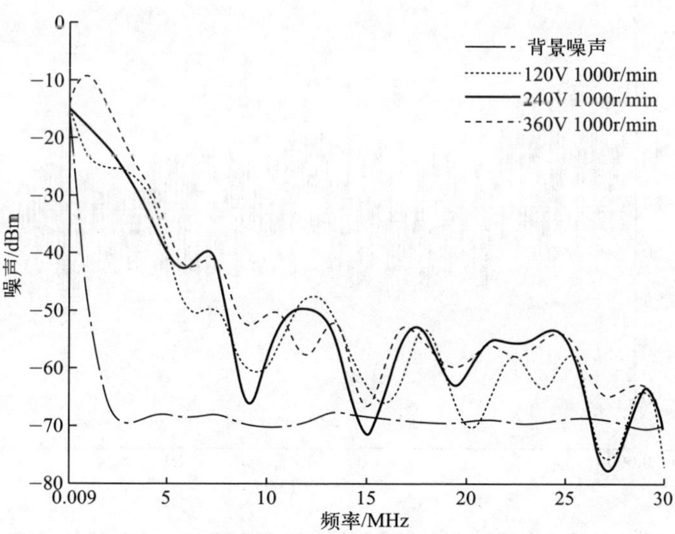

图 4.118　不同电压时各个频率点的电磁噪声

图 4.119～图 4.121 表示输入电压为 330V，转速分别为 0r/min、6000r/min 和 8000r/min 时的共模噪声。由图可知，随着低频率的提高，共模噪声呈降低趋势，低频共模噪声变化不大，但是在不同的转速下，降幅有很大差别。

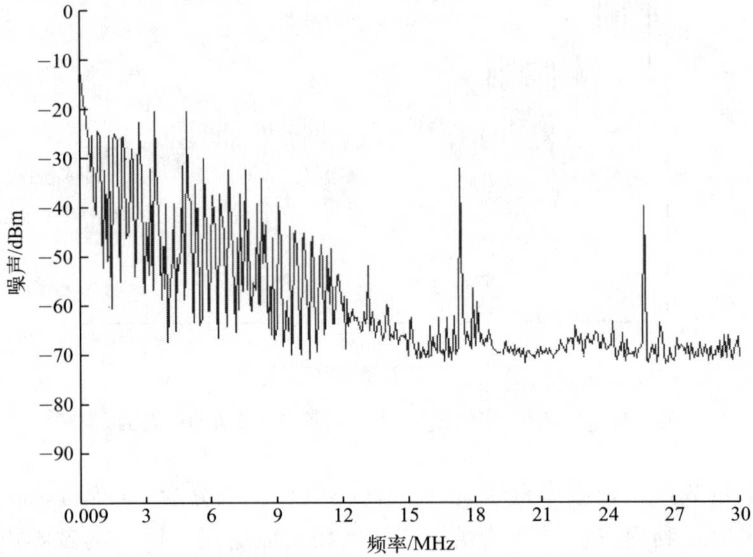

图 4.119　电机输入电压 330V、转速 0r/min 时的频谱图

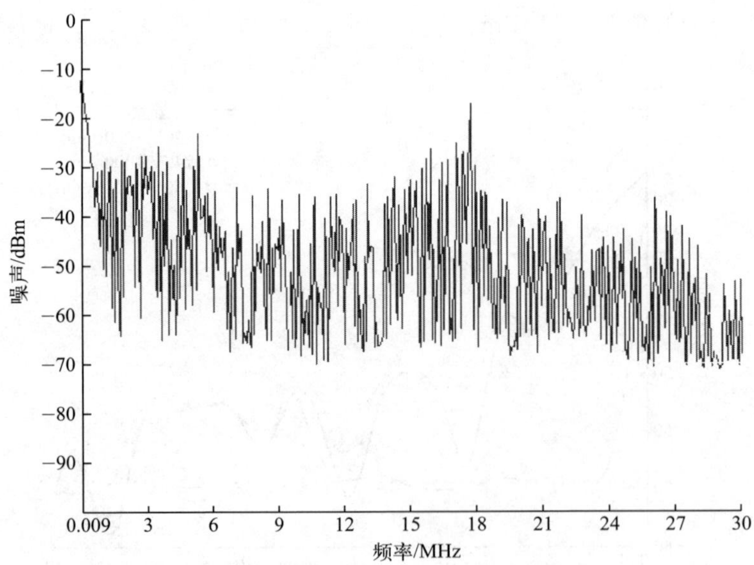

图 4.120　电机输入电压 330V、转速 6000r/min 时的频谱图

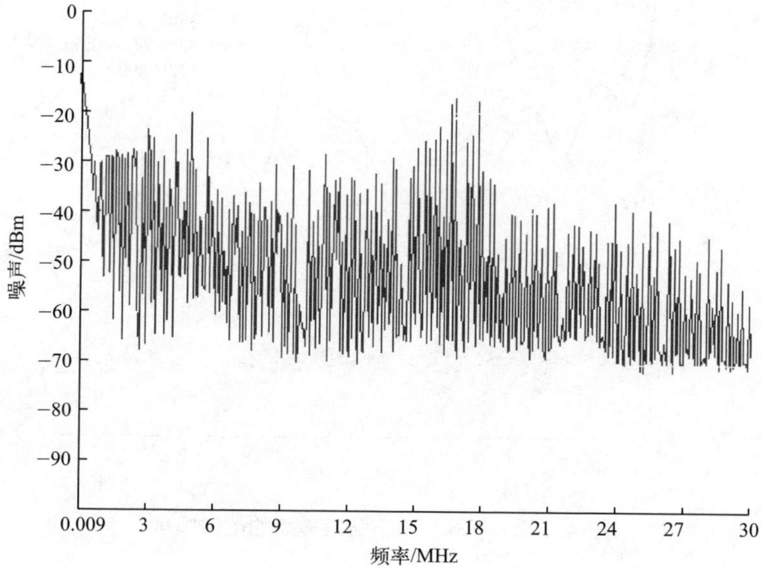

图 4.121　电机输入电压 330V、转速 8000r/min 时的频谱图

驱动电机转速为 0r/min 时，不同频段的电磁噪声差别很大。频率段为 9kHz～12MHz 时的共模噪声很大，其噪声均值为−33.1dBm；而频率段为 12～30MHz 时的噪声均值只有−61dBm，噪声大大减小。但是在该频段内频率为 17MHz 和 25.5MHz 时出现相对很大的噪声，分别为−32dBm 和−40dBm，这说明驱动电机低转速时的电磁噪声主要来自低频段。

驱动电机转速为 6000r/min 和 8000r/min 时，随着频率的增加，共模噪声有所降低，但降幅不大。频率段 9kHz～6MHz 和 15～18MHz 时的共模噪声很大，这与 0r/min 时 17MHz 出现相对峰值的情况是一致的。30MHz 时，共模噪声依然很大，还没趋于稳定，因此当驱动电机处于高转速时，需要增大的频率范围。

同样地，为了研究电压固定转速不同情况下各频率点的电磁噪声，把 9kHz～30MHz 平分为 20 等份，选取对应频率点的最大值，利用三次样条曲线拟合转速相同而电压不同时电磁噪声，得到图 4.122 所示曲线。表 4.5 给出了不同转速下电机动力系统三相主回路共模电磁噪声的峰值和均值。电机是否运转对低频电磁噪声影响不大，而对高频电磁噪声影响很大。驱动电机转速为 0r/min 时，噪声均值为−47.9dBm，而转速为 6000r/min 和 8000r/min 时，噪声均值分别为−35.7dBm 和−32.8dBm。

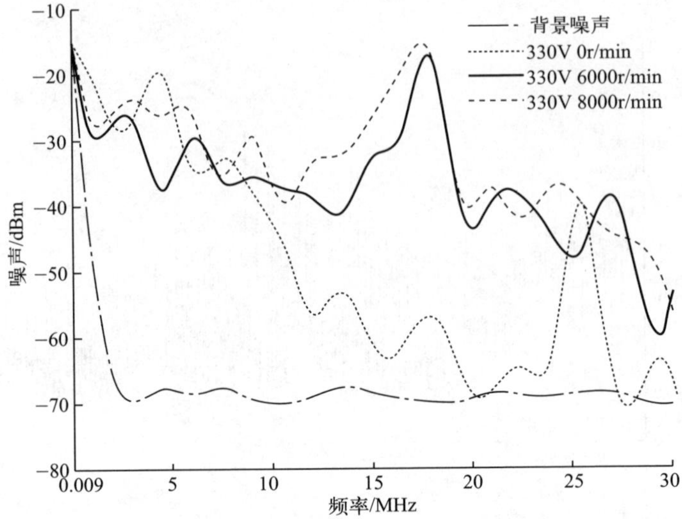

图 4.122 不同转速下各频率点的电磁噪声

表 4.5 电机输入电压 330V 时不同转速下噪声峰值和均值

转速/（r/min）	峰值		均值/dBm
	峰值/dBm	对应的频率点/kHz	
0	-15	9	-47.9
6000	-15	9	-35.7
8000	-15	9	-32.8

驱动电机作为电动汽车动力系统关键零部件之一，对外产生很大的电磁噪声。在对电动汽车驱动电机的类型和参数，例如额定功率、最大转速调研的基础上，分析了电机驱动系统三相主回路输入电压和转速的变化对电磁噪声的影响，得出以下结论。

① 电机转速处于低转速（1000r/min）时，电机驱动系统三相主回路电磁噪声主要在 9kHz～6MHz 频率段内；增大电压使电机驱动系统三相主回路电磁噪声有所增加，但增幅不大。

② 电机是否运转对低频电磁噪声影响不大，而对高频电磁噪声影响很大。随着转速增大，电磁噪声呈增大趋势；电机驱动系统三相主回路在 17MHz 频率点附近出现相对峰值。

③ 电机处于低转速时，电磁噪声在 30MHz 频率点已基本稳定，而电机处于高转速（大于 6000r/min）时，电磁噪声在 30MHz 频率点还未达到稳定，需增大频率段进一步观察。

第5章

电机驱动系统传导电磁干扰仿真建模与试验

本章将介绍电机驱动系统传导噪声建模方法，建立线性和分段线性的行为模型，这种模型易于参数化与仿真。行为模型避免了电路板布局的细节和复杂的逆变器物理模型，有助于电机驱动系统传导电磁噪声产生和传播的机理分析。同时，该模型也是设计 EMI 滤波器及抑制干扰方法的基础，可以用于对电机驱动系统的 EMI 性能进行预测，并对所设计滤波器的噪声频谱进行预测分析。建立的电机驱动系统传导噪声模型包括：IGBT、三相电机、无源器件，并通过试验验证了所建模型的正确性及模型的适用范围。本章所建模型也是研究阻抗平衡和载波移相不对称交错控制等干扰抑制措施的基础。

5.1 电机驱动系统传导噪声仿真建模

5.1.1 IGBT 建模

IGBT 广泛用于电机驱动系统中，其开关操作被认为是 EMI 噪声的来源，开关过程会影响 EMI 频谱。因此，需要对 IGBT 的行为进行准确建模。通过脉冲电压/电流源建立的 IGBT 频域模型不能复现 IGBT 开关过程，甚至包括 C-E 极间电容。其基于物理的模型是基于半导体器件的物理结构，在 IGBT 被发明时这种模型就得到了应用，但其设计细节通常不对用户公开。

另一类 IGBT 模型是行为模型。某种行为模型需要一个 MOSFET 和几个非线性电容，而另一种模型仅仅需要 IGBT C-E 间的电导系数和电容，因此这种模型较为简单，适合在 Saber 电路仿真软件中实现。IGBT 模型可以采用线性器件进一步简化，但仍保持 EMI 仿真有足够的精度。

如图 5.1 所示的 IGBT 模型。模型中的开关表示 IGBT 的通/断操作，从关断到开启的过渡时间参数由 IGBT 的栅极（门）电压决定。换句话说，这个参数反映了驱动器受栅极的影响。C_0 代表 IGBT 的 C-E 间的电容，包括并联在 IGBT 两端续流二极管的分布电容。C_{cg} 和 C_{eg} 代表集电极和发射极到地之间的电容，其值可以通过阻抗测量确定。通常，两个 IGBT 的上端和下端是和直流母线上的电容相连的，所以 C_{cg} 和 C_{eg} 可以归并到电机驱动系统输入直流母线的对地阻抗中。在这种情况下，IGBT 模型仅与 C_0 有关。电阻 R_{on} 代表 IGBT 导通电阻，其值可以从 IGBT 手册或直接测量得到。IGBT 开关时间（过渡时间）没有在图中反映，图 5.1 是只有一个参数的理想开关模型。

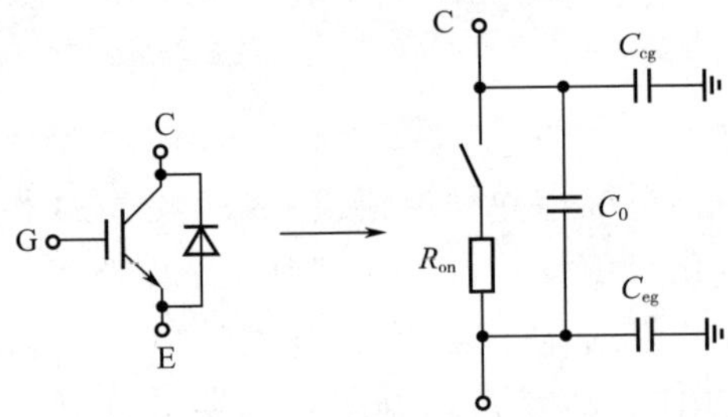

图 5.1 IGBT 模型

如图 5.2 所示，IGBT C-E 间的电容值可以通过测量 IGBT 上升电压波形获得。假设负载是感性的且负载电流流入 IGBT，在 IGBT 死区时间（两个 IGBT 均为关断）通过 S_L 的电压由于 C-E 电容充电不能突变到直流母线 V_{dc}。电压上升时间 t_r 由负载电流 i、V_{dc}、C_0 决定。在这种情况下，C_0 可用式（5.1）来计算。

$$C_0 = \frac{t_r i}{2V_{dc}} \tag{5.1}$$

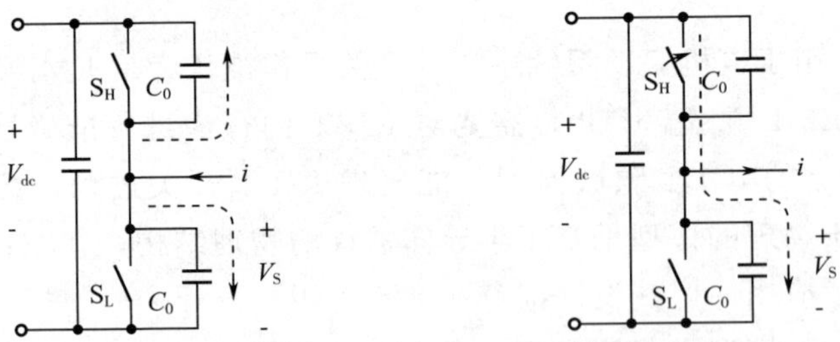

(a)负载电流流入IGBT时低边开关电流方向　(b)负载电流流出IGBT时低边开关电流方向

图 5.2 IGBT 负载电流与开关电流方向

以东芝的 MP6752 IGBT 模块为例，搭建简单的试验电路。经过测量影响 C_0 的三个变量分别是 $i=1A$，$t_r=160ns$ 和 $V_{dc}=300V$，计算得到 C_0 是 267pF。我们发现 MP6752 手册上的 C_0 是 89pF，其大小是测量结果的 1/3 倍。当负载电流流出 IGBT 时，低压 IGBT 上升电压从关断到导通的过渡时间如图 5.3（a）所示。当负载电流流出 IGBT 时，低边 IGBT 上升电压从关断到导通的过渡时间如图 5.3（b）所示。

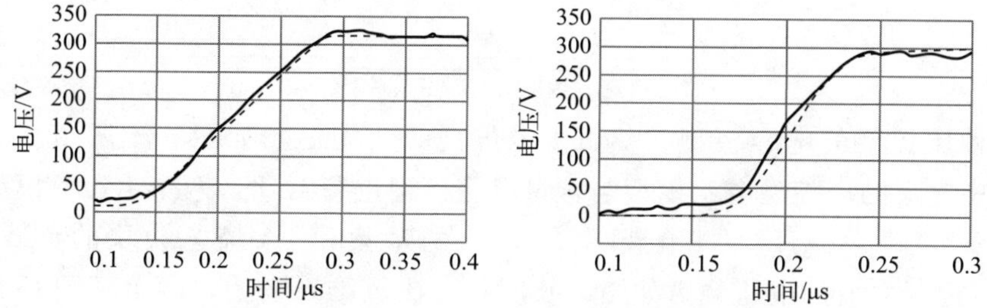

(a)负载电流流入IGBT时低边电压波形　(b)负载电流流出IGBT时低边电压波形

图 5.3 IGBT 低边电压波形

实线—测量值；虚线—仿真值

在死区期间，低边 IGBT（S_L）两端的续流二极管导通，所以 S_L 两端电压一直是零，直到 S_H 闭合（On）才开始上升，这种情况下上升时间不依赖于负载电流 i，因此测得的开关时间是准确的；这时的 $t_r=60ns$，$C_0=100pF$ 与手册上的 C_0 数值接近。图 5.3 所示是测量和仿真的波形比较，R_{on} 可以通过直接测量获得。

这种 IGBT 模型的局限是不能给出非线性 C_0 的模型。在研究中，C_0 的模型是压控型的［式（5.2）］，本书中 IGBT 模型的电容 C_0 采用定值作为一种近似。图 5.4 显示了 IGBT C-E 电容和 IGBT 模块（International Rectifier's IRAMY20UP60B）C-E 上的电压曲线。图 5.4（a）是电容 C_0 的测量结果。

$$\frac{1}{C_0^2}=3.222\times10^{16}V_{ce}+1.893\times10^{17} \tag{5.2}$$

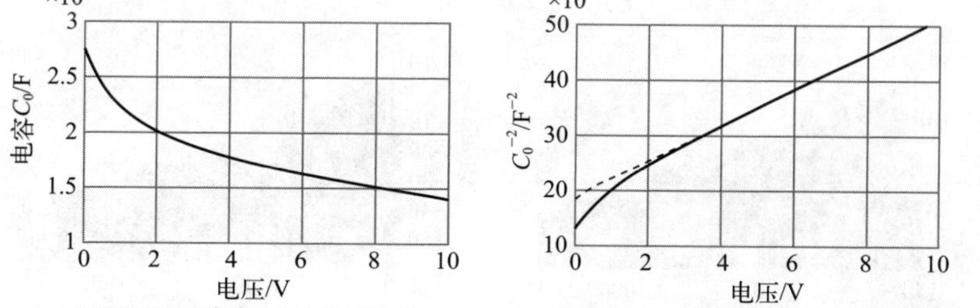

(a)IGBT C-E电容和C-E电压曲线　(b)IGBT C-E测量值和式(5.2)模型的比较

图 5.4 IGBT C-E 电压曲线

实线—测量值；虚线—仿真值

由图 5.4 可以看出，当 C-E 电压大于 2V 时，电容平方的倒数和 C-E 电压是线性关系，图 5.4（b）是测量结果与式（5.2）模型仿真比较。

根据电容充电电流和电压的关系，电容上电压可以用式（5.3）表达（V_{CE} 的隐式）：

$$V_{CE}(t)=\int\frac{i(t)}{C_0[V_{CE}(t)]}dt$$
$$C_0[V_{CE}(t)]=\frac{1}{\sqrt{3.222\times10^{16}V_{CE}+1.893\times10^{17}}} \tag{5.3}$$

这种压控型的电容模型在 Saber 中仿真的功能框图如图 5.5 所示。使用式（5.2）中定义的压控型电容模型与常量电容模型进行对比，两个 IGBT 模型工作在相同条件下：10kHz 的开关频率，50Hz 的基频和 1A 流入模块的负载电流。IGBT 低边开关上的电压频谱如图 5.6 所示，比较结果表明，两个不同 C-E 电容模型的 IGBT 模块在电压频谱方面没有明显的差异。因此，没有必要使用压控型的电容模型建模，后续的建模工作中都将使用常数电容模型。

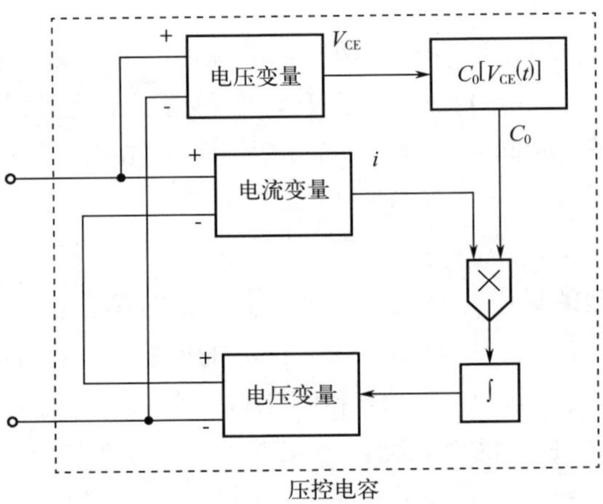

图 5.5　压控型电容 Saber 仿真功能框图

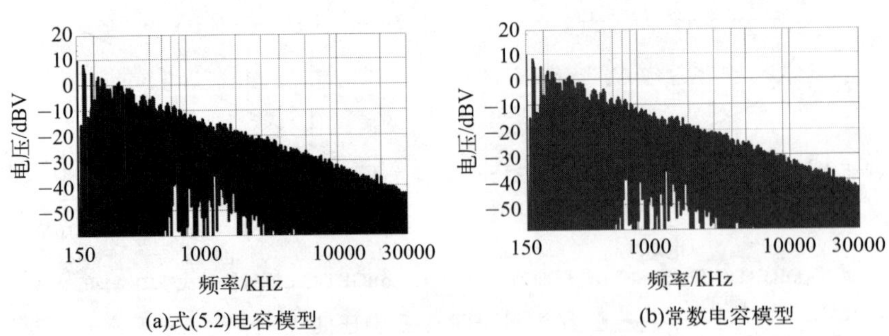

图 5.6　两种电容模型电压频谱比较结果

5.1.2 三相电机高频模型

本节重点研究三相电机，因为它们在电动汽车上应用广泛。对于 EMI 的时域仿真来说，电机模型必须能真实反映 EMI 关注频段内的高频特性和基频处的低频特性。电机的高频特性取决于电机三相绕组电感、相间杂散电容、绕组和基座（外壳）之间的杂散电容、绕组之间的耦合电感。文献表明，三相电机的高频模型可以用一个多阶 LC 网络模型表示，且这种频率阻抗模型代表的电机功率范围可以从几百瓦到几万瓦。

在 5.1.1 节中，可以看到负载电流（大小）能影响 IGBT 开关动作，并进一步影响 EMI 噪声。电机的稳态（基频、低频）等效电路模型在电机学中有详细的描述，本节主要关注电机的高频模型。

如图 5.7 所示，三相电机的高频 EMI 模型可以用对称 LC 网络来建立，一般由两阶 LC 电路组成。每阶电路包括电感 L（三相间的耦合系数为 M_1 和 M_2）、相间电容以及每相对机壳间电容。模型是否需要更多阶 LC 网络取决于电机的阻抗特性。这种建模方法也可以用于其他具有三相对称结构的部件建模，例如永磁同步电机、三线电缆。

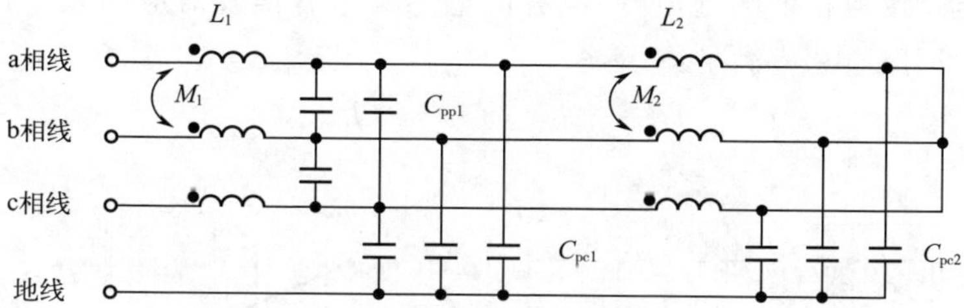

图 5.7 三相电机的高频模型

LC 网络模型的参数化（求解）非常关键。以往的研究介绍了一种求单阶 LC 网络模型的数值解的方法，该方法在研究中得到了进一步的简化。在研究中提出的 FEA（有限元分析）求解方法需要电机的详细结构参数，但通常这种数据只有厂商才有。本书提出了一种近似的模型参数化求解方法，也即利用电机的差模、共模频率阻抗值。共模频率阻抗可以通过阻抗分析仪测量三相输入端对机壳（地）的阻抗获得，差模频率阻抗可以通过测量其中一相对另两相的阻抗获得。由于电机结构对称，阻抗可分解为单相形式的共模和差模阻抗。

图 5.8 是根据图 5.7 模型得到的三相电机单相形式差模和共模阻抗模型。图 5.8 中的差模和共模阻抗模型参数确定如下：

$$\begin{cases} L_{dm1}=1.5(1-M_1)L_1 \\ L_{dm2}=1.5(1-M_2)L_2 \\ C_{dm1}=2C_{pp1}+2C_{pc1}/3 \end{cases}$$

$$\begin{cases} L_{cm1}=(1+2M_1)L_1/3 \\ L_{cm2}=(1+2M_2)L_2/3 \\ C_{cm1}=3C_{pc1} \\ C_{cm2}=3C_{pc2} \end{cases}$$

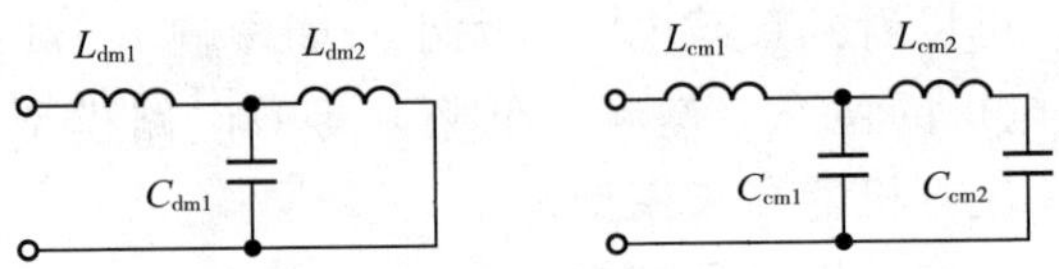

(a)差模阻抗模型　　(b)共模阻抗模型

图 5.8　三相电机单相形式的差模和共模阻抗模型

对于 n 阶 LC 网络的一般情况，本书提出了一种近似的求解方法。模型参数可以通过以下方法确定：首先测量出共模和差模的频率阻抗，其中可能包括多个谐振频率点；读取在低频处波峰/波谷的电感和电容值及对应的频率，如图 5.9 所示。差模回路电感应满足：

$$L_{dm1} \ll L_{dm2} \ll \cdots \ll L_{dmn} \tag{5.4}$$

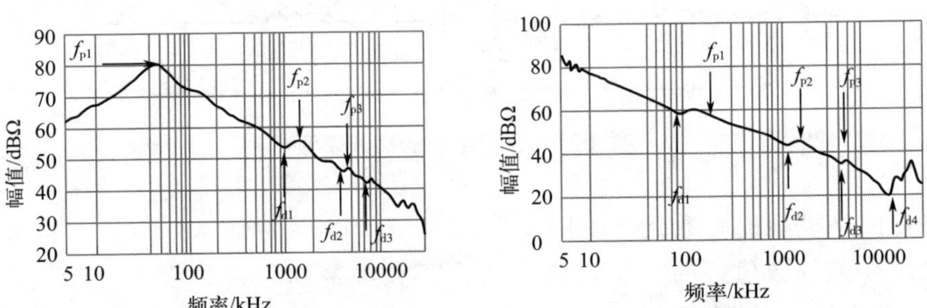

(a)差模阻抗　　(b)共模阻抗

图 5.9　电机模型参数化的波峰和波谷频率

因为电机定子绕组电感的影响，差模阻抗开始首先呈现感性（先出现波峰频率 f_{p1}），然后，随着频率的增加，寄生电容逐渐起主导作用（出现波谷频率 f_{d1}），最后将成对（f_{pi}，f_{di}）出现多个波峰、波谷频率。

为确定差模参数，先通过式（5.5）计算出所有差模电容之和，其中，L_{dm} 是差模阻抗中所有电感之和，L_{dm} 可以从图 5.9 曲线中 f_{p1}（由整个差模电感和电容谐振引起）处读出。

$$C_{\mathrm{dm}}=\frac{1}{4\pi^2 f_{\mathrm{p1}}^2 L_{\mathrm{dm}}} \tag{5.5}$$

第一个波谷 f_{d1} 是由 $L_{\mathrm{dm}(n-1)}$ 和 $C_{\mathrm{dm}(n-1)}$ 串联引起的，第二个波峰 f_{p2} 是由 $L_{\mathrm{dm}n}$、$C_{\mathrm{dm}(n-1)}$ 并联再和电路中其他电容串联谐振引起的，f_{d1}、f_{p2} 由式（5.6）计算得到。

$$\begin{cases} f_{\mathrm{d1}}=\dfrac{1}{2\pi\sqrt{L_{\mathrm{dm}(n-1)}C_{\mathrm{dm}(n-1)}}} \\ f_{\mathrm{p2}}=\dfrac{1}{2\pi\sqrt{L_{\mathrm{dm}n}\dfrac{C_{\mathrm{dm}(n-1)}\sum\limits_{i=1}^{n-2}C_{\mathrm{dm}i}}{\sum\limits_{i=1}^{n-1}C_{\mathrm{dm}i}}}} \end{cases} \tag{5.6}$$

因此：

$$\sum_{i=1}^{n-1}C_{\mathrm{dm}i}-\left(\frac{f_{\mathrm{d1}}}{f_{\mathrm{p2}}}\right)^2\sum_{i=1}^{2n-1}C_{\mathrm{dm}i}=0$$

重复上述过程，直到得到所有的 $f_{\mathrm{p}i}$，$f_{\mathrm{d}i}$，如下所示：

$$\begin{bmatrix} 1 & 1 & \cdots & 1 & 1 & 1 \\ 1-\left(\frac{f_{\mathrm{d1}}}{f_{\mathrm{p2}}}\right)^2 & 1-\left(\frac{f_{\mathrm{d1}}}{f_{\mathrm{p2}}}\right)^2 & \cdots & 1-\left(\frac{f_{\mathrm{d1}}}{f_{\mathrm{p2}}}\right)^2 & 1-\left(\frac{f_{\mathrm{d1}}}{f_{\mathrm{p2}}}\right)^2 & -\left(\frac{f_{\mathrm{d1}}}{f_{\mathrm{p2}}}\right)^2 \\ 1-\left(\frac{f_{\mathrm{d2}}}{f_{\mathrm{p3}}}\right)^2 & 1-\left(\frac{f_{\mathrm{d2}}}{f_{\mathrm{p3}}}\right)^2 & \cdots & 1-\left(\frac{f_{\mathrm{d2}}}{f_{\mathrm{p3}}}\right)^2 & -\left(\frac{f_{\mathrm{d2}}}{f_{\mathrm{p3}}}\right)^2 & 0 \\ \vdots & \vdots & \ddots & \vdots & \vdots & \vdots \\ 1-\left(\frac{f_{\mathrm{d}(n-2)}}{f_{\mathrm{p}(n-1)}}\right)^2 & -\left(\frac{f_{\mathrm{d}(n-2)}}{f_{\mathrm{p}(n-1)}}\right)^2 & \cdots & 0 & 0 & 0 \end{bmatrix}$$

$$\begin{bmatrix} C_{\mathrm{dm1}} \\ C_{\mathrm{dm2}} \\ \cdots \\ C_{\mathrm{dm}(n-1)} \end{bmatrix}=\begin{bmatrix} C_{\mathrm{dm}} \\ 0 \\ \cdots \\ 0 \end{bmatrix} \tag{5.7}$$

求解式（5.7）给出所有差模电容 $C_{\mathrm{dm1}}\sim C_{\mathrm{dm}(n-1)}$，其中差模回路的电感计算如下：

$$L_{\mathrm{dm}i}=\frac{1}{4\pi^2 f_{\mathrm{d}(n-i)}^2 C_{\mathrm{dm}i}},\quad i=1,2,\cdots,n-1$$

$$L_{\mathrm{dm}n}=L_{\mathrm{dm}}-\sum_{i=1}^{n-1}L_{\mathrm{dm}i} \tag{5.8}$$

因为电机定子绕组和电机基座之间寄生电容的影响，与差模阻抗不同，共模阻抗开始首先呈现容性（先出现波谷频率f_{d1}），然后随着频率的增加，寄生电感逐渐起主导作用（出现波峰频率 f_{p1}）。最后将成对（f_{pi}，f_{di}）出现多个波峰、波谷频率。

对于共模模型也有同样的关系：

$$L_{cm1} \ll L_{cm2} \ll \cdots \ll L_{cmn}$$

与式（5.6）类似有：

$$\begin{cases} f_{d1} = \dfrac{1}{2\pi\sqrt{L_{cmn}C_{cmn}}} \\ f_{p1} = \dfrac{1}{2\pi\sqrt{L_{cmn}\dfrac{C_{cm(n-1)}C_{cmn}}{C_{cm(n-1)}+C_{cmn}}}} \end{cases}$$

$$\left(\frac{f_{p1}}{f_{d1}}\right)^2 C_{cm(n-1)} - C_{cmn} = 0$$

重复共模阻抗测量中所有波峰和波谷处的计算，得出：

$$\begin{bmatrix} 1 & 1 & \cdots & 1 & 1 & 1 \\ 0 & 0 & \cdots & 0 & \left(\dfrac{f_{p1}}{f_{d1}}\right)^2-1 & 1 \\ 0 & 0 & \cdots & \left(\dfrac{f_{p2}}{f_{d2}}\right)^2-1 & -1 & 0 \\ \vdots & \vdots & \ddots & \vdots & \vdots & \vdots \\ \left(\dfrac{f_{p(n-1)}}{f_{d(n-1)}}\right)^2-1 & -1 & \cdots & 0 & 0 & 0 \end{bmatrix} \begin{bmatrix} C_{cm1} \\ C_{cm2} \\ \cdots \\ C_{cm(n-1)} \end{bmatrix} = \begin{bmatrix} C_{cm} \\ 0 \\ \cdots \\ 0 \end{bmatrix} \tag{5.9}$$

共模阻抗的波谷是由电感和电容的串联谐振引起的，因而：

$$L_{cmi} = \frac{1}{4\pi^2 f_{d(n+1-i)}^2 C_{cmi}}, \quad i = 1, 2, \cdots, n \tag{5.10}$$

到目前为止，所讨论的电机模型是单相形式，可通过式（5.11）转换为三相形式：

$$\begin{cases} \dfrac{C_{cmi}}{3} = C_{pci} \\ \dfrac{C_{cmi}}{2} - \dfrac{C_{cmi}}{9} = C_{ppi} \\ \dfrac{3}{2}(1-M_i)L_i = L_{dmi} \\ \dfrac{(1+2M_i)}{3}L_i = L_{cmi} \end{cases}, \quad i = 1, 2, \cdots \tag{5.11}$$

5.1.3 电缆和无源器件建模

电机驱动系统中经常使用由多根导线组成的电缆。在 EMI 模型中，电缆的阻抗不能忽略，特别是当电缆较长时。电缆模型需要考虑导线的自感，线与线之间的互感，以及线与线、线与地之间的寄生效应。对长电缆来说，通常采用多阶 LC 电路来建模。通过前面电机模型参数化求解的方法可以对具有对称结构的电缆模型进行参数化，本书就不再讨论。

然而，对于不对称三相结构电缆，不能简单地将其分为共模与差模模型。这种类型的电缆参数更加复杂，因为没有理由假定导线的自感或互感都是相同的。如图 5.10 所示，由单阶 LC 电路来建立的电缆模型依然是可以对其进行参数化的。A、B 和 C 是三相电缆线，G 是地线，这种情况下总共有 12 个参数需要确定，包括自感、互感和相间电容。自感可以通过单相阻抗测量来确定，互感可以通过测量两根串联线的阻抗获得。图 5.11 所示是测量 a 相的自感和 a 相与 b 相间的互感，其他相可以使用相同的方法来测量。

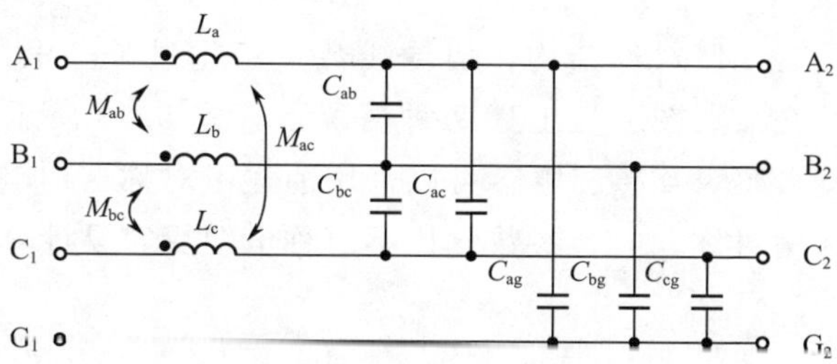

图 5.10 不对称三相结构电缆模型

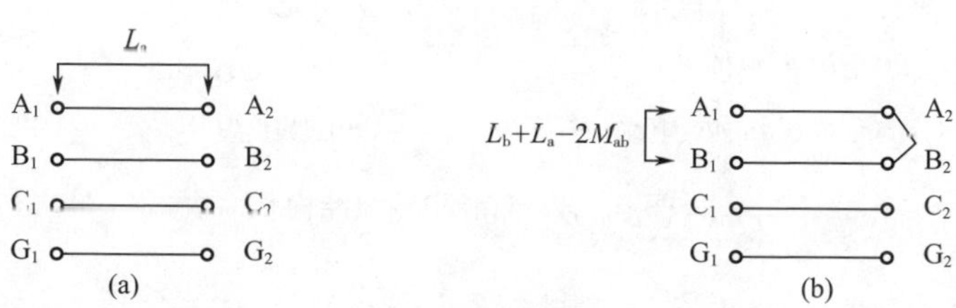

图 5.11 不对称三相电缆自感和互感

为确定相间电容，通过短路的方法在不同组合的导线间测量线间或线与地间的电容。一种组合是一根线与其他两个导线和地短接在一起，如图 5.12 所示，$C_{a\text{-}bcg}$ 等于 C_{ab}、C_{ac}、C_{cg} 的总和。其他的组合是一根线短接到地而其他两根线短接在一起，图 5.12 的 $C_{ab\text{-}cg}$ 是 C_{ab}、C_{ac}、C_{ag} 和 C_{cg} 的总和。上述方法应用到三相电路结构中就可以得到下面的公式，这一公式给出了所有的寄生电容的计算方法：

$$\begin{bmatrix} C_{ab\text{-}cg} \\ C_{ac\text{-}bg} \\ C_{bc\text{-}ag} \\ C_{a\text{-}bcg} \\ C_{b\text{-}acg} \\ C_{c\text{-}abg} \end{bmatrix} = \begin{bmatrix} 0 & 1 & 1 & 1 & 1 & 0 \\ 1 & 0 & 1 & 1 & 0 & 1 \\ 1 & 1 & 0 & 0 & 1 & 1 \\ 1 & 1 & 0 & 1 & 0 & 0 \\ 1 & 0 & 1 & 0 & 1 & 0 \\ 0 & 1 & 1 & 0 & 0 & 1 \end{bmatrix} \begin{bmatrix} C_{ab} \\ C_{ac} \\ C_{bc} \\ C_{ag} \\ C_{bg} \\ C_{cg} \end{bmatrix}$$

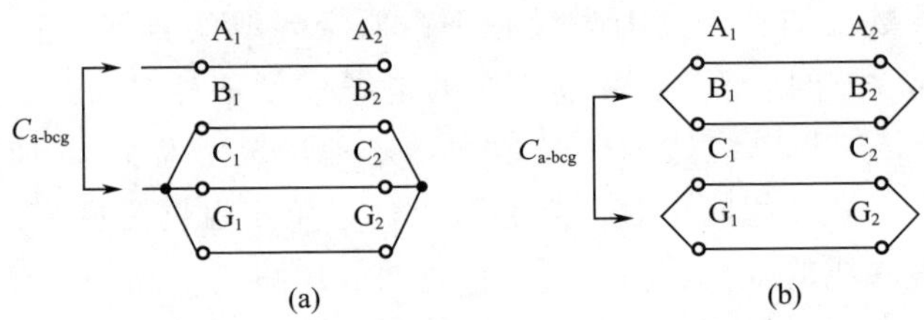

图 5.12　不对称三相结构电缆寄生电容

有时电缆虽具有几何对称结构，但导线数量却超过了三根。图 5.13 所示是四线和五线电缆的交叉点图。在上述两种情况下，图 5.13 所示是两种类型的线间电容和耦合，其自感、互感和电容可以采用前述不对称结构电缆中相同的方法来确定。由于其结构对称，电容参数化比不对称电缆更容易计算。

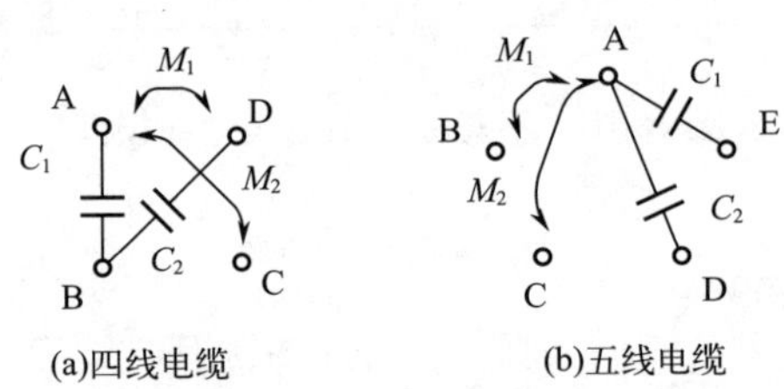

图 5.13　四线和五线结构

对于四线电缆：

$$\begin{bmatrix} C_{ab\text{-}cd} \\ C_{a\text{-}bcd} \end{bmatrix} = \begin{bmatrix} 2 & 2 \\ 2 & 1 \end{bmatrix} \begin{bmatrix} C_1 \\ C_2 \end{bmatrix}$$

对于五线电缆：

$$\begin{bmatrix} C_{ab\text{-}cde} \\ C_{a\text{-}bcde} \end{bmatrix} = \begin{bmatrix} 2 & 4 \\ 2 & 2 \end{bmatrix} \begin{bmatrix} C_1 \\ C_2 \end{bmatrix}$$

对于无源器件建模，之前的研究中首次提出了高频电感模型。研究中的模型是唯一可达数百千赫兹的基于物理的模型。研究中基于物理的电容模型可以适用于高达几十兆赫兹的场合；然而，这种模型需要电容的内部结构参数，通常很难获得。因而，所提出的基于电感或电容阻抗测量的行为建模方法更适合无源器件 EMI 建模，本书中也采用这种建模方式，如图 5.14 所示。

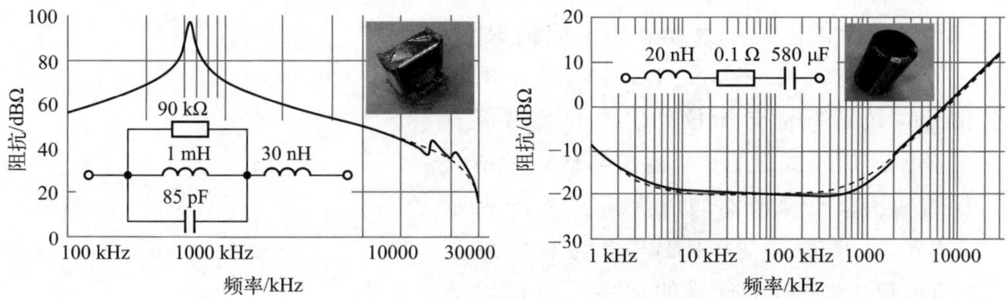

图 5.14　1mH 电感和 580μF 电容差模模型

5.1.4　RBW 滤波器模型

频谱分析仪是 EMI 测量的一个重要组成部分，为了使模型结果与测量结果有可比性，有必要在 EMI 建模一章中加以讨论。本节以安捷伦 4395A 为例进行频谱分析仪的建模介绍。

如图 5.15 所示，频谱分析仪具有三大功能：离散傅立叶变换（DFT）、分辨率带宽（RBW）和峰值检波。DFT 易于在仿真软件中实现，峰值检波器也容易建模，RBW 滤波器用于确定频域内的测量分辨率。频率分辨率是指频谱分析仪具有分离两个输入信号以转换成不同响应的能力，RBW 滤波器是带通滤波器。分析仪能把在 RBW 滤波器带宽内的所有谐波功率的总和（衰减量由到 RBW 滤波器的中心频率处的距离来决定）作为 RBW 滤波器中心频率的输出幅值。在测量中，用户设定频谱分析仪扫描频率范围和 RBW 滤波器带宽的频率范围；一旦测试开始，频谱分析仪采用 RBW 滤波器作为扫描频谱的窗口。

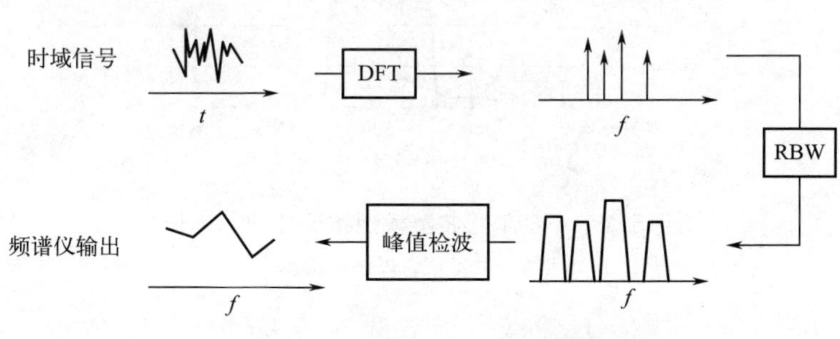

图 5.15　频谱分析仪功能框图

RBW 滤波器的形状对其性能至关重要，滤波器的形状由宽度和选择性确定。RBW 滤波器的带宽被定义为带通滤波器在－3dB 衰减处的宽度，选择性被定义为在－60dB 衰减的宽度与在－3dB 的衰减宽度的比值。安捷伦 4395A 使用数字 RBW 滤波器，它的选择性比大约为 2.2。

在没有设计细节的情况时，RBW 滤波器可以通过简单的测量来建模。为了测量 RBW 滤波器的形状，将一个函数发生器产生的正弦信号发送到频谱分析仪，信号的频谱仅有一个峰值；信号经过 RBW 滤波器后，频谱分析仪的输出就是滤波器的形状。图 5.16 所示是 RBW 滤波器模型，RBW 滤波器模型是 Δf 的函数。Δf 和衰减量的关系可以由以下方程确定：

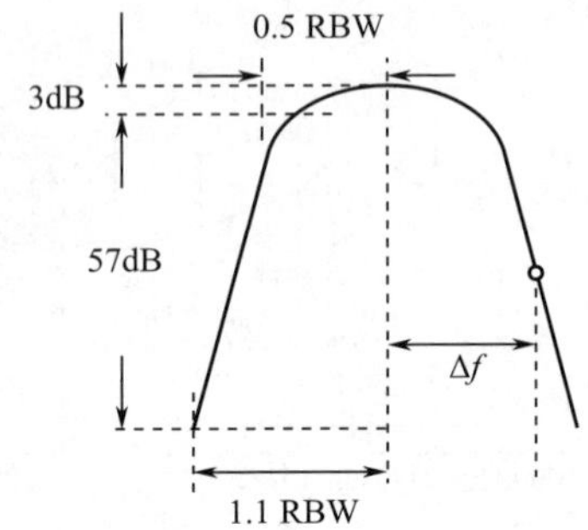

图 5.16　RBW 滤波器模型

$$\mathrm{Att1}=-40\log\left[\left(\frac{\Delta f}{f_0}\right)^2+1\right],\quad f_0=\frac{\mathrm{RBW}}{2\sqrt{2^{\frac{1}{4}}-1}},\quad \Delta f\leqslant 0.5\mathrm{RBW}$$

$$\mathrm{Att2}=-57\,\frac{\dfrac{\Delta f}{\mathrm{RBW}}-0.5}{0.6}-3,\quad 0.5\mathrm{RBW}\leqslant\Delta f\leqslant 1.1\mathrm{RBW}$$

图 5.17 是该 RBW 滤波器模型和测量值的比较。频谱分析仪用 10kHz 带宽的 RBW 滤波器来测量 500kHz 的正弦波信号。结果显示，该 RBW 滤波器模型与测量一致。

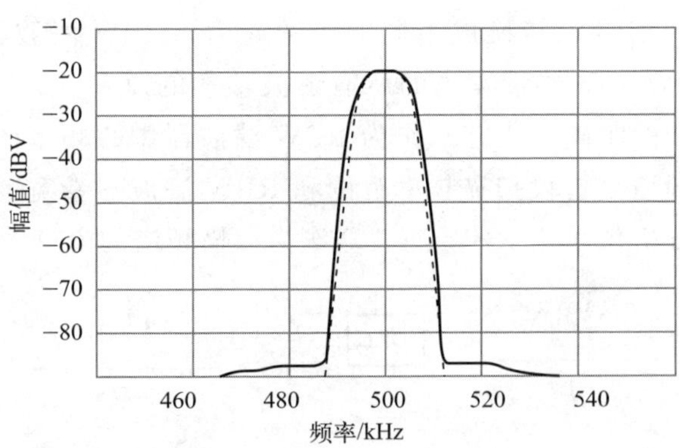

图 5.17　RBW 滤波器模型和测量值的比较

实线—测量值；虚线—模型

5.2 模型试验验证

5.2.1 三相感应电机模型验证

图 5.18（a）所示是东芝 VFS7 变频电机驱动系统的试验照片，图 5.18（b）是电机驱动系统电路。图 5.19 是该电机驱动系统的内部结构图片，三个 580μF 的直流母线电容固定在散热片上，同时 IGBT 和续流二极管也安装在散热片上，整个电机驱动器直接放置在接地良好的散热器底板上。试验装置中的电动机也安装在同一块底板上，保证电机驱动器的散热器和电机机壳同时接地。

(a)试验照片

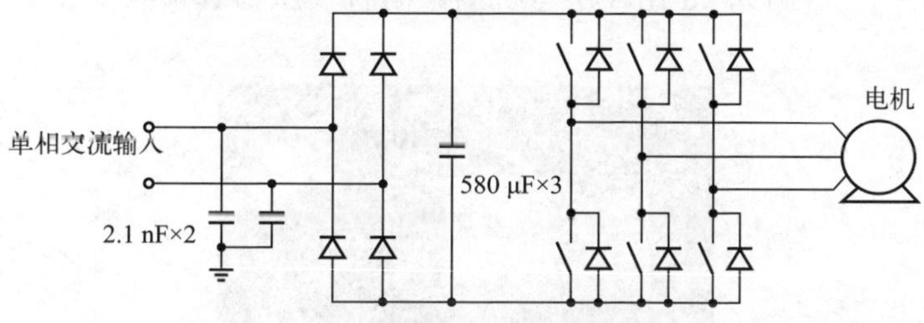

(b)电机驱动系统电路

图 5.18　东芝电机驱动系统

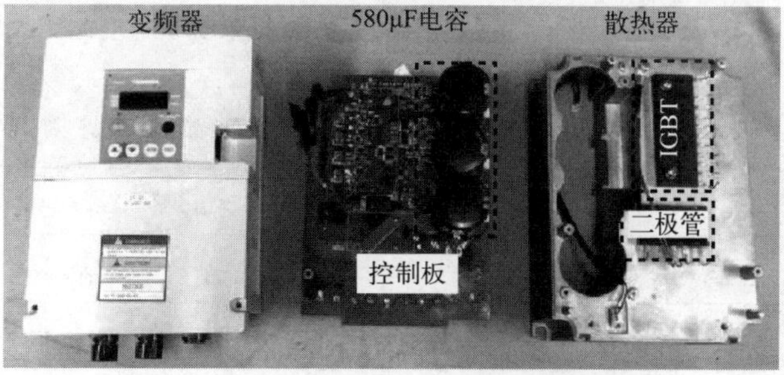

图 5.19　东芝电机驱动系统内部结构

电机驱动器采用 V/f 开环控制。用户设置输出基频，调制信号和载波信号对模型的控制非常重要。手册中并没有提供控制细节和调制方法，因此通过测量来确定开关频率和调制信号的波形。图 5.20 所示是测量的 PWM 相电压波形，由波形确定驱动器开关频率为 12kHz（60°平顶），采样频率为 3kHz 的 PWM 波。

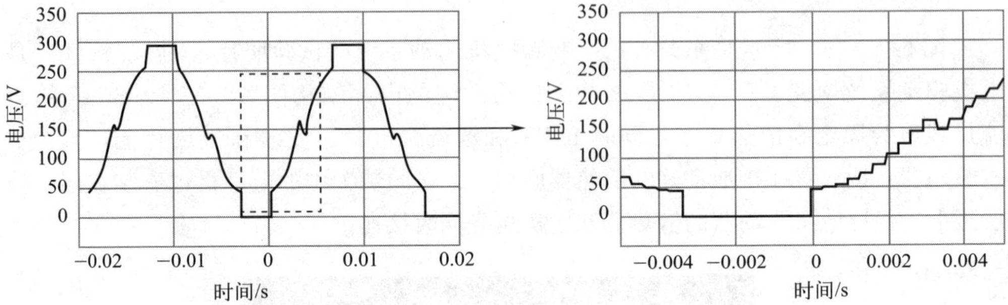

(a)IGBT相电压波形　　(b)放大的波形图

图 5.20　实测 PWM 相电压波形

试验装置中使用的 1/3 HP（245W，1HP＝0.735kW）三相感应电机如图 5.21 所示（上海某检测机构提供），采用 5.1 节中提出的方法来建模。电机的高频等效电路模型如图 5.22 所示，表 5.1 列出了模型中使用的参数（参数确定方法见第 2.2.2 节），图 5.23 比较了电机高频阻抗模型仿真预测值和实际测量值。

图 5.21　245W 三相感应电机

表 5.1　245W 电机的模型参数

L	L_1：350nH	L_2：150μH	L_3：2.2mH	L_4：24mH
M	M_1：0.58	M_2：−0.071	M_3：0.107	M_4：−0.09
C_{pp}	—	—	C_{pp3}：15pF	—
C_{pc}	C_{pc1}：190pF	C_{pc2}：150pF	C_{pc3}：60pF	C_{pc4}：150pF

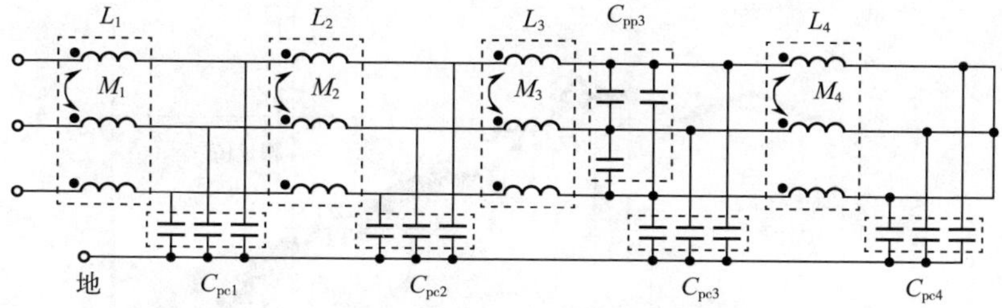

图 5.22　245W 电机高频模型

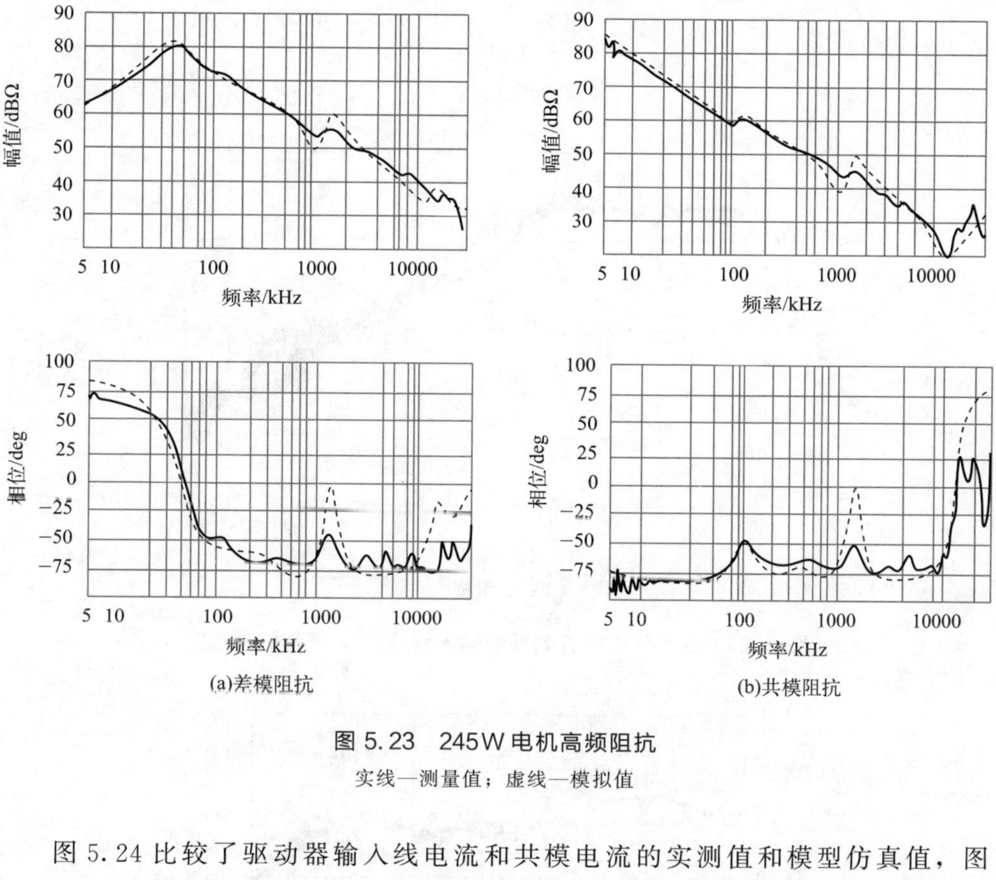

(a)差模阻抗　　(b)共模阻抗

图 5.23　245W 电机高频阻抗

实线—测量值；虚线—模拟值

图 5.24 比较了驱动器输入线电流和共模电流的实测值和模型仿真值，图 5.25 比较了驱动器的输出线电流和共模电流的实测值和模型仿真值。模型仿真预测值和实测值在 30MHz 的频率范围内变化基本一致，只在高频处仿真值和测量值有所偏离，说明所建立的无源器件和电机高频阻抗模型基本准确。在高频段内的偏离原因应该是电机驱动器 PCB 电路板上的寄生效应和 IGBT 模型的局限（简化）性造成的。但是，在 1MHz 附近的电流峰值可通过仿真的方法来预测，这对滤波器的设计非常重要。

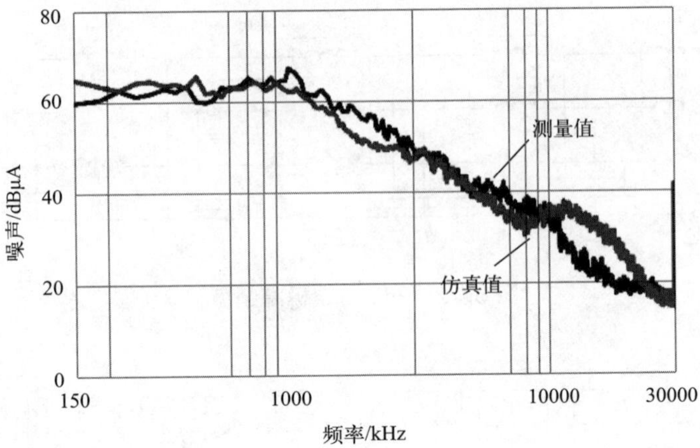

(a)输入线电流

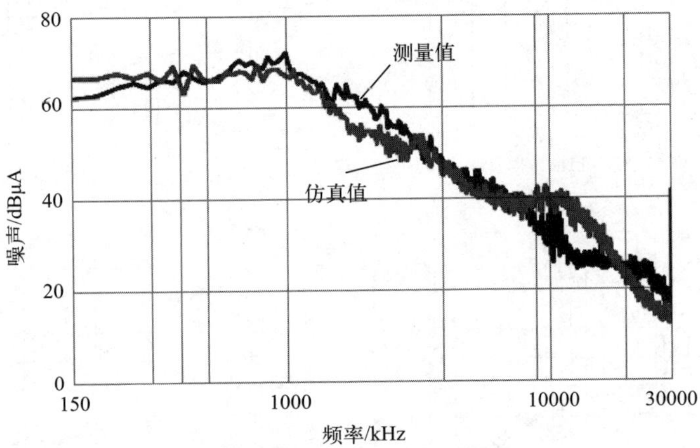

(b)输入共模电流

图 5.24 245W 电机驱动系统输入线 EMI 测量和仿真结果

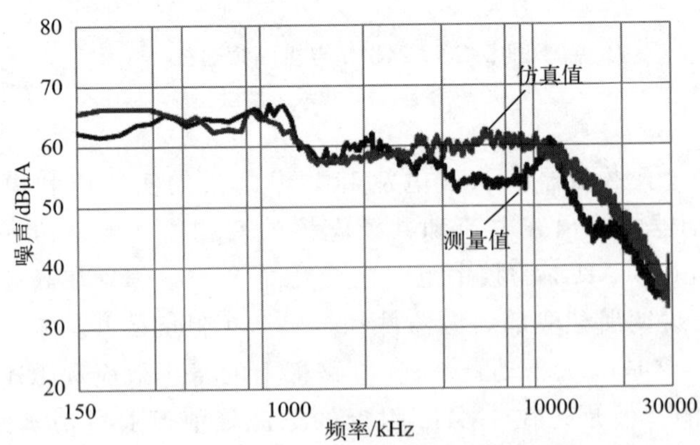

(a)输出线电流

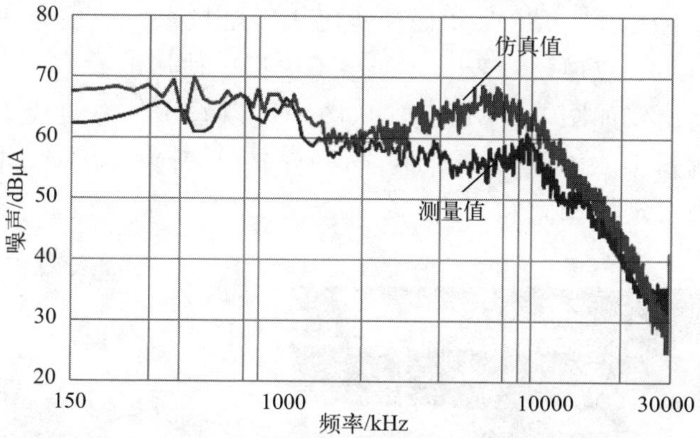

(b)输出共模电流

图 5.25　245W 电机驱动系统输出线 EMI 测量和仿真结果

5.2.2　永磁同步电机模型验证

图 5.26 所示是在 3m 电波暗室中的电机驱动系统，该系统将用来验证在大功率时，前面所提出的建模方法是否可行。负载是上海某电机厂商提供的额定功率 42kW 永磁同步电机，电机驱动系统电路如图 5.26（b）所示，电容器的照片如图 5.27（a）所示。电机通过直流母线的电源驱动，电机由一条 4m 长的三相电缆连接到电机驱动器，用以模拟电机长电缆连接的情况。

(a)电机图片

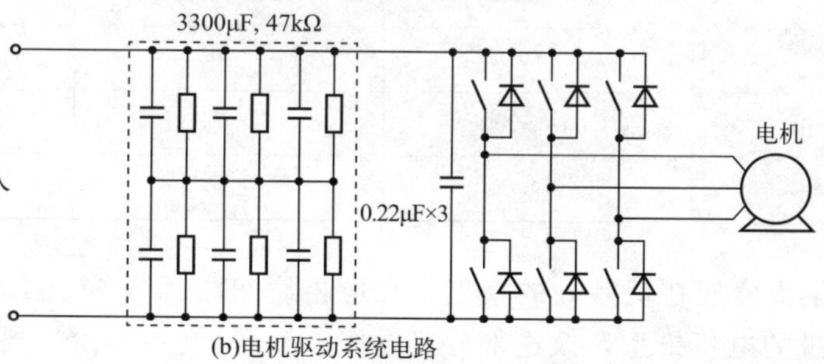

(b)电机驱动系统电路

图 5.26　42kW 电机驱动系统

图 5.27（b）所示是 42kW 永磁同步电机，电机采用前述方法建模。图 5.28 所示是电机的高频等效模型，表 5.2 列出了模型中使用的参数。电机高频差模阻抗的实测和仿真比较如图 5.29 所示，从图中可以看出，电机模型仿真值在低频处明显不同于测量值（在第一个峰值前，5～100kHz），说明前述电机高频差模阻抗模型需要做一定的调整和改进。

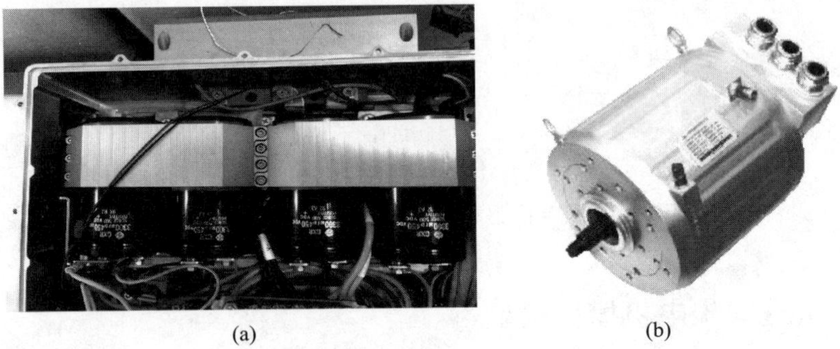

图 5.27　42kW 永磁同步电机（上海某电机厂商提供）

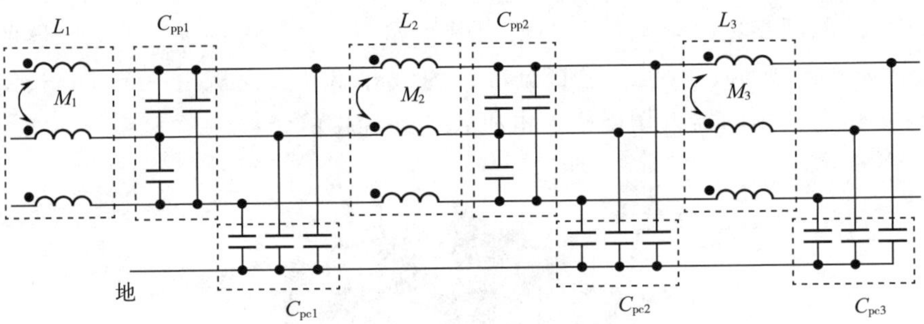

图 5.28　42kW 永磁同步电机高频等效模型

表 5.2　42kW 永磁同步电机模型参数

L	L_1：426nH	L_2：41.6μH	L_3：136μH
M	M_1：0.027	M_2：-0.346	M_3：-0.05
C_{pp}	C_{pp1}：300pF	C_{pp2}：712pF	—
C_{pc}	C_{pc1}：1.86nF	C_{pc2}：576pF	C_{pc3}：477pF

为了解决模型在低频处的偏差，在电机绕组中插入一个 LR 电路。图 5.30 显示了改进的电机模型，改进部分只在图 5.28 模型中 3 阶后插入 LR 电路。其中，插入的新电感 L 在低频处会增加绕组电感。

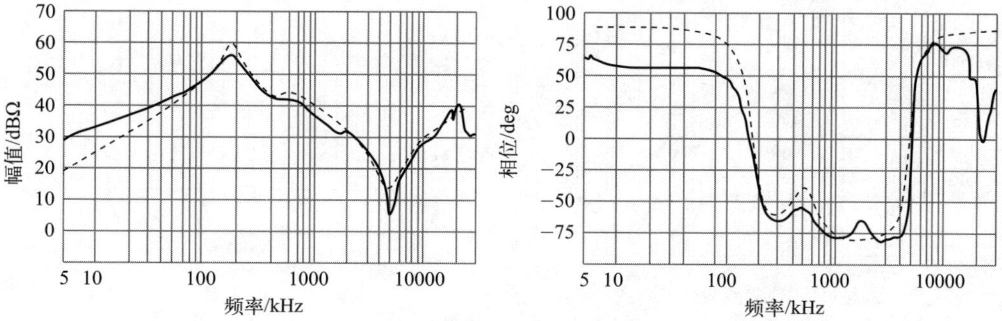

图 5.29　电机高频差模阻抗

实线—测量值；虚线—模型仿真值

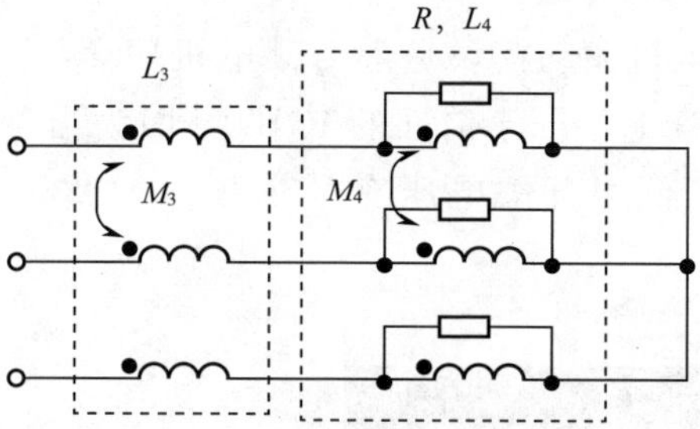

图 5.30　改进的电机模型

电阻 R 提供旁路通路，所以模型高频阻抗不受影响。首先确定耦合系数，因为系数为−0.5，所以新插入的电感不会影响共模阻抗。经过仿真最终确定插入器件的参数为：$L_4=260\mu H$，$R=30\Omega$，$M_4=-0.5$。电机的高频共模阻抗模型在（5～100kHz）频率范围内没有相同的问题，由于阻抗呈容性，所以其阻抗特性主要由电容决定。图 5.31 所示是改进后的电机差模和共模阻抗实测和仿真比较结果。

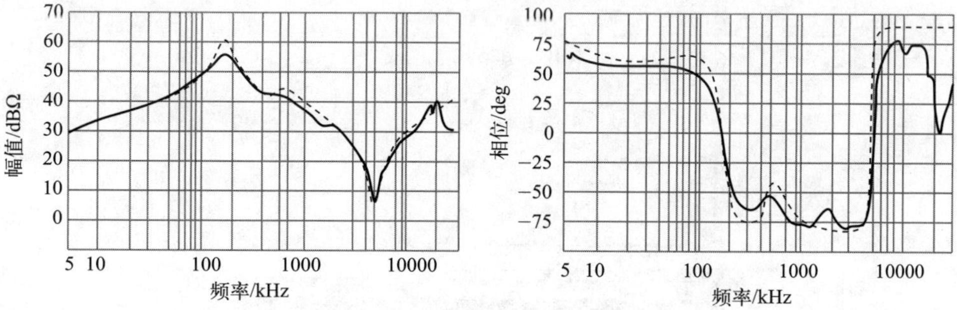

(a)差模阻抗

图 5.31

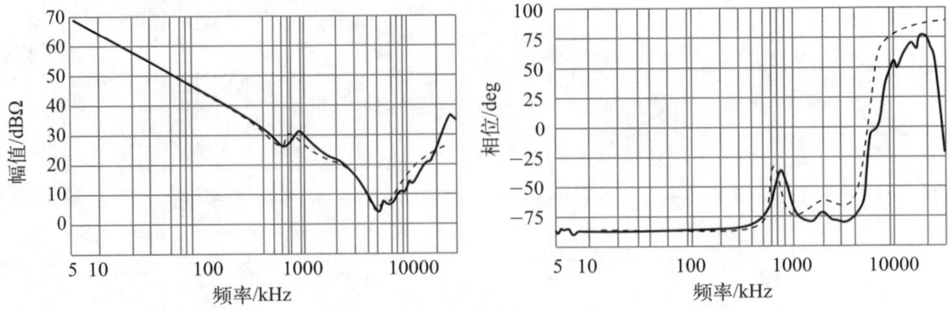

(b)共模阻抗

图 5.31 改进的电机高频阻抗

实线—测量值；虚线—模型仿真值

如图 5.32 所示，电机驱动模块是上海某电机厂商的 1200V，150A IGBT 模块 SKIIP 132。这种 IGBT 不同于前面的 IGBT，因为当负载电流流出逆变器时，如图 5.33 所示，IGBT 低边开关电压有一个频率为 23MHz 的振荡，振荡是由 LC 谐振引起的。

图 5.32 电机驱动控制器及 IGBT 模块

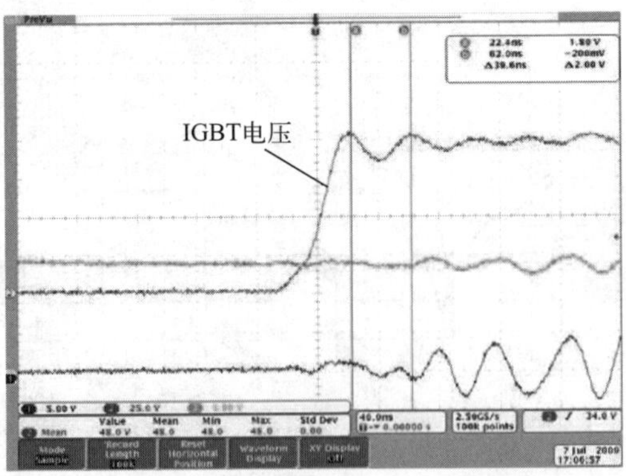

图 5.33 电机驱动模块 IGBT 电压

IGBT 的集电极和发射极之间已经存在一个极间电容，如图 5.34（a）所示。由于半导体器件的制造过程中不可能在位置 B 有一个 nH 级的电感，如果电感在 C 位置，任何方向（不管流进还是流出）的负载电流将产生同样的振荡。因此，电感应该在 A 位置。根据 2.8nF 的电容和 23MHz 的谐振频率，可以计算出整体的电感值为 16nH。无法区分 16nH 电感是分布在高边还是低边，因此只能将它一分为二，如图 5.34（b）所示。

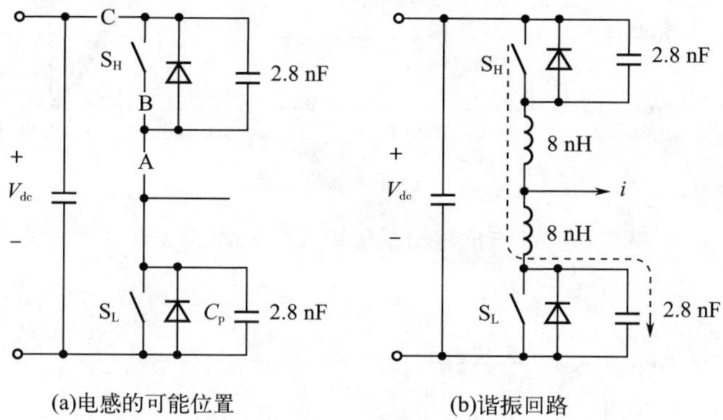

图 5.34　IGBT 器件电路

图 5.35 比较了输入线电流和共模电流的实际测量值和仿真值。图 5.36 比较了输出线电流和共模电流的实际测量值和仿真值。在输入端，第一个峰值在 400kHz 频率附近的模型预测值通常是 EMI 滤波器设计的主导因素。在 2MHz 频率附近的波谷是由 IGBT 与散热器之间的寄生电容和接地母线 1.22H 电感的串联谐振引起的。在仿真模型中也预测了输出线电流的两个峰值。实际测量中在高频处有几个小的谐振点，但在模型仿真中没有出现，其原因可能是共模回路中的寄生器件在这个频率范围内的建模精度不够。

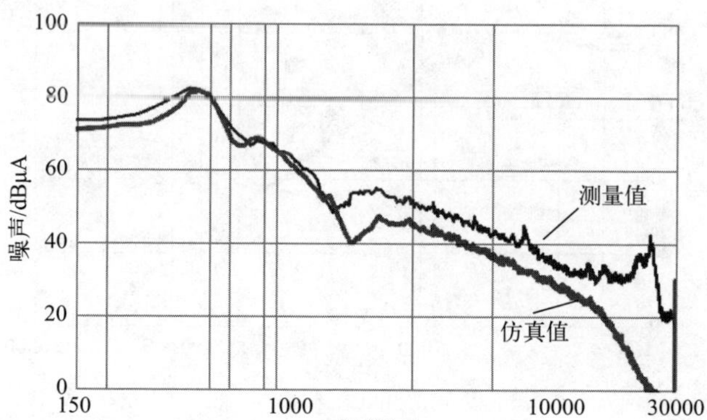

(a)输入线电流

图 5.35

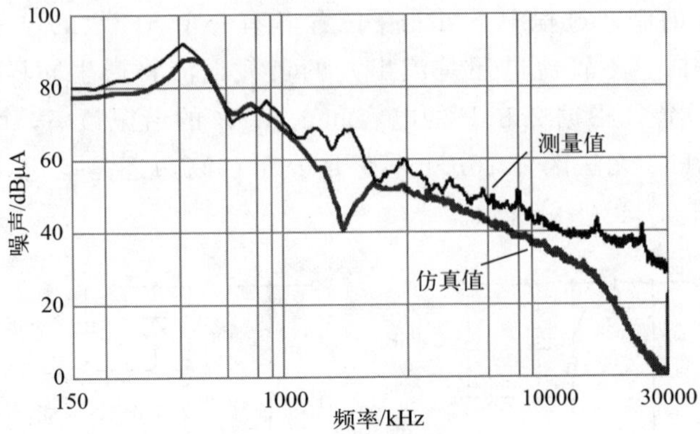

(b)输入共模电流

图 5.35　42kW 电机驱动系统输入线 EMI 测试和仿真结果

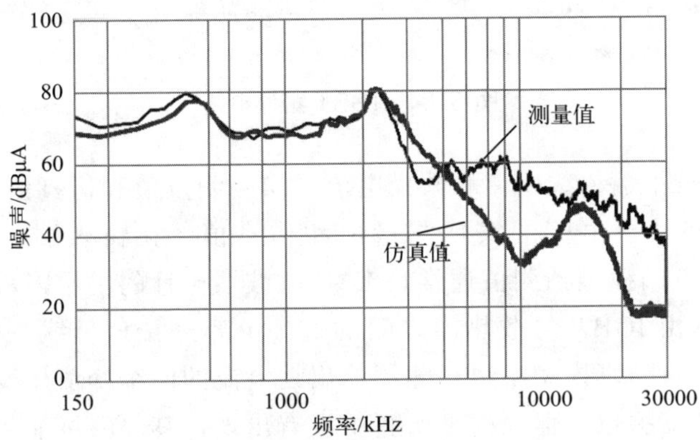

(a)输出线电流

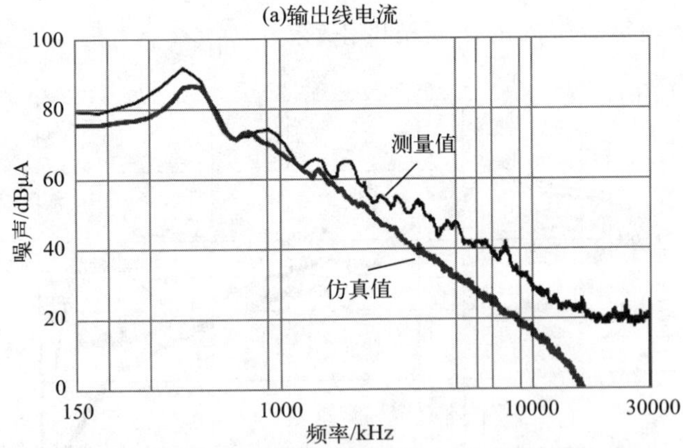

(b)输出共模电流

图 5.36　42kW 电机驱动系统输出线 EMI 测试和仿真结果

5.3 大功率电机驱动系统 EMI 试验

电动汽车驱动电机功率大，不同负载下产生的电磁噪声不同，汽车零部件电磁骚扰测试标准中没有给出大功率电机相应的加载方法和不同负载下各频率段对应的噪声限值。目前国内各大检测中心均无能力做大功率电机带负载试验，只能做空载试验，而空载试验无法反映电机真实的电磁噪声特性。本节从电机驱动系统传导发射及辐射发射的角度，搭建了 100kW 等级电机驱动系统创新性测试平台，并进行了系统调试，通过试验手段研究了不同工况（改变转速、转矩、电压等级）对电机驱动系统噪声的影响，归纳了相关规律；该创新性平台获得的试验数据为今后大功率电机驱动系统的探索性研究奠定了一定的基础，为相关测试标准制定提供了一定的理论和试验依据。

5.3.1 大功率电机驱动系统 EMI 试验环境搭建

2013 年，同济大学建立了当时华东地区高校中唯一具备电动汽车大功率电机带负载试验环境的 3 米法半电波暗室，建设大功率电机带负载试验环境投入成本巨大且实施复杂，对大功率电机带负载试验环境和测试方法的研究在当时国内尚属首次。

搭建大功率电机驱动系统 EMI 试验环境（图 5.37）的目的在于在大功率电机电磁兼容测试时提供真实工作环境下的负载，测量大功率电机在真实负载下的电磁噪声。电机驱动系统 EMI 试验环境包括：电波暗室、模拟负载室、金属传动轴、波导管、屏蔽防护装置及其用于测试大功率电机的电波暗室测试台。大功率电机放置在电波暗室测试台上，测功机放置在电波暗室相邻的模拟负载室中，两者通过穿过电波暗室屏蔽壳体的金属传动轴连接。波导管安装在金属传动轴外侧，屏蔽防护装置安装在波导管两侧，其作用是阻隔负载室电磁噪声传入暗室中。

电波暗室是标准 3 米法（9.0m×6.0m×6.0m）电波暗室，使用铁氧体尖劈复合吸波材料。电波暗室与模拟负载室的公共屏蔽壳体（2mm 镀锌钢板）上开有圆孔，金属传动轴及波导管穿过此孔与模拟负载室中的测功机连接。金属传动轴贯穿电波暗室与模拟负载室，两端分别通过联轴器与电机和测功机连接。金属传动轴外面罩有波导管，波导管两端连接屏蔽防护装置。波导管通过支撑装置固定在铸铁基座上，与金属传动轴之间留有一定间隙，目的是避免电机高速旋转时发生碰撞。金属传动轴直径 6cm；波导管是直径 8cm 的截止波导管，通过支撑装置固定在铸铁基座上。屏蔽防护装置覆盖传动轴两端的连轴装置，焊接在波导管上；屏蔽防护装置为屏蔽防护罩，该屏蔽防护装置采用钢板制造，分为上下两部

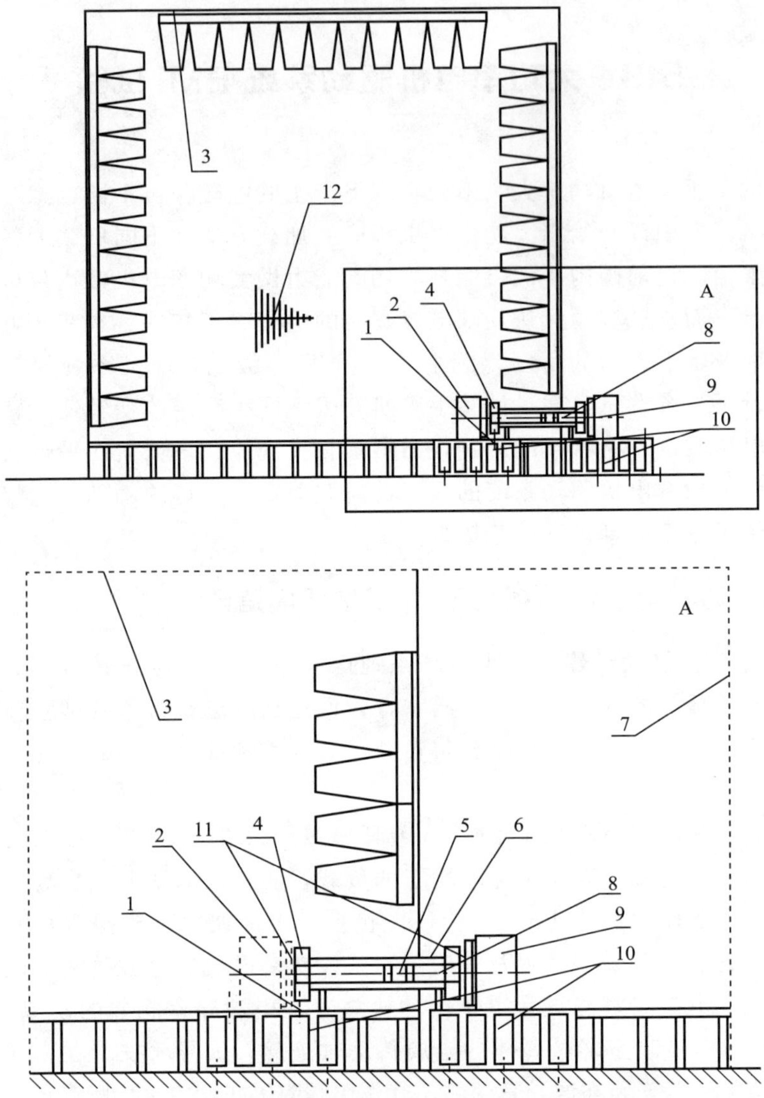

图 5.37　大功率电机驱动系统 EMI 试验环境示意图

1—螺栓；2—被测电机；3—电波暗室；4—屏蔽防护装置；5—金属传动轴；6—波导管；7—模拟负载室；8—传动轴；9—测功机；10—铸铁基座；11—联轴器；12—测试天线

分，下半部分支架通过组合夹具紧固在铁底板上面，上盖部分是螺栓连接，关闭后两点锁紧。被测电机的类型可以是永磁同步电机和三相感应电机，功率范围在0～160kW，被测电机布置在离地高 30cm 的铸铁基座上，采用联轴器连接传动轴。

其中，模拟负载及电机台架实物照片如图 5.38、图 5.39 所示。

图 5.38　负载室测功机（模拟负载）

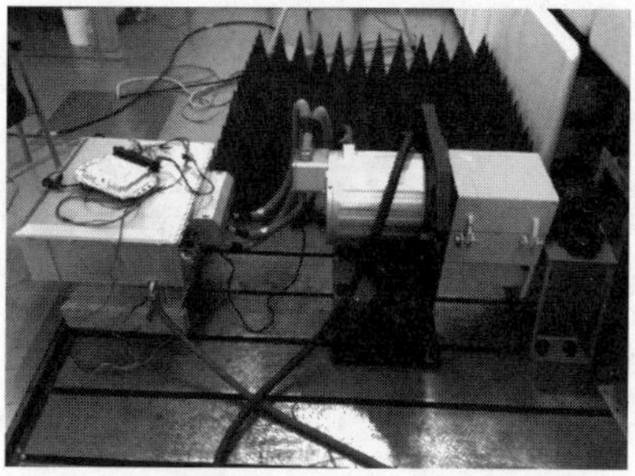

图 5.39　电波暗室 42kW 永磁同步电机电机台架

由于测功机与试验电机分别放置在两个房间，且测功机与电机基座位于不同的两块基座平板上（图 5.40），所以无法采用刚性连接方案。图 5.41、图 5.42

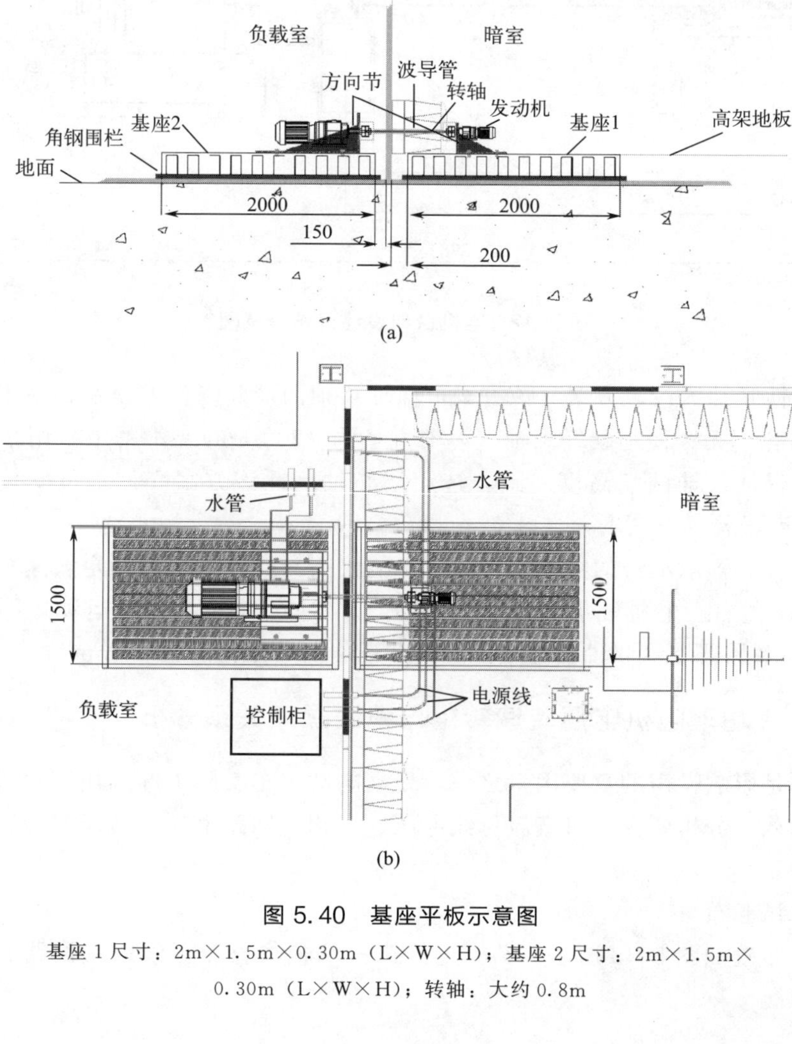

图 5.40　基座平板示意图

基座 1 尺寸：2m×1.5m×0.30m（L×W×H）；基座 2 尺寸：2m×1.5m×0.30m（L×W×H）；转轴：大约 0.8m

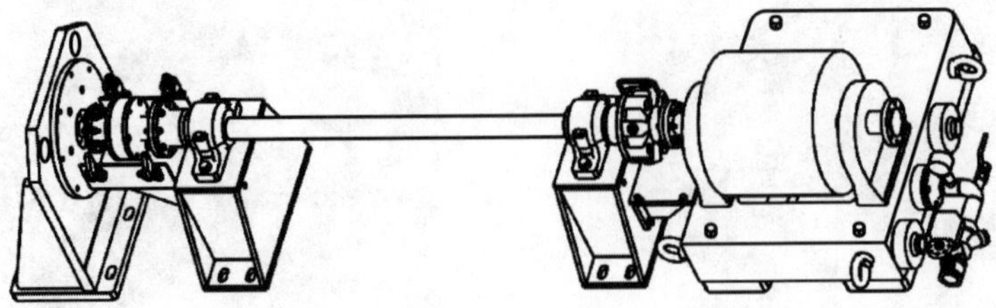

图 5.41　电机台架弹性联轴器设计方案

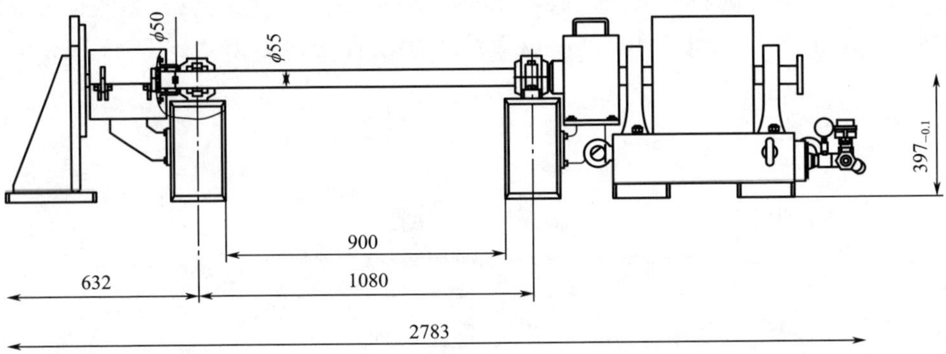

图 5.42　电机台架设计三维示意图

所示为弹性联轴器设计方案，该方案可保证长轴两端高度误差很小，由于穿墙孔为 ϕ79 内孔，无法使用碳纤维轴（该轴直径约 ϕ200mm）。本书中采用 ϕ60 的钢轴，为了保证长轴两端高度一致，选用调心轴承［该方案允许轴承安装两端有0.5°的高度误差（即高度差在 8.5mm 左右）］。

由于调心轴承本身的特点决定转速不能太高，所以方案的额定转速初步定在4000r/min 左右。电机轴为花键，为保证工作时花键处无轴向运动，不能选用ESH 系列联轴器（该联轴器在不拆卸的状态下，可轴向移动 30mm）。

5.3.2　大功率电机电压转速转矩与电磁噪声关系分析

负载是影响噪声的重要因素之一，根据电动汽车实际工况利用测功机给大功率电机加载，分析研究电机直流母线电压、三相主回路电压、转矩和转速与电磁噪声的关系。

（1）试验布置

试验布置如图 5.43 所示。共模电流钳一端包住直流母线或主回路三相输入线，测量直流母线或三相输入端共模电流，另一端连接频谱分析仪，频谱分析仪与电脑连接记录存储试验数据。人工网络端接 50Ω 电阻。

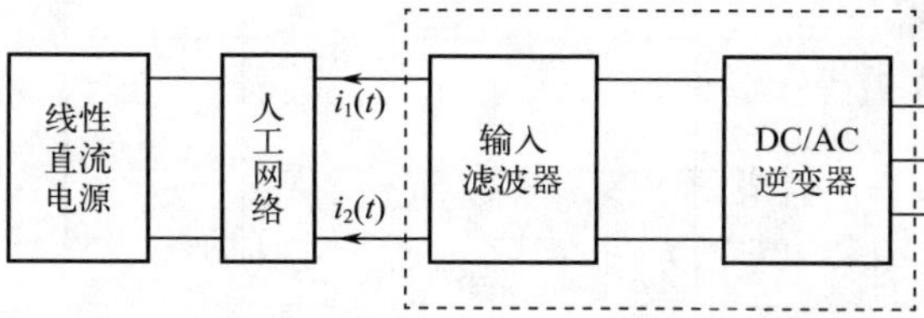

图 5.43　试验布置示意图

(2) 输入电压与电磁噪声的关系

大功率电机产生电磁噪声最根本的原因就是 IGBT 工作过程中产生的很高电流变化率和电压变化率，二者产生的浪涌电流和尖峰电压形成了干扰源。电压变化率产生的共模电流通过设备与地之间寄生电容（C_p）回到地平面，式 (5.12) 给出了共模电流幅值计算方法。

$$I_{cm}=C_p\frac{du}{dt} \tag{5.12}$$

图 5.44 为电机驱动系统中共模电流的示意图。图中虚线箭头表示共模电流的传播路径。由图可知，驱动系统、传输线和电机内部均有共模电流。

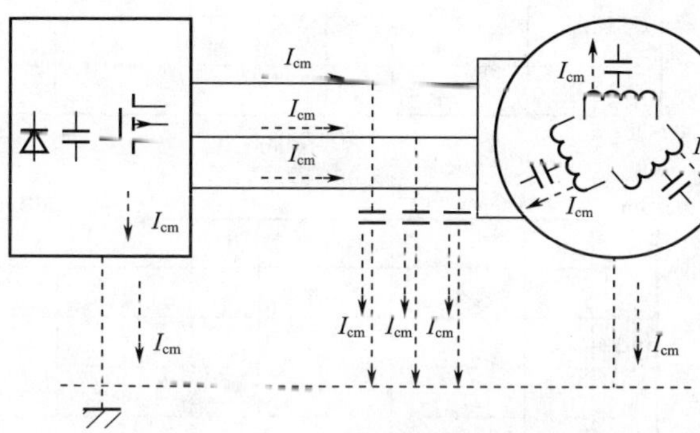

图 5.44　永磁同步电机驱动系统中的共模电流

图 5.45 为不同输入电压下的共模噪声频谱图。图中横坐标表示频率，起点为 9kHz，纵坐标表示转速固定在 1000r/min 时共模电流流经端接 50Ω 电阻所产生的电磁噪声功率（单位为 dBm）。由图可见，曲线的变化趋势基本相同，开始 9kHz 时噪声功率很高，为－15dBm，随着频率的逐步增加，噪声功率逐渐减小，到 27MHz 时，电磁噪声基本稳定在－70dBm；从 9kHz 到 9MHz 噪声降低非常快，随后噪声随频率增加小幅度波动，并最终趋于稳定。

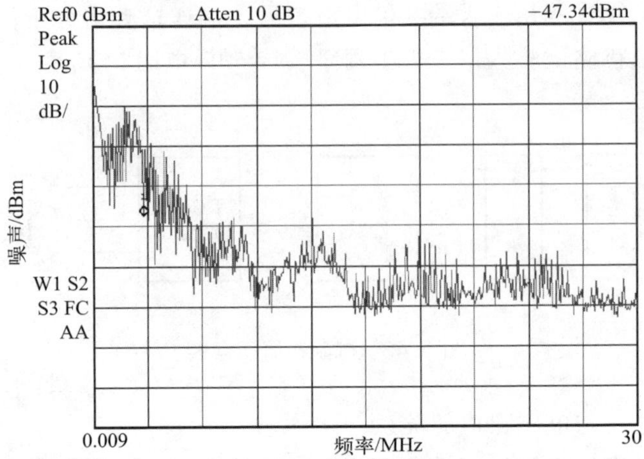

(a)电压120V

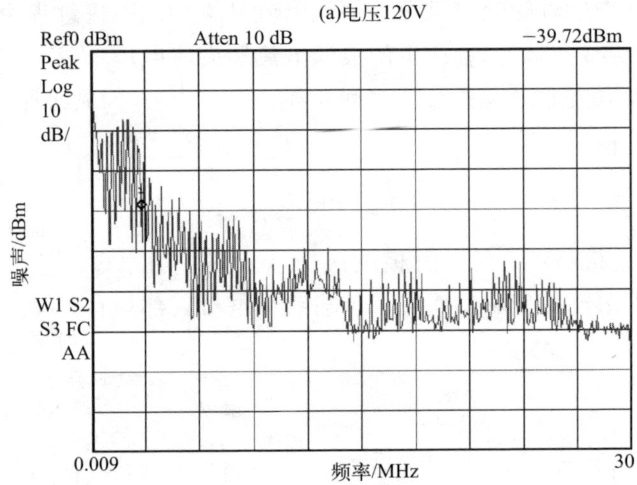

(b)电压240V

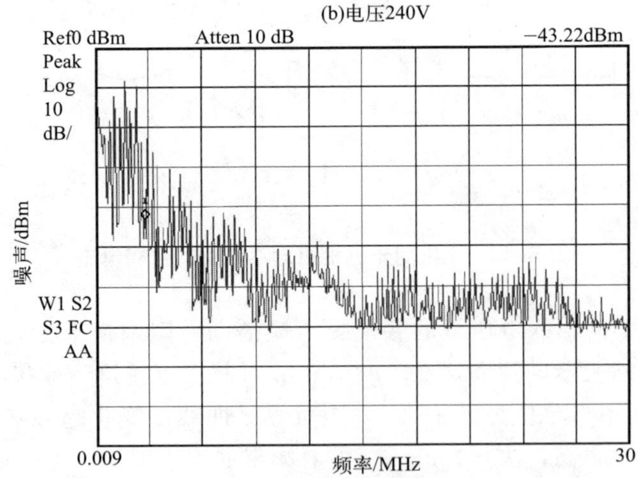

(c)电压360V

图 5.45 转速 1000r/min 时共模噪声频谱图

根据测量数据，把频率范围 0～30MHz 平分为 20 等份，选取对应的噪声功率最大值，利用三次样条曲线拟合 1000r/min 时不同电压的电磁噪声，得到图 5.46 所示曲线。表 5.3 给出电机驱动系统三相主回路电磁噪声的峰值和均值。从图 5.46 和表 5.3 可以看出，随着电机驱动系统三相主回路输入电压升高，噪声有所增加，但增量有限，分别为－2.4dBm 和－2.9dBm。另外值得注意的是，120V 和 240V 时噪声功率的峰值均为－15dBm，而 360V 时，噪声功率的峰值为－11dBm。

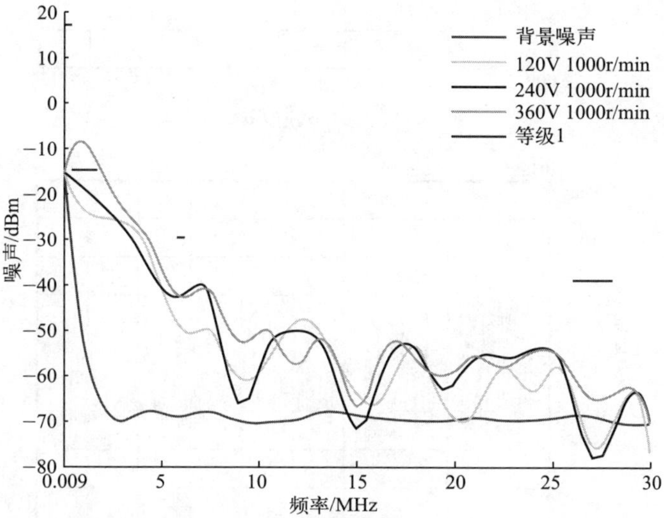

图 5.46 转速 1000r/min 时不同电压的电磁噪声-频率曲线

表 5.3 转速 1000r/min 时不同电压的噪声峰值和均值

电压/V	峰值/dBm	峰值对应的频率/kHz	均值/dBm
120	-15	9	-52.9
240	-15	9	-50.5
360	-11	1600	-47.6

(3) 电机转速与电磁噪声的关系

图 5.47 是输入电压为 330V，转速分别为 0、6000r/min 和 8000r/min 时的共模噪声频谱。由图可见，随着频率的提高，共模噪声呈降低趋势，低频共模噪声变化不大，但不同转速下的降幅有很大差别。

驱动电机转速为 0 时，不同频段的电磁噪声差别很大。频率段为 9kHz～12MHz 时的共模噪声很大，其噪声均值为－33.1dBm；而频率段为 12～30MHz

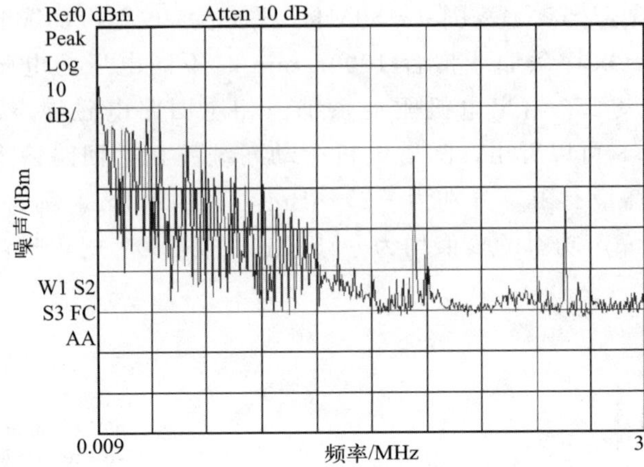

(a)转速为0

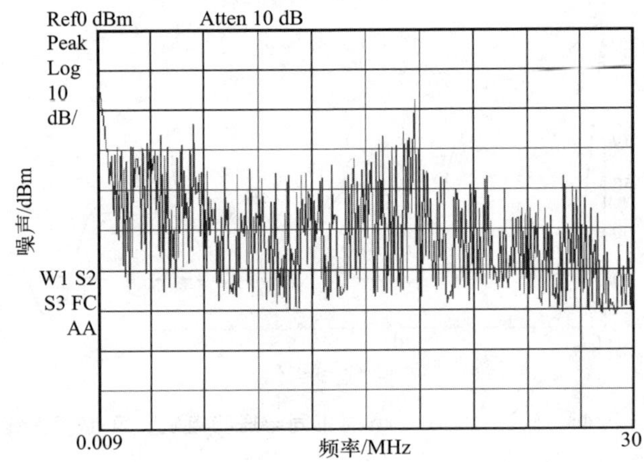

(b)转速为6000r/min

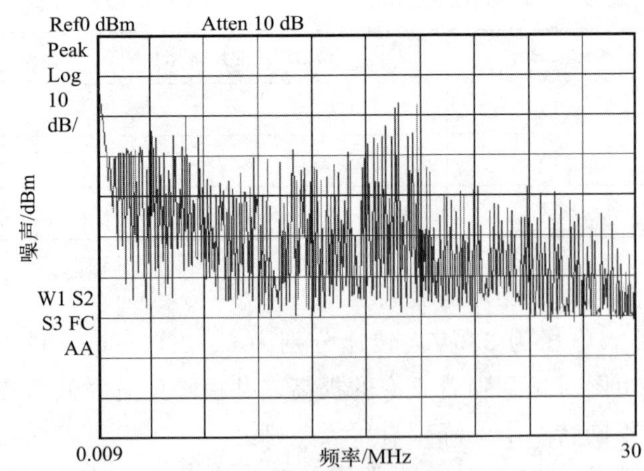

(c)转速为8000r/min

图 5.47　电压 330V 时共模噪声频谱图

时的噪声均值只有－61dBm，噪声大大减小，但在频率为 17MHz 和 25.5MHz 时出现相对较大的噪声，分别为－32dBm 和－40dBm。结果说明驱动电机低转速时的电磁噪声主要来自低频段。

驱动电机转速为 6000r/min 和 8000r/min 时，随着频率的增加，共模噪声有所降低，但降幅不大。频率段 9kHz～6MHz 和 15～18MHz 的共模噪声很大，这与转速为 0 时 17MHz 出现相对峰值的情况是一致的。30MHz 时，共模噪声依然很大，还未趋于稳定，因此当驱动电机处于高转速时，需要扩大频率范围。

不同转速下电磁噪声-频率曲线如图 5.48 所示。表 5.4 为不同转速下电机驱动系统三相主回路共模电磁噪声的峰值和均值。电机是否运转对低频电磁噪声影响不大，而对高频电磁噪声影响很大。驱动电机转速为 0 时，噪声均值为－47.9dBm，而转速为 6000r/min 和 8000r/min 时，噪声均值分别为－35.7dBm 和－32.8dBm。

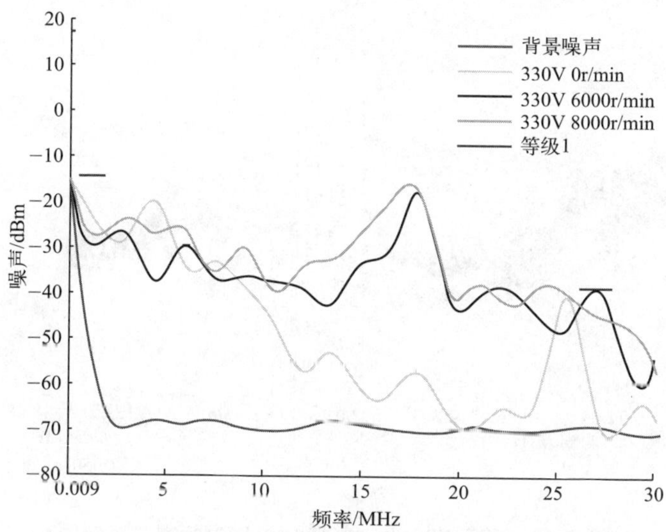

图 5.48　电压 330V 不同转速下的电磁噪声-频率曲线

表 5.4　电压为 330V 时不同转速下的噪声峰值和均值

转速/（r/min）	峰值/dBm	峰值对应的频率/kHz	均值/dBm
0	-15	9	-47.9
6000	-15	9	-35.7
8000	-11	9	-32.8

（4）电机转矩与电磁噪声的关系

天线为垂直极化，观测频率范围 150kHz～30MHz，在电机转速为 4000r/min，线电压为 330V 的情况下，转矩分别设置成 5N · m、50N · m，得到辐射噪声电压频谱（单位为 dBμV）如图 5.49 所示。由图可见，曲线的变化趋势基本相同，开始处 150kHz 时噪声电平很高，分别为 78dBμV（5N · m）和 95dBuV（50N · m)，随着频率的逐步增加，噪声电平逐渐减小，到 18MHz 时，电磁噪声基本稳定在 45～50dBμV；从 14MHz 到 18MHz 噪声降低得非常快，随后噪声随频率增加小幅度波动，并最终趋于稳定。同步电机转矩、功率、转速之间有下面公式：

$$T = 9550P/n$$

$$P = 1.732UI\cos\theta$$

$$n = 60f/p$$

$$\text{异步电机} \quad n = 60f/p(1-s)$$

其中，T 是电机转矩；P 是输入电机功率；n 是电机转速；p 是电机极对数；f 是电源频率；s 是转差率。

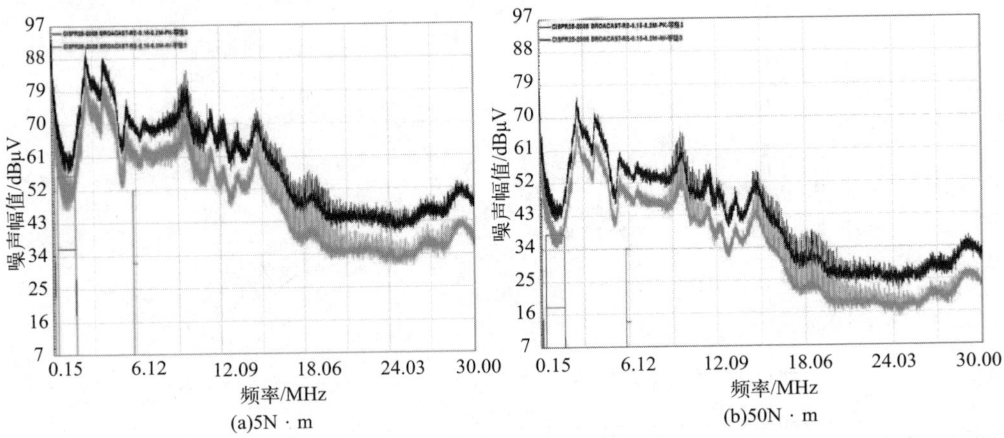

图 5.49 电压 330V、4000r/min 时共模噪声频谱图

根据测量数据，把频率范围 150kHz～30MHz 平分为 20 等份，选取对应的噪声电平最大值，利用三次样条曲线拟合电压 330V、转速 4000r/min 时不同转矩下的电磁噪声，得到不同转矩下电磁噪声-频率曲线，如图 5.50 所示。表 5.5 给出了不同转矩下噪声峰值和均值。

图 5.50 可知，电机启动瞬间两者噪声电平相差很大，50N · m 负载下辐射干扰强度比 5N · m 负载时大 17dBμV，2.5MHz 附近及 5.5～8MHz 频段 50N · m 负载下辐射干扰强度大于 5N · m，最大可高出 4～5dB 左右；8～20MHz 频段，两者噪声电平几乎没有差别；20～30MHz 频段，50N · m 负载下辐射干扰强度略微大于 5N · m。

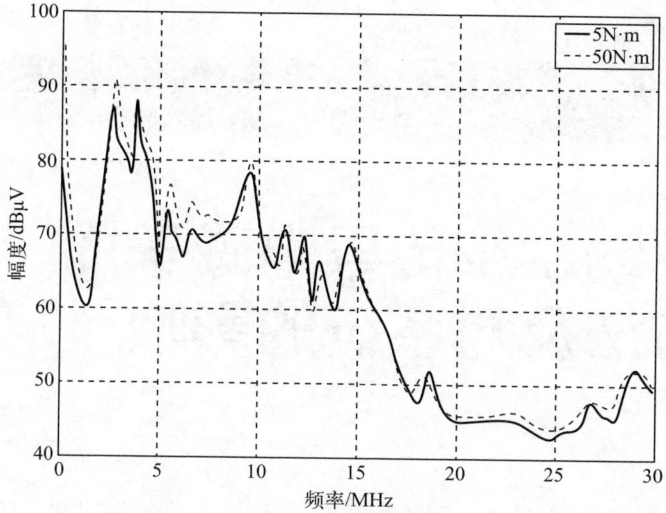

图 5.50 电压 330V、 4000r/min 时不同转矩下的电磁噪声-频率曲线

表 5.5 电压 330V、4000r/min 时不同转矩下的噪声峰值和均值

转矩/N · m	峰值/dBμV	峰值对应的频率/kHz	均值/dBμV
5	78	150	70
50	95	150	88

结果说明，电机启动瞬间，转矩越大，噪声越大，在 8MHz 以下频段，两者噪声电平相差较大，负载越大，辐射干扰强度越大；随着频率的增加（8MHz 以后），两者噪声电平趋于一致。

第6章

电机驱动系统传导电磁干扰抑制方法及对系统的影响

阻抗平衡是抑制 EMI 的一种有效方法，利用无源器件抑制 EMI 噪声传播出电机驱动系统，实际上可以把它归到减小干扰源发射强度。本章介绍一种降低电机驱动系统直流输入端共模 EMI 噪声发射的方法，也即阻抗平衡法。阻抗平衡方法与传统的无源或有源滤波技术不同，传统的方法是依赖于无源器件的阻抗失配，而本章的方法是利用无源器件构成的阻抗平衡电路来消除逆变器产生的共模电流。该方法通过在逆变器输出端放置一个星形连接的三相 RC 滤波电路来提取共模电压，在三相 RC 滤波电路星形连接点与直流母线输入差模滤波电容的中点之间放置一个电感，用于注入共模电流到直流母线输入端；上述器件构成的惠斯通电桥只要恰当选择电感值就能使电桥平衡，而电桥平衡时，直流输入端的共模电流几乎可以被完全消除。本章通过试验及仿真的方法验证了上述方法的有效性，同传统 EMI 滤波器（LC 滤波）相比，阻抗平衡法有效减小了滤波器的尺寸。

逆变器系统的共模噪声通常比差模噪声更加复杂，主要是因为地电流很难准确建模。同差模滤波器类似，共模滤波器通过插入高阻抗的共模扼流圈来降低共模电流大小，同时，利用其低阻抗的电容通路进一步增加对噪声的衰减。在三相电机驱动系统中，共模电压是三相电压之和的平均值。通过改变脉宽调制方式和逆变器电路拓扑结构（例如增加一相桥臂，三相四桥臂）可以减少电机驱动系统共模电流。

6.1 电机驱动系统阻抗平衡抑制方法

6.1.1 阻抗平衡的概念

阻抗平衡利用无源器件来减少逆变器的输入共模电流。然而，阻抗平衡抑制噪声的原理不同于无源滤波，无源滤波的原理是使其阻抗失配。无源滤波器通常用电感（高阻抗器件）来阻断通过低阻抗的源或负载上的噪声；或者用电容（低阻抗器件）来旁路进入高阻抗通路的噪声。

阻抗平衡减少输入共模电流的原理是把噪声源（半导体开关器件）放置到惠斯通电桥的中心，如果电桥能很好地平衡，那么共模电流只在逆变器内部流动，并且不会耦合到输入电源端。阻抗平衡电路只需要平衡逆变器到地的寄生阻抗及负载（电机）对地的共模阻抗，因此它不需要大的电容或电感。

阻抗平衡法最初用在升压逆变器中。图 6.1（a）是 Boost 逆变器电路，图 6.1（b）是其共模等效电路。图中，C_a、C_b、C_c 是逆变器到地之间的杂散电容；Z_{cm} 是直流输入端到地的阻抗，包括 EUT 侧的 LISN 阻抗。

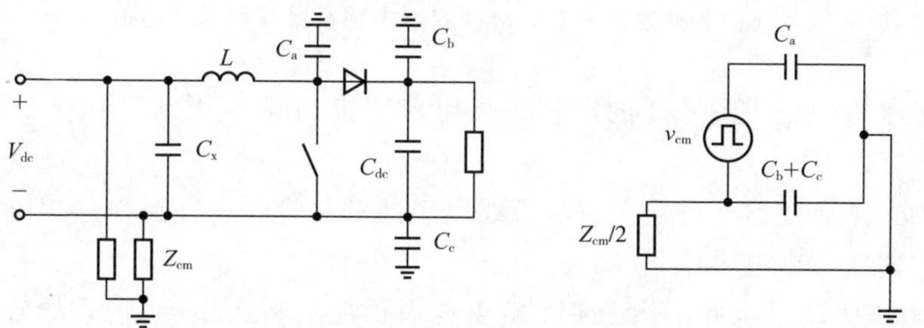

(a)Boost逆变器电路　　(b)Boost逆变器共模等效电路

图 6.1　Boost 逆变器电路及其共模等效电路

在共模等效电路中，输入差模电容 C_x 和输出直流母线电容 C_{dc} 在 EMI 频段（高频）因为呈现低阻抗而被视为短路。共模噪声源来自开关动作，在共模等效电路中，开关由脉冲源替代，共模电流流经两个并行的 LSIN。因此，输入端到地之间的阻抗为 $Z_{cm}/2$。

图 6.1（b）的共模等效电路中只包含有半个惠斯通电桥。噪声源 v_{cm} 右边两个阻抗是 C_a 和 C_b+C_c，如果在 v_{cm} 左边放置另外两个阻抗，则可以构成一个完整的惠斯通电桥。输入共模阻抗 Z_{cm} 穿过惠斯通电桥，当电桥平衡时，Z_{cm} 上无共模电流流过。

为实现这种结构的电桥，修改后的 Boost 逆变器电路如图 6.2 所示。输入 Boost 电感 L 分为两个：L_{b1}、L_{b2}，Z_{cm} 不再直接连接到共模噪声源与地之间，而是通过两个电感连接到噪声源的两侧。在共模等效电路中，噪声源位于惠斯通电桥中心，因此 Z_{cm} 两端的噪声电压和电桥上的四个器件相关。如果电路的参数满足：

$$\frac{L_{b1}}{L_{b2}}=\frac{C_b+C_c}{C_a}$$

上述表达式成立时电桥平衡，图 6.2 中 A 点与 B 点的电压相等。此时，Z_{cm} 上没有共模电流流过。

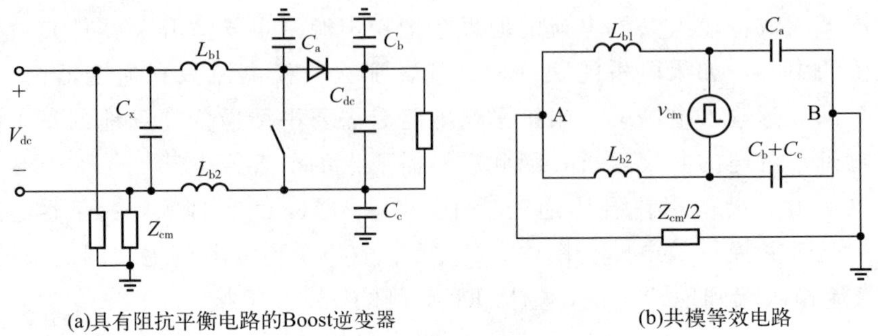

图 6.2　修改后的 Boost 逆变器电路及其共模等效电路

值得注意的是，图 6.2 的阻抗平衡电路不能直接应用到三相电机驱动系统中，原因有以下三点：

① Boost 逆变器通过输出直流母线电容抽取共模电压，但在三相电机驱动系统中没有这样一个电容；

② 电机驱动系统并不像 Boost 逆变器一样有一个 Boost 电感，导致惠斯通电桥的一个桥臂不存在；

③ 电机驱动系统中没有一个可以注入电流用来消除输入共模电流的节点。

如果对电机逆变电路做一些改进，阻抗平衡法就能应用到电机驱动系统中。第 1 个问题可以通过从电机驱动系统逆变器交流输出的差模滤波器上取得共模电压来解决；第 2 个问题可以通过在电机驱动直流母线输入侧放置一个共模扼流圈，作为电桥的另一个桥臂来解决；第 3 个问题可以从电机驱动系统逆变器交流输出的 RC 滤波器端引一条交流通路到电机的直流输入端来解决。虽然电机输出滤波器的设计针对的目标不同，但是 RC 滤波器给电机驱动输入端和输出端间提供了一个通路，因此合理设计 RC 滤波器的拓扑结构就可以构成我们需要的惠斯通电桥。

图 6.3 设计了有返回直流母线通路的电机驱动输出的 RC 滤波器的拓扑结构，图中显示了两种类型的返回通路：两组返回到直流母线正负极的 RC 电路，通过两个电容返回到直流母线中点的 RC 电路。在其他研究中也有通过二极管返回到直流母线通路或直流母线中点的滤波器拓扑结构。这些带有返回直流母线的 RC 滤波器的作用是减少电机驱动输出过电压（纹波），RC 电路使得提取共模电压成为可能，同时也使电机驱动的阻抗平衡方法得以实现。最终选择图 6.3（b）中的拓扑结构，因为它所需的器件更少。

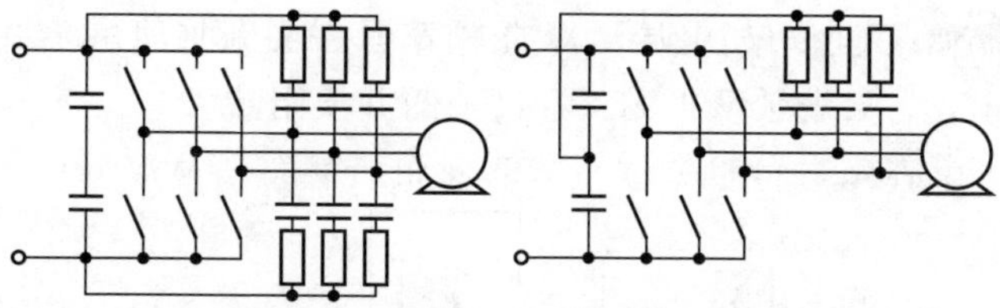

(a)返回到直流母线正极和负极　　(b)返回直流母线中点

图 6.3　返回直流母线的电机驱动输出 RC 滤波器的拓扑结构

6.1.2　阻抗平衡电路设计

三相电机驱动系统电路示意图如图 6.4（a）所示，共模扼流圈 L_1（共模 EMI 滤波器的一部分）放在逆变器直流输入端作为电桥的一部分，其大小体积相比传统的共模扼流圈显著减小（由于采用阻抗平衡抑制方法）。差模直流滤波电容 C_{dc} 放在扼流圈和逆变器之间的目的是减少在逆变器开关周期内电感间相互作用的影响。该电容的值通常比较大，在共模 EMI 模型中可以认为短路。图中，电机可以是感应电机或同步电机，逆变器到电机之间的电缆假定足够短，其共模阻抗同电机相比可忽略不计，电机机壳良好接地。

在直流输入端上的共模 EMI 噪声电流是由逆变器上的共模电压通过对地的寄生阻抗驱动产生的。地电流的传播路径有两条：一条是 IGBT 开关期间产生的对地变化的高电压通过 IGBT 散热器与地之间的寄生电容产生的高频地电流，该地电流必然会寻找一条返回直流电源的通路并成为在直流输入侧测得的共模 EMI 发射噪声的一部分；另一条是由于电机定子绕组和电机机壳之间的容性耦合，定子绕组的这种容性耦合又通过转子之间的气隙形成另外一条通过电机轴承返回电机机壳的地电流。电机共模阻抗通过将三个定子绕组短接然后测量短接点对电机机壳（地）的阻抗获得，因为是容性耦合，所以用一个电容符号 C_{mg} 来表示。直流母线到逆变器的散热器之间也是容性耦合，同其他寄生电容一起作为直流母线对地的共模阻抗（共模滤波电容），记作 C_{bg}。该阻抗可以仿照电机共模阻抗的测量方法，将直流母线短接然后测量短接点对地的阻抗。IGBT 开关操作（换流）既影响共模 EMI 也影响差模 EMI，假设每个开关是理想的，逆变器的共模行为可以用一个理想电压源 v_{cm} 来表示。

$$v_{cm}=\frac{v_a+v_b+v_c}{3}$$

$$v_a=S_a(t)\frac{V_{dc}}{2}$$

式中，v_a、v_b 和 v_c 是逆变器相对于直流母线中点的三相电压。用一个二进

制函数 $S_a(t)$ 表示每相开关状态，$S_a(t)=1$ 表示高边开关为 ON，$S_a(t)=-1$ 表示低边开关为 ON，其余两相电压可以类似表示。电机驱动系统共模等效电路如图 6.4（b）所示，Z_{cm} 表示从 LISN 看过去的共模阻抗。

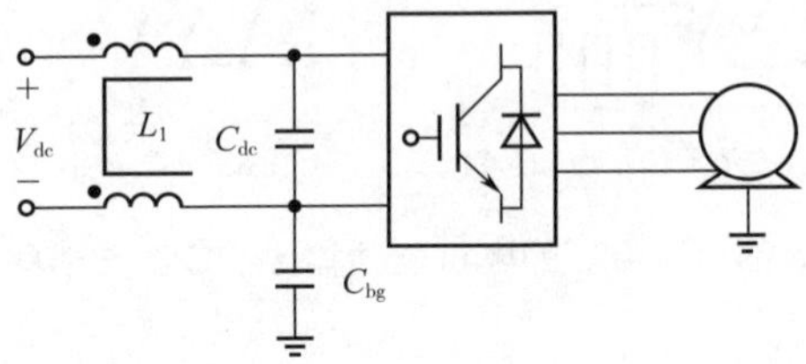

(a)三相电机驱动系统

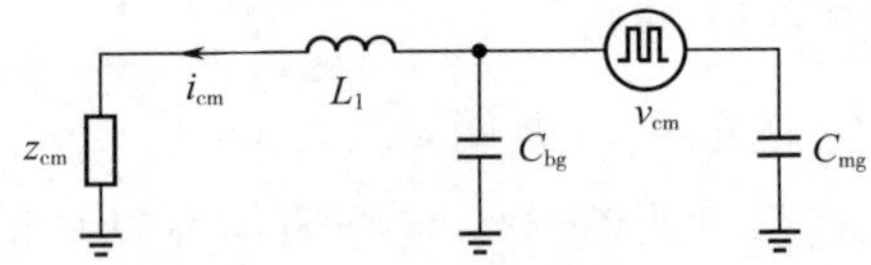

(b)共模等效电路

图 6.4　三相电机驱动系统电路

在图 6.4（b）的等效电路中，逆变器上的共模电压通过电机共模阻抗驱动产生共模电流 i_{cm}。直流母线上的共模电容 C_{bg} 与输入共模电感（即共模扼流圈 L_1）组成共模滤波器，增加共模电容值可以减少输入端的共模电流，但是也会带来下面问题：

① 电机地电流也会随之增加，特别是具有高 C_{mg} 的大功率电机；

② 如果直流母线是由 PWM 整流器驱动的，则交流输入共模电流也同样会增加。

本章提出的阻抗平衡抑制方法可以很好地解决上述问题，因为阻抗平衡方法可以避免使用较大的共模滤波电容。该方法在图 6.5（a）中可以得到很好的解释，图中在逆变器输出端和直流输入端之间增加一个电感 L_2，该电感同 L_1 和前述的两个共模电容形成一个完整的电桥，电桥的中心是共模电压 v_{cm}，如图 6.5（b）所示。

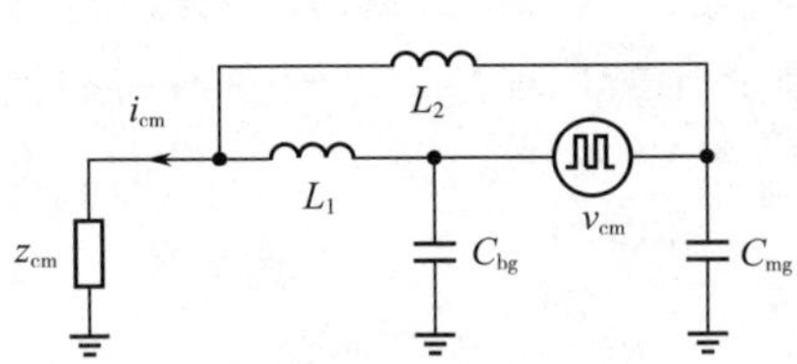

(a)在图6.4(b)中增加电感L_2

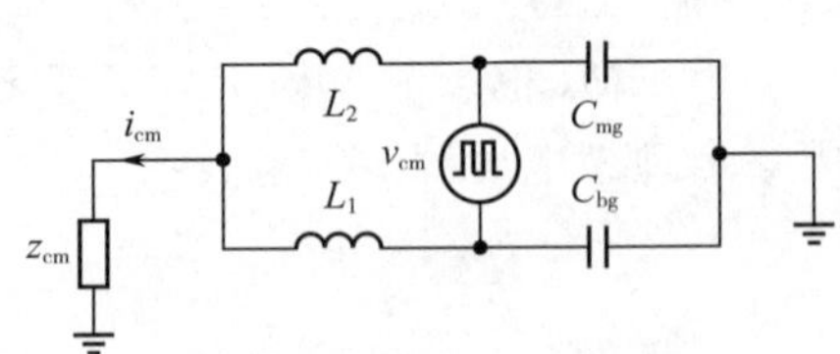

(b)重新构建的共模等效电路

图 6.5　阻抗平衡抑制方法下的三相电机驱动系统电路

基于电桥平衡原理，如果满足下式则逆变器产生的在直流母线输入端测得的共模电流 i_{cm} 近似为零。

$$\frac{L_2}{L_1}=\frac{C_{bg}}{C_{mg}} \tag{6.1}$$

当平衡条件满足时，通过 L_1 和 L_2 的共模电流大小相等、方向相反。实际电路中需要两个附加的电路网络 N_{dc} 和 N_{ac} 来构建平衡电路，如图 6.6（a）所示。

在直流输入端，用 2 个差模电容 C_x 连接直流母线的正负极，电容的中点作为直流输入端的共模连接点，如图 6.6（b）所示。类似地，用 3 个电容，每个连接到逆变器输出的某一相，3 个电容并联端作为交流输出端的共模连接点。为了避免可能的谐振，串联一个阻尼电阻。该电阻可以与每个电容串联或与电感串联，如图 6.6（c）所示。如果把增加的电路网络 N_{dc} 和 N_{ac} 阻抗考虑进去的话，电桥的平衡条件如下：

$$\frac{R_y/3+1/\mathrm{j}\omega 3C_y+\mathrm{j}\omega L_2}{1/\mathrm{j}\omega 2C_x+\mathrm{j}\omega L_1}=\frac{C_{bg}}{C_{mg}} \tag{6.2}$$

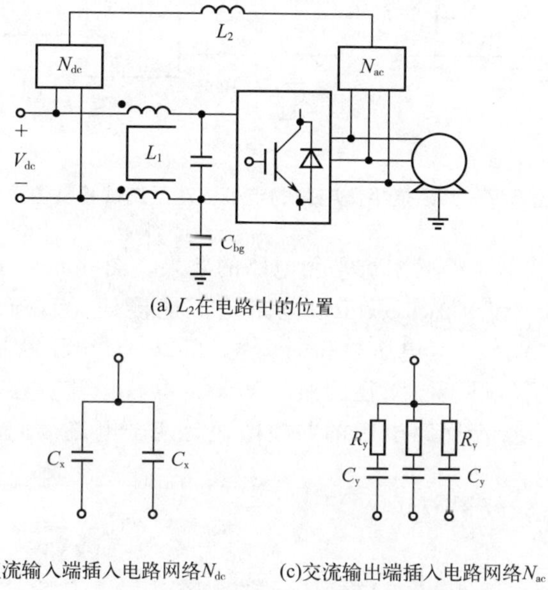

(a) L_2在电路中的位置

(b)直流输入端插入电路网络N_{dc}　　(c)交流输出端插入电路网络N_{ac}

图 6.6　增加 N_{dc} 和 N_{ac} 后构建的平衡电路

当电容、电阻在高频时的阻抗远远小于 2 个电感的阻抗时，式（6.2）即可简化为式（6.1）。

6.1.3　阻抗平衡抑制方法的试验及仿真验证

本节通过建立试验及仿真电路来验证阻抗平衡方法。图 6.7 所示是电机驱动试验系统，该系统是转速开环控制系统，负载为245W三相感应电动机。由一个55μH直流输入共模扼流圈 L_1 和2个10nF共模电容 C_{bg} 组成输入共模滤波器，交流返回路径是通过连接输入和输出差模电容中点的130μH电感 L_2。RC滤波电路连接共模回路的电容 C_y 为30nF，L_2 和 C_y 的谐振频率为43kHz，保证了交流返回路径在关注的EMI频率范围内（150kHz～30MHz）是感性的。7.5Ω阻尼电阻 R_y 在共模路径中的等效电阻是2.5Ω，在150kHz及以上频段的等效阻抗远远小于130μH的阻抗，所以不会影响电路平衡。从图6.7中可以看出，直流母线对地寄生电容是 $C_{bg}=20$nF，实际测得的电机绕组间的对地共模寄生电容是 $C_{mg}=8.5$nF。可见，电桥平衡，因为下式成立：

$$\frac{L_2}{L_1}=\frac{C_{bg}}{C_{mg}}=2.35 \tag{6.3}$$

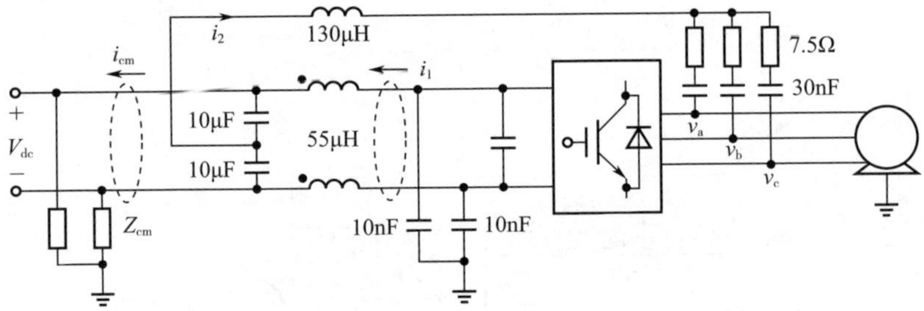

图6.7　带阻抗平衡电路的电机驱动系统试验及仿真电路

下面用时域波形来检验阻抗平衡电路的效果。图6.8显示了三个IGBT低边C-E电压（v_a、v_b 和 v_c）以及RC电路星形连接处对直流母线负极间的电压（v_{cm}）。v_{cm} 电压是 v_a～v_b 电压之和的1/3，所以 v_{cm} 电压就是预期的输出共模电压。图6.9显示了流过不同路径的时域测量的共模电流。在测量中，i_1 和 i_2 是通过共模扼流圈和交流回路电感的共模电流，两个电流彼此相互抵消，i_{cm} 是流

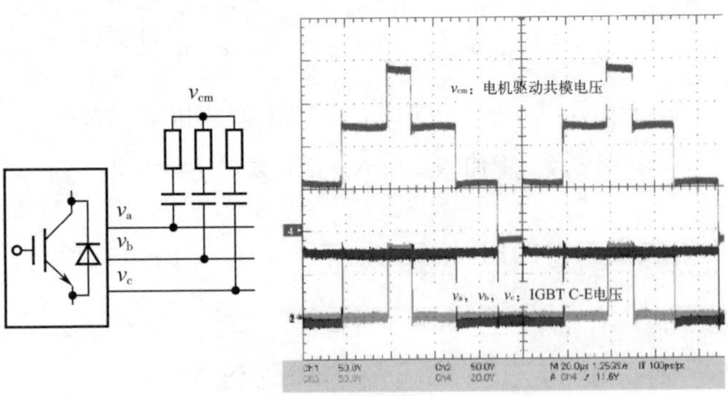

图6.8　电机驱动系统输出电压的比较

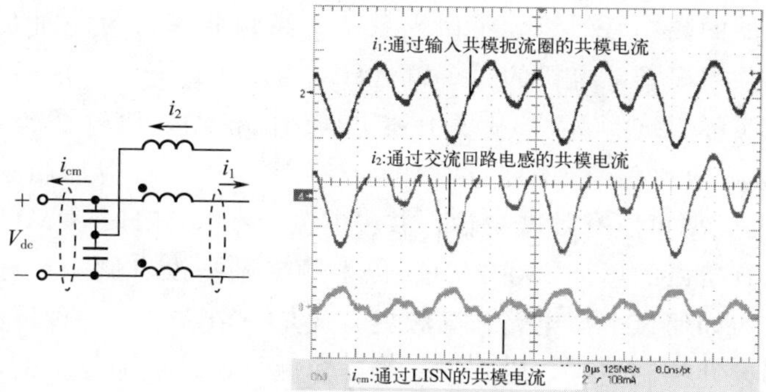

图 6.9　电机驱动系统共模电流的比较

入 LISN 的电流。结果表明，由于阻抗平衡电路的作用，通过共模扼流圈的峰值共模电流约 0.5A，但被来自交流返回通路的电流抵消，所以进入 LISN 的共模电流只有 50mA。

图 6.10 比较了接入和未接入 L_2 时电机驱动系统输入共模电流的频谱。在 150～600kHz，共模噪声显著下降（最大 12dB），随着频率增加，平衡电路对共模噪声的衰减可以到 600kHz 频率附近。之后，由于电桥每个臂中寄生参数起主导作用，电桥变得不平衡。

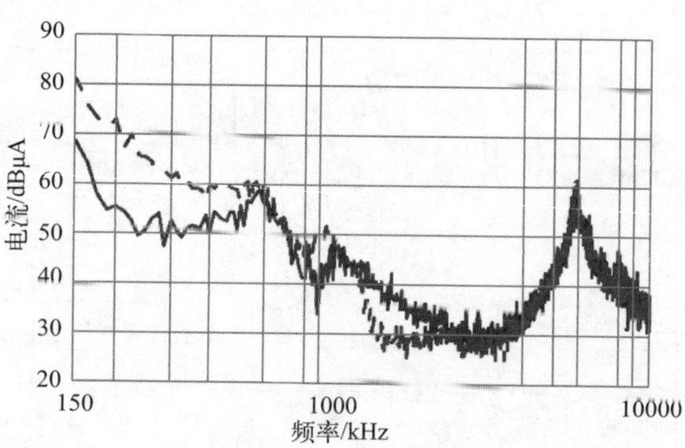

图 6.10　电机驱动系统输入共模电流频谱

虚线—未接入 L_2；实线—接入 L_2

基于图 6.5（b）的等效电路，电机的共模电流可能会因为加入了阻抗平衡电路而增加，然而，试验测量显示电机的共模电流基本不受影响，原因可能是电机的阻抗远远高于加入的阻抗平衡电路的阻抗。

从图中可以看出，在 2MHz 频率以上，阻抗平衡电路对共模 EMI 噪声基本没有抑制作用，这主要是因为共模等效电路模型中忽略了寄生电感的影响，所以模型只在相对低的频率有效。为了研究系统的高频共模行为，图 6.11 给出了更加详细的系统共模模型，电桥的每个臂（L_1、L_2、C_{bg} 和 C_{mg}）都由高阶等效电路表示（来自实际阻抗测量）。基于上述更详细的模型，比较了加入平衡电路前后输入共模电流的比值（150kHz～10MHz），结果表明增加阻抗平衡电路在 600kHz 以下的频率可以有效减少输入共模电流，在 600kHz～2MHz 的频率范围输入共模电流有略微的增加，在 2MHz 以上频率基本没有影响。这与图 6.10 的频谱比较一致。如何让平衡电路在高频更有效是一个难题，一种可能的方法是通过封装和内部设计控制寄生效应；另一种方法就是设计更加复杂的电路使电桥在高频时能很好地平衡。图 6.11 是完整的具有阻抗平衡电路的电机驱动系统共模等效电路。4 个阻抗 Z_1～Z_4 分别代表交流返回通路、输入共模扼流圈和 C_x、电机共模阻抗、直流母线对地电容的阻抗。图 6.11 中也包括了寄生参数，在不同的配置条件下，可以通过共模电流 i_{cm} 来估计阻抗平衡电路的衰减值。交流返回路径从 A 点断开时流过 Z_{cm} 的共模电流是：

$$i_{cm1}=\frac{-Z_4(Z_3+Z_4)}{Z_2+Z_4+Z_{cm}-Z_4^2/(Z_3+Z_4)}v_{cm}$$

整个阻抗平衡电路的共模电流是：

$$i_{cm2}=\frac{Z_1/(Z_1+Z_2)-Z_4/(Z_3+Z_4)}{Z_2+Z_4+Z_{cm}-Z_1^2/(Z_1+Z_2)-Z_4^2/(Z_3+Z_4)}v_{cm}$$

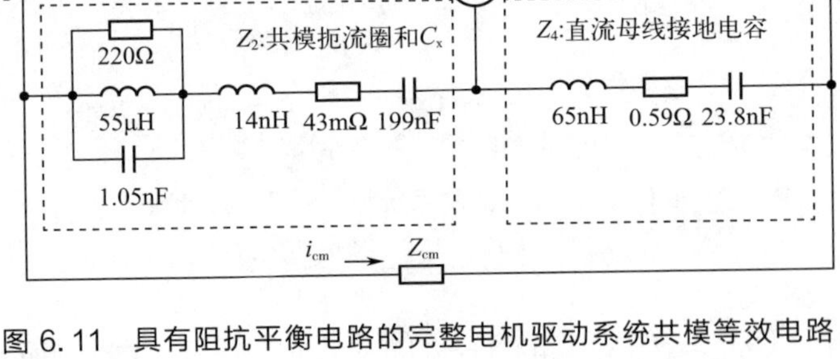

图 6.11　具有阻抗平衡电路的完整电机驱动系统共模等效电路

如图 6.12 所示，i_{cm1} 和 i_{cm2} 之比是阻抗平衡电路的衰减量。从图中可以看出，600kHz 附近的衰减是负的，意味着该阻抗平衡电路可以降低输入共模电流。这个结论与图 6.10 中的频谱是一致的。

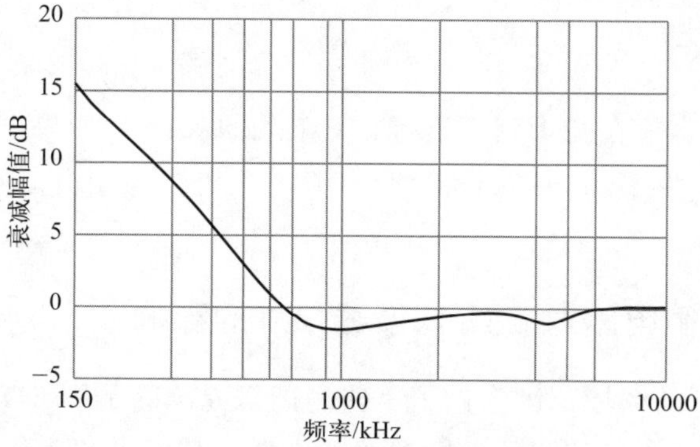

图 6.12　阻抗平衡电路的衰减量

6.1.4　阻抗平衡电路对电机正常运行的影响

阻抗平衡电路放置在电机驱动系统的输出端可能影响电机的正常运行，阻抗平衡电路在基频处的影响是微不足道的。因此，它不影响电机驱动系统的控制过程。图 6.13 是一个具有阻抗平衡电路的电机驱动系统的简化电路。为简单起见，RC 滤波电路和交流通路的阻抗各自用 Z_{RC} 和 Z_r 表示。因为寄生因素不影响控制过程，所以可以去掉共模扼流圈和共模电容。图中的接地符号代表所有的电压参考点，而不是实际的接地点。

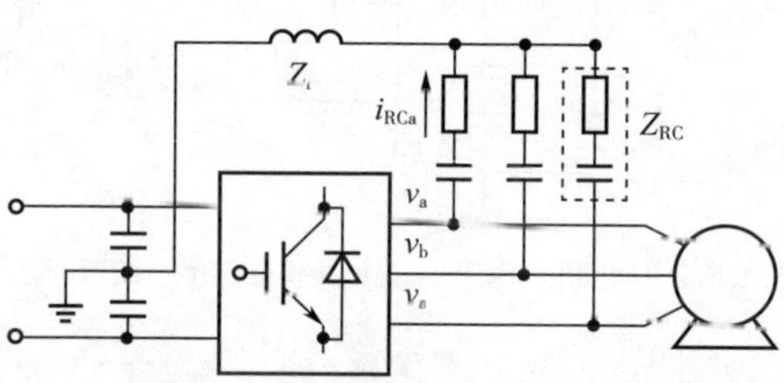

图 6.13　具有阻抗平衡电路的电机驱动系统简化电路

阻抗平衡电路将从电机驱动系统中汲取额外的电流。对于连接到电机驱动输出 a 相线的 RC 电路，通过这个支路的电流如式（6.4）所示，其中符号“‖”表示并联的两个阻抗。

$$i_{RCa}=\frac{v_a}{Z_{RC}+Z_r\|Z_{RC}\|Z_{RC}}-(v_b+v_c)\frac{1}{Z_{RC}+Z_r\|Z_{RC}\|Z_{RC}}\times\frac{Z_r\|Z_{RC}}{Z_r+2Z_{RC}} \tag{6.4}$$

基频时 RC 电路的阻抗远远大于电感的阻抗。因此，式（6.4）可简化为式（6.5）。

$$i_{RCa}=\frac{v_a}{Z_{RC}} \tag{6.5}$$

RC 电路的电容值在几十到上百纳法，比如 100nF，如果电驱输出相电压为 220V，电流 i_{RCa} 大约为 6.91mA。这个电流与电机输入相电流（100～200A）相比较可以忽略不计。

6.1.5 阻抗平衡电路对 EMI 滤波器尺寸的影响

在不同条件下的频域范围内做了一些测试研究。除了图 6.7 中的阻抗平衡电路外，图 6.14 显示了另外两种不同配置的电路：使用与图 6.7 中相同的共模扼流圈和共模电容，但是交流返回通路没有连接；用一个更大电感值的输入共模滤波器抑制输入共模电流，以达到与图 6.7 中电路同样的降噪效果，同时，把不采取任何滤波措施的电机输入共模电流也包括在比较内。如图 6.15 所示，一个 80μH 共模扼流圈和 40nF 共模电容组成的共模滤波器的抑制噪声能力与图 6.7 中的电路作用相似，但需要更大尺寸的电容和电感。表 6.1 比较了使用阻抗平衡法和使用 LC 滤波器达到同样降噪效果时所需器件尺寸的大小。

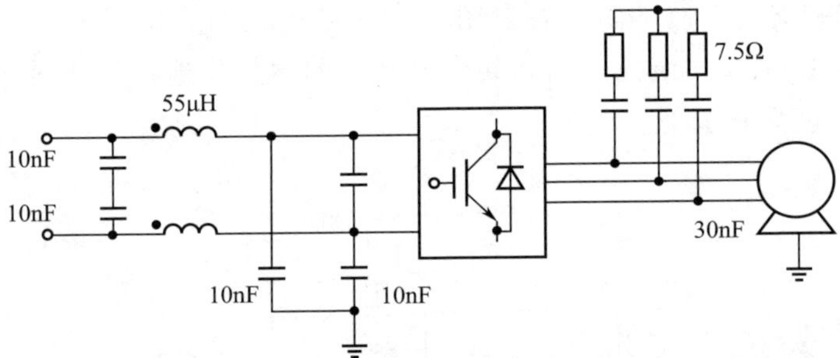

(a)使用与图6.7中相同的共模扼流圈和共模电容但交流返回通路未连接

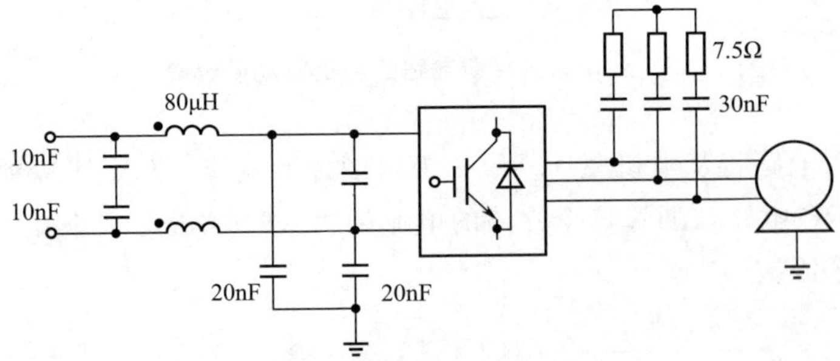

(b)用一个更大电感值的输入共模滤波器抑制输入

图 6.14 阻抗平衡不同配置时域测量

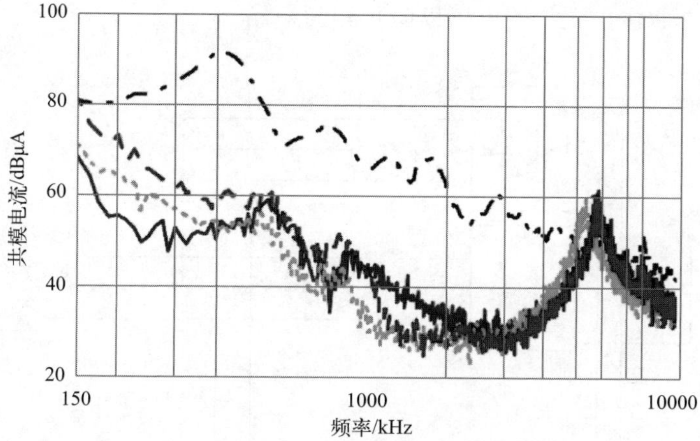

图 6.15 有/无阻抗平衡电路和 LC 滤波器的输入共模电流的频域比较

蓝色实线—具有完整阻抗平衡电路的电驱系统；红色虚线—交流返回通路不连接；绿色点线—使用大输入电感值的共模滤波器（抑制输入共模电流，达到类似具有完整阻抗平衡电路的电驱系统的效果）；黑色点划线—电驱系统没有任何滤波器件

表 6.1 阻抗平衡法和 LC 滤波器间的器件参数比较

阻抗平衡	器件	2×10nF	55μH + 130μH
	尺寸	640mm^3	753mm^3
LC 滤波器	器件	2×20nF	80μH
	尺寸	1100mm^3	932mm^3

6.2 电机驱动系统载波移相交错控制抑制技术

6.2.1 载波移相交错技术

载波移相交错技术是一种对多个并联运行逆变器的控制技术，交错技术基于相同的逆变器模块，这些模块一般做成标准化形式以便减少整个系统的开发时间。交错技术具有降低开发成本及在逆变器容量有限的情况下扩展功率等级和提供功率冗余的优点。除此之外，载波移相交错技术还具有衰减或消除谐波的功能，可用于抑制电机驱动系统的 EMI 噪声。

图 6.16 所示是 N 个并联逆变器组成的电机驱动系统示意图。图中，N 个相同的逆变器模块同时接在直流母线上，逆变器交流输出侧的电压 v_{xi}（$x=$a，b，c；$i=1$，2，…，N）表示属于模块号为 i 的 x 相线的电压，输出相电压为 $v_{\rm a}$、

v_b 和 v_c。逆变器输出端放置电感以防止相间短路。

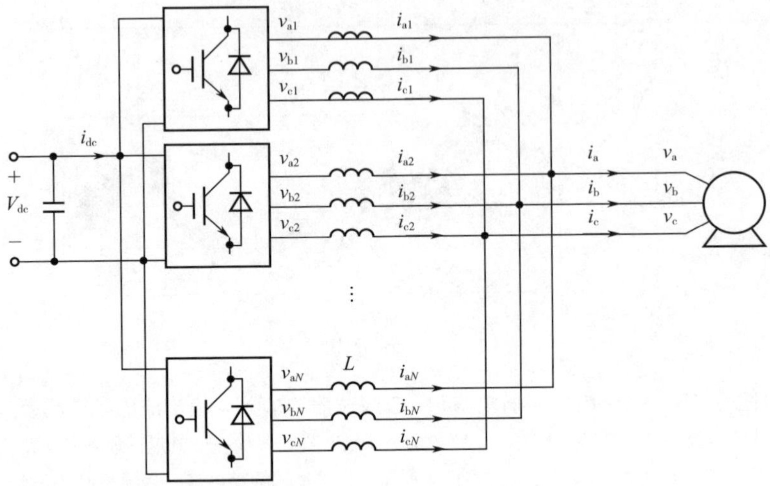

图 6.16　N 个并联逆变器模块组成的电机驱动系统

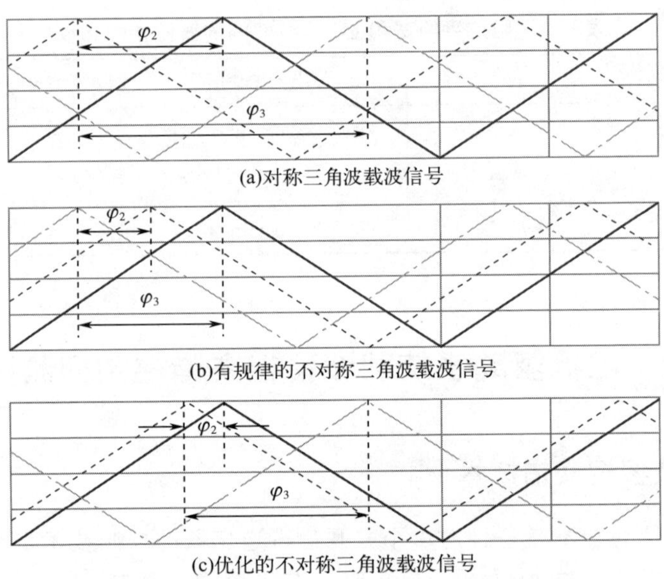

图 6.17　三个并联电机驱动模块的载波信号

交错技术一般可分为两大类：对称交错技术和不对称交错技术，不对称交错技术又可分为有规律的不对称交错技术和优化的不对称交错技术。假设有 n 个以交错方式工作的电机驱动模块，并定义第 n 个模块与第 1 个模块间的载波相移为 N，则对称交错技术意味着载波相移满足：

$$\varphi_n = 2\pi \frac{n-1}{N}, \quad n=1, 2, \cdots, N \tag{6.6}$$

有规律的不对称交错技术要求：$\varphi_2 = \varphi = \varphi_N$，优化的不对称交错技术没有上述要求。图 6.17 所示是三个并联电机驱动模块的载波信号。图中标识出了模块之间的相移 φ_2、φ_3，因为不对称交错技术更加灵活，所以其噪声抑制效果要优于对称交错技术。

6.2.2 交错技术对电机驱动系统的影响

本节研究的中心是交错相移技术的优化。因此，有必要先分析交错技术对电机驱动输出的共模、差模电流及输入直流母线电流的影响。对于不同类型的电流，可用解析（函数）表达式来表示由交错技术引起的衰减量。

（1）对相电流的影响

在频域范围内应用双重傅里叶分析方法来研究交错技术的噪声抑制效果。假设载波的频率是 ω_c，参考频率是 ω_r，定义第 i 模块 x 相（$x=a$，b，c）的电机输出电压为 v_{xi}，其傅里叶级数形式为：

$$v_{xi} = \sum_{m=0}^{\infty} \sum_{n=-\infty}^{\infty} C_{mn} e^{jm(\omega_c t + \varphi_i)} e^{jn(\omega_r t + \theta_x)}$$

$$C_{mn} = \begin{cases} 0.5MV_{dc} & m=0, n=1 \\ \dfrac{2V_{dc}}{m\pi} J_0\left(\dfrac{mM\pi}{2}\right)\sin\left(\dfrac{m\pi}{2}\right) & m \neq 0 \\ 0 & m-0, n \neq 1 \end{cases}$$

其中，φ_i 是式（6.7）中定义的第 i 模块的相移；θ_r 是 x 相的相移角：$\theta_a=0$，$\theta_b=-2\pi/3$，$\theta_c=2\pi/3$。

m 是载波的阶数，n 是边带谐波的阶数，M 为调制指数，系数 C_{mn} 基于三角载波信号的情况。多个模块交错工作时的 x 相输出电压计算如下：

$$\begin{aligned} v_{xi} &= \sum_{m=-\infty}^{\infty} \sum_{n=-\infty}^{\infty} \left[C_{mn} e^{jm\omega_c t} e^{jn(\omega_r t + \theta_x)} \frac{1}{N} \sum_{i=1}^{N} e^{jm\varphi_i} \right] \\ &= \sum_{m=-\infty}^{\infty} \sum_{n=-\infty}^{\infty} \left[C_{mn} e^{jm\omega_c t} e^{jn(\omega_r t + \theta_x)} k(m, \varphi_1, \varphi_2, \cdots) \right] \end{aligned} \tag{6.7}$$

其中，
$$k = \frac{1}{N} \sum_{i=1}^{N} e^{jm\varphi_i}$$

比例因子 k 表示交错控制的影响，仅与载波的阶数和相移角有关，与采用何种 PWM 调制方式无关。容易看出，对于对称交错的 N 个模块，所有的 k 阶载波和它们的边带谐波（$n=1$，2，…）都保持不变，但是其他谐波都被消除了，在这种情况下比例因子 k 是 0 或 1。在优化不对称交错技术中，虽然谐波不能被完全消除，但大多数谐波都得到衰减。这种情况下的比例因子在 0 到 1 之间。图 6.18 显示了在开关频率为不同阶次的谐波处以及两种不同交错方法下的比例因子。

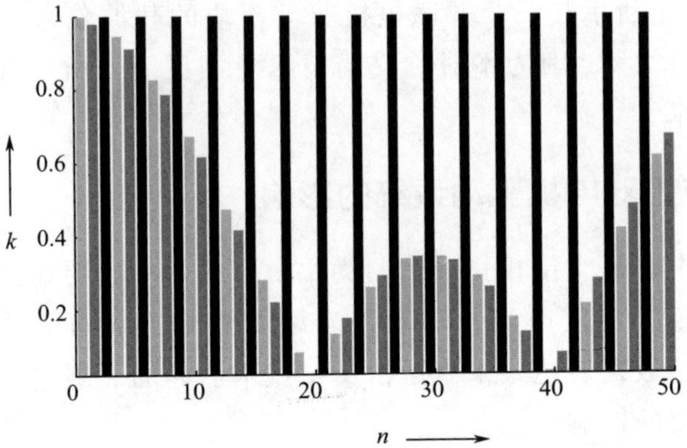

图 6.18 载波不同阶次谐波的比例因子

黑色 对称；灰色—优化不对称（7°，15°）

交错相移的优化技术基于比例因子 k。对于一个给定的电机驱动系统，通过前文给出的方法，把电机看成逆变器的负载阻抗来建模，在电机频率阻抗波谷处存在一个共模电流峰值。因此，通过选择恰当的组合 φ_2，φ_3，…，φ_N 使比例因子 k 在这个频率附近下降，这就是相移优化的基本思想。

因为共模和差模电压同输出相电压成线性关系，所以可以通过相电压来测量电机输入共模和差模电压，比例因子 k 对它们的交错影响是一样的，这一结论可以通过共模和差模电压的表达式得到验证：

$$v_{cm}=\frac{1}{3}(v_a+v_b+v_c)\sum_{m=-\infty}^{\infty}\sum_{n=-\infty}^{\infty}[C_{mn}e^{jm\omega_c t}e^{jn\omega_r t}k(m,\varphi_1,\varphi_2,\cdots)]$$

$$\begin{aligned}v_{dm}&=\frac{1}{3}(2v_a-v_b-v_c)\\&=\frac{1}{3}\sum_{m=-\infty}^{\infty}\sum_{n=-\infty}^{\infty}[C_{mn}e^{jm\omega_c t}(2e^{jn\omega_r t}-e^{jn\left(\omega_r t-\frac{2}{3}\pi\right)}-e^{jn\left(\omega_r t+\frac{2}{3}\pi\right)})k(m,\varphi_1,\varphi_2,\cdots)]\end{aligned} \tag{6.8}$$

不对称交错技术可以减小电机驱动系统的输出噪声及所需滤波器的衰减量，尤其是对开关频率较低的电驱系统，而对称交错技术只能抵消一部分的谐波峰值；如果开关频率较低，无法改变噪声频谱包络，不对称交错技术能在相对宽的范围内衰减谐波峰值，所以它能抑制噪声频谱包络并进一步降低所需滤波器的衰减量，而不必花费额外的成本。通常，噪声频谱的第一个峰值决定了所需滤波器的衰减量，借助计算机辅助设计优化相移组合（φ_2，φ_3，…，φ_N）可以最大程度地抑制这个峰值。由于比例因子 k 总是在 0 到 1 之间，所以优化的相移（φ_2，φ_3，…，φ_N）可以用来最小化 EMI 滤波器，而不会增加其他的噪声。

（2）对直流母线电流的影响

交错技术同样会影响输入直流电流，但是这种影响无法像输出电流那样用一个简单的比例因子来表示。直流母线电流驱动逆变器（开关）并产生输出电流，对确定的相位角来说，开关函数表示高边或低边的 IGBT 导通，一般用 0 或 1 表示，开关函数定义如下：

$$s_{xk}=\begin{cases}0 & \text{低边 IGBT 导通}\\1 & \text{高边 IGBT 导通}\end{cases}$$

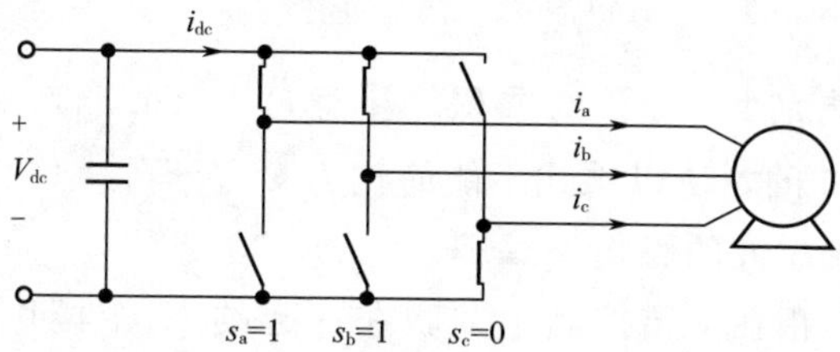

图 6.19　给定开关状态下的直流母线电流和三相电机驱动输出相电流

可以用开关状态和电机驱动系统输出相电流来表示直流母线电流，图 6.19 显示了 $s_a=1$，$s_b=1$ 和 $s_c=0$ 的单个驱动模块的例子。该直流母线电流表达式容易扩展到 N 个交错驱动模块的情况中，其中开关函数可以用输出相电压和直流母线电压之比来表示：

$$i_{dc}=\sum_{k=1}^{N}\sum_{x=a,b,c}^{\infty}(s_{xk}i_{xk}),\qquad s_{xk}=\frac{v_{xk}}{v_{dc}}+\frac{1}{2}$$

电机相电流由相电压和电机差模阻抗 Z_{dm} 来决定，Z_{dm} 是电机某一相与另两相并联的阻抗。对于 a 相电流中的谐波可计算如下：

$$i_a=\frac{2v_a-v_b-v_c}{2Z_{dm}} \tag{6.9}$$

式（6.9）只对谐波有效，对基频分量无效。因为在影响电流的基频处存在一个反电动势，相电流中的基频分量必须由下式来定义，式中 φ_x 是电流的相角：

$$I_x=I_0\cos(\omega_r t+\varphi_x) \tag{6.10}$$

直流母线电流分量可分为三部分，主要取决于它们的来源不同。

① s_{xk} 基频和 i_{xk} 基频间的乘积，这个乘积给出了母线的直流分量。从式（6.11）中可以看出，这个直流分量不受交错控制影响。

$$\sum_{x=a,b,c}\frac{M}{2}\cos(\omega_r t+\theta_{rx})\times I_0\cos(\omega_r t+\varphi_x)=\frac{3}{4}MI_0\cos(\theta_{rx}-\varphi_x) \tag{6.11}$$

② s_{xk} 谐波和 i_{xk} 基频间的乘积如式（6.12）所示。交错控制技术通过比例因子 m 改变这些谐波，类似逆变器输出相电流的情况。

$$\sum_{k=1}^{N}\sum_{x=\mathrm{a,\ b,\ c}}\left[s_{xk}\frac{I_0}{N}\cos(\omega_{\mathrm{r}}t+\varphi_x)\right]=\sum_{x=\mathrm{a,\ b,\ c}}\left[\sum_m\sum_n C_{mn}\mathrm{e}^{\mathrm{j}At}\mathrm{e}^{\mathrm{j}n\theta_{\mathrm{r}x}t}I_0\cos(\omega_{\mathrm{r}}t+\varphi_x)k_m\right] \tag{6.12}$$

③ 谐波 s_{xk} 和 i_{xk} 的乘积如式（6.13）所示。

$$\begin{aligned}&\frac{1}{2NV_{\mathrm{dc}}Z_{\mathrm{dm}}}\sum_{k=1}^{N}\sum_{x=\mathrm{a,\ b,\ c}}\left[v_{\mathrm{a}k}(2v_{\mathrm{a}}-v_{\mathrm{b}}-v_{\mathrm{c}})+v_{\mathrm{b}k}(2v_{\mathrm{b}}-v_{\mathrm{c}}-v_{\mathrm{a}})+v_{\mathrm{c}k}(2v_{\mathrm{c}}-v_{\mathrm{a}}-v_{\mathrm{b}})\right]\\&=\frac{3}{2NV_{\mathrm{dc}}Z_{\mathrm{dm}}}\sum_{k=1}^{N}\sum_{x=\mathrm{a,\ b,\ c}}\left[\sum_m\sum_n C_{mn}\mathrm{e}^{\mathrm{j}At}\mathrm{e}^{\mathrm{j}n\theta_{\mathrm{r}x}t}k_m\times\sum_m\sum_n C_{mn}\mathrm{e}^{\mathrm{j}At}\mathrm{e}^{\mathrm{j}n\theta_{\mathrm{r}x}t}k_m\right]\end{aligned} \tag{6.13}$$

交错控制的影响是两个 k_m 的乘积。注意，式（6.13）乘法中两个因子 k_m 的下标 m 并不是一样的，所以乘式不能简化为 k_m^2。

（3）对相间电流纹波的影响

相间电流纹波是指在交错控制中并联在一起的 N 个模块同相之间流通的电流，这种电流不会传到电机驱动系统以外，所以它对输入或输出噪声电流没有影响。然而，相间电流会使相间电感铁芯饱和，且相间电流决定了相间电感的大小。显然，相间电流纹波越小越好。

相间电流是由不同模块间的相角移动引起的。当开关将第一个模块接到直流母线正极，同相角的另一个模块被开关接到直流母线负极，不同电机驱动模块间的电感用来防止相间短路。显然，一定数量等级的相间电流是不可避免的。图 6.20（a）显示了两个交错控制逆变器模块中产生的相间电流，这个电流同各模块之间的相间电感和相移角有关。图 6.20（b）所示是用来计算第 i 模块，x 相的相间电流的等效电路，应用叠加定理得出：

$$\begin{aligned}i_{\mathrm{ip}\text{-}xi}&=v_{xi}\Big/\left(Z_{\mathrm{L}}+\frac{Z_{\mathrm{L}}}{N-1}\right)-\frac{1}{N-1}\sum_{k=1}^{N}\left[v_{xk}\Big/\left(Z_{\mathrm{L}}+\frac{Z_{\mathrm{L}}}{N-1}\right)\right]\\&=\sum_{m=1}^{N}\sum_{n=-\infty}^{\infty}\left[\gamma_{xi}C_{mn}\mathrm{e}^{\mathrm{j}m\omega_{\mathrm{c}}t}\mathrm{e}^{\mathrm{j}n(\omega_{\mathrm{r}}t+\theta_x)}\right]\Big/\left(Z_{\mathrm{L}}+\frac{Z_{\mathrm{L}}}{N-1}\right)\end{aligned}$$

其中，Z_{L} 是相间电感的阻抗，比例因子 γ_{xi} 定义如下：

$$\gamma_{xi}=\mathrm{e}^{\mathrm{j}m\varphi_i}-\frac{1}{N-1}\sum_{k=1}^{N}\mathrm{e}^{\mathrm{j}m\varphi_k}$$

因为相间电流是在逆变器模块间流动的，所以它们不会增加整个电驱系统的输入或输出噪声。但是，流经 IGBT 的电流是由电机负载电流和相间电流共同决定的。因此，较大的相间电流将会增加 IGBT 的电流负荷。相间电流的脉动（纹波）由开关状态和状态持续时间 Δt 来决定：

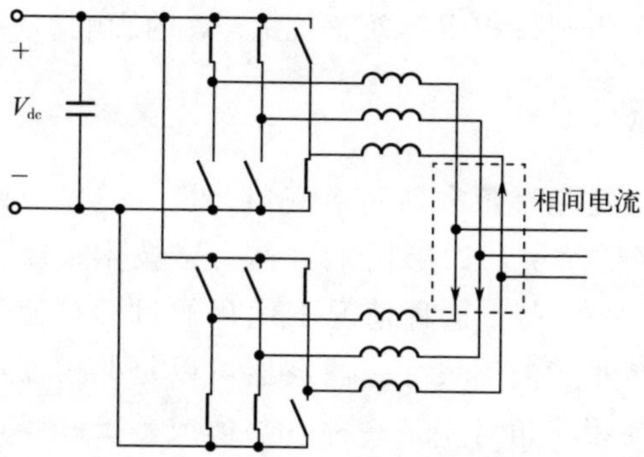

(a)两个交错控制逆变器模块的相间电流

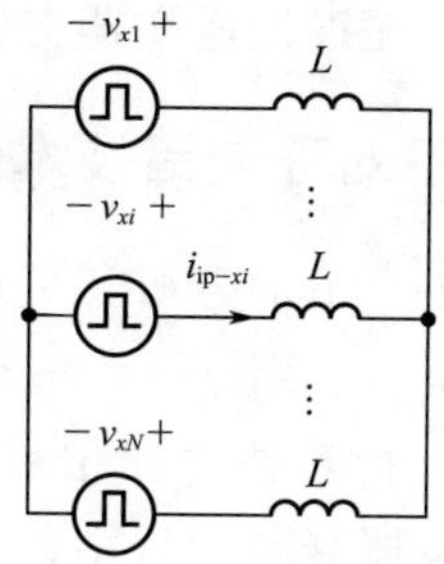

(b)N个交错模块计算第i模块x相的相间电流的等效电路

图 6.20　交错模块相电流及等效电路

$$\left(\frac{N-1}{N}v_{xi}-\frac{1}{N}\sum_{k=1}^{N}v_{xk}\right)\frac{\Delta t}{L}$$

要等交错相移量给出后，才能评估最大脉动（纹波）量，但是一般来说，相移越小，产生的相间电流就越小。

交错控制电机驱动系统需要相间电感防止相间短路，这些电感会影响电机驱动系统的阻抗。为了分析这些影响，N 个交错的模块可以简化成一个在输出端等效为L/N 电感的逆变器。如图 6.21 所示，因为在不同模块中的电机驱动输出的基波分量是相同的，$v_{ca1}=v_{ca2}=\cdots$，$v_{cb1}=v_{cb2}=\cdots$，$v_{cc1}=v_{cc2}=\cdots$。因此，所有 N 个模块可以用一个逆变器来代替，输出的等效电感为 L/N，通过该等效电路，逆变器输出电压和电机输入电压的关系如下：

$$\begin{cases}v_{ca}=v_{a}+\dfrac{di_{a}}{dt}\times\dfrac{L}{N}\\ v_{cb}=v_{b}+\dfrac{di_{b}}{dt}\times\dfrac{L}{N}\\ v_{cc}=v_{c}+\dfrac{di_{c}}{dt}\times\dfrac{L}{N}\end{cases}$$

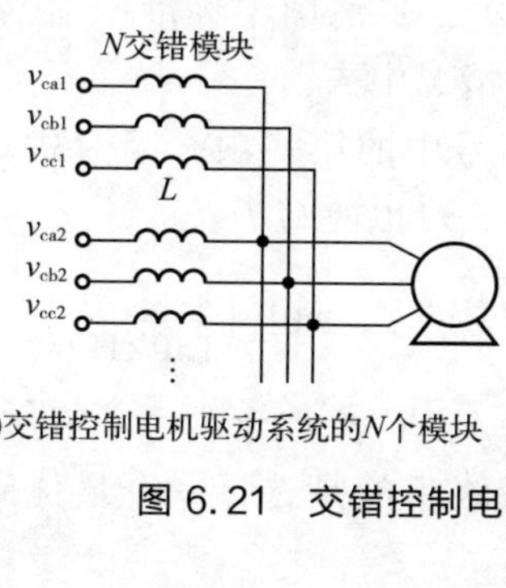

(a)交错控制电机驱动系统的N个模块

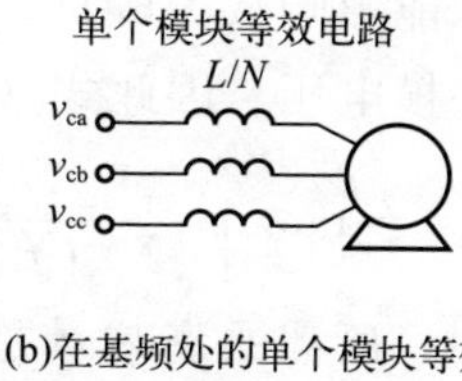

(b)在基频处的单个模块等效电路

图 6.21　交错控制电机驱动系统的等效电路

因此，在设计逆变器交错控制时应考虑到每相中等效感抗 L/N 的影响。

6.2.3 不对称交错技术的优化目标

根据上一节的分析，可以通过设计交错相移角来抑制逆变器共模、差模或两者兼有的噪声。对于 N 个交错的电机驱动模块，如果用不对称交错技术，就存在 $N-1$ 个相互独立的相移角 φ_2，φ_3，…，φ_N，这种情况下优化的目标是使所要求的滤波器衰减量最小，从而反过来减小滤波器尺寸。滤波器可以是共模滤波器，差模滤波器或两者兼有。如果优化的相移角对于某一种（共模或差模）噪声滤波器尺寸能最小化，则这种相移角设置会使另一种模式的噪声比例因子小于1，因此不会增加其余的噪声。

以共模滤波器最小化为例，所需的滤波器衰减量由电机输入共模电流大小(共模电压除以共模阻抗)、EMI 标准的限值和滤波器等效衰减量共同来确定。在某一频率点所需的滤波器衰减量可以由上述三个因素来表示（单位为 dB)：

$$A=\max\left[N_{\mathrm{cm}}(f)-E(f)-40\lg\left(\frac{f}{150\mathrm{kHz}}\right)\right] \tag{6.14}$$

在式（6.14）中，$N_{\mathrm{cm}}(f)$ 是电机驱动输出共模噪声，$E(f)$ 是标准允许的限值，40lg［$f/(150\mathrm{kHz})$］是把滤波器衰减量归一化为 150kHz 处的等效衰减量。系数 40 是一种假定，即使用单阶 LC 滤波器时具有 40dB/dec 的衰减量，如果使用其他类型的滤波器，系数要做相应调整。式（6.14）说明滤波器在150kHz 处所需的衰减量是多少。例如，10dBμA 噪声电流在 150kHz 处所需的衰减量与 50dBμA 噪声电流在 1.5MHz 处 的一致，图 6.22 对式（6.14）进行了说明。假设噪声电流只有 200kHz、1MHz 和 2MHz 处的三个分量，在图 6.22（a）中，它们的幅值标记为“×”，图 6.22（b）中标记为“×”的点表示噪声和 EMI 限值之差（两者相减）。如果使用 LC 滤波器，图 6.22（b）中标记为“+”的点显示了每个分量归一化后的滤波器衰减量。为了符合 EMI 标准，所有的噪声分量必须低于 EMI 限值，因此，滤波器必须提供所需衰减的最大值。此处，这个最大衰减量由 1MHz 处的分量决定，150kHz 处为 7dB 。经过这个滤波器后的噪声电流如图 6.22（a）中的“+”所示。虽然图中标准限值和单阶 LC 滤波器都是假设的，但是方法可以拓展到其他情况中去。

交错控制技术能影响式（6.14）方括号中的第一项。因为式（6.8）表示了交错逆变器输出共模电压，因此式（6.14）可以改写为：

$$A(\varphi)=\max\left[\frac{v_{\mathrm{cm}}(\varphi,f)}{Z_{\mathrm{cm}}(f)}-E(f)-40\lg\left(\frac{f}{150\mathrm{kHz}}\right)\right]$$

在这种情况中，所需的衰减量是 $\varphi=(\varphi_2,\varphi_3,\cdots,\varphi_N)$ 的函数，因为它受输出共模电压交错控制的影响。所以其最终目的是选择一个最优 φ 使得 $A(\varphi_{\mathrm{opt}})$

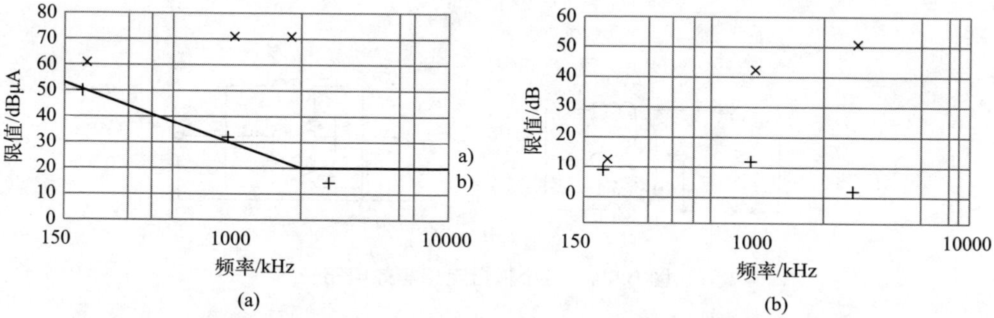

×—原始噪声电流；
+—经过滤波器后的噪声电流

×—原始噪声与EMI标准之差；
+—归一化后的滤波器衰减量

图 6.22 经过滤波器后的噪声电流

最小。上述分析基于一个假定，即电机驱动输出电压是一个理想方波。

6.2.4 试验系统设计

（1）试验系统搭建

搭建的三相电机驱动系统交错控制试验系统如图 6.23 所示，其目的是比较交错控制技术对电机驱动系统的影响。逆变器是基于 IR IGBT 的 IRAMY20UP60B 模块。三个模块并联工作，所有模块通过一个电容器（4600μF）并联到直流母线上；三个模块的输出通过 1mH 电感连接在一起，防止相间短路及限制模块相间电流（环流）。逆变器负载是 245W 的三相感应电机。

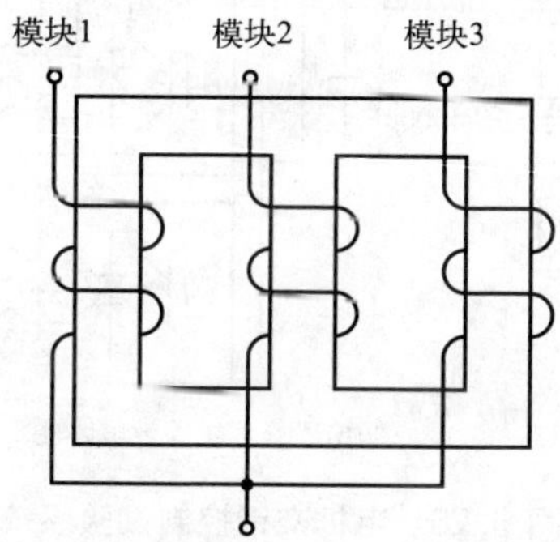

图 6.23 用于电机驱动系统交错控制试验的三个耦合电感

尽管没有做过测试，但是相间电感是存在耦合的。有文献介绍用相间变压器连接不同逆变器的应用，包括 DC-DC 逆变器、整流器和电机驱动系统。这样设计的目的是利用连接到不同模块绕组间的耦合，增加模块间的等效电感。图 6.23 显示了三个耦合的电感。图 6.24 所示是图 6.23 中三个耦合电感的等效电路。

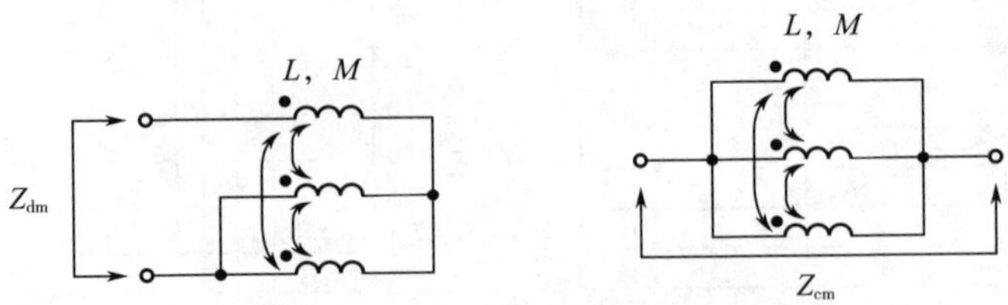

图 6.24　三个耦合电感等效电路

(a)试验系统实物图

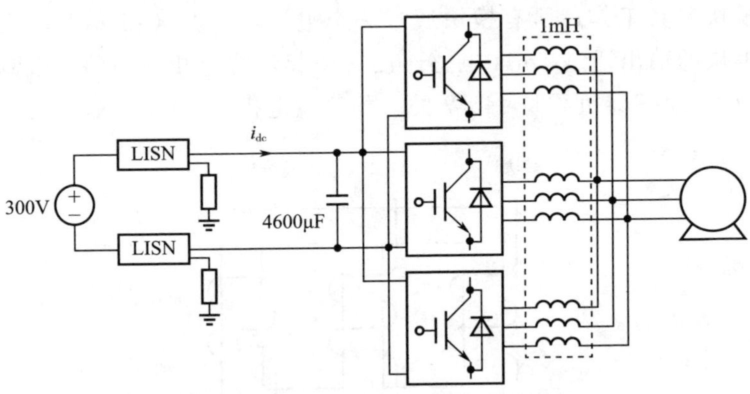

(b)试验系统等效电路图

图 6.25　电机交错控制试验系统

试验系统的控制部分用一块 FPGA 板来实现。电机驱动系统采用开环控制，系统载波信号为 10kHz 的三角波，基波为 50Hz 正弦波。调制指数 M 为 0.9：该系数定义为基波信号与载波信号的峰值比。通过 FPGA 为其中一个逆变器产生 6 个 PWM 信号，通过延时给剩余两个逆变器模块产生门控信号和所需的相移角。

耦合电感的差模阻抗为其中一个电感同另两个并联电感的串联，因为相间电流总是从一个模块流向另两个模块。共模阻抗是并联的三个电感。假设三个电感

的自感是 L，电感间的相互耦合系数是 M_a。在这种情况下，耦合电感的差模阻抗为：

$$Z_{dm}=\frac{3}{2}(L-M_aL) \tag{6.15}$$

共模阻抗为：

$$Z_{cm}=\frac{1}{3}(L+2M_aL) \tag{6.16}$$

如果使用了没有耦合的电感，则式（6.15）和式（6.16）中 M_a 为 0。正如在试验布置中所见，差模回路中感抗是 $3L/2$，这个感抗是用来限制相间电流的实际等效感抗。共模回路的感抗为 $L/3$。对于相间变压器，三个模块的绕组紧密耦合在一起，耦合系数是 $-1/2$；L 是变压器自感，所以差模回路的感抗是 $9L/4$，比没有耦合的电感大 $3L/4$，共模阻抗为 0。本节搭建的试验系统（图 6.25），目标是抑制共模噪声，所以选择了未耦合的电感配置以利用共模回路中的感抗来抑制共模噪声。电感内部或两个电感间的寄生电容能改变高频阻抗特性，不过可以通过设计相间电感来限制一定频率范围内的相间电流纹波。因此，电感间的寄生电容对目标没有显著影响。

（2）不对称交错控制优化步骤及预期目标

最终的目标是最小化共模滤波器的尺寸。三个并联模块总的共模电压是：

$$v_{cm}=\frac{1}{9}\sum_{x=a,b,c}\sum_{i=1}^{3}v_{xi} \tag{6.17}$$

优化过程中使用的计算方法是以 $\varphi_2=0°$，$\varphi_3=0°$ 的相位组合开始，利用式（6.17）计算输出共模电压。如图 6.26 所示的电机和电缆的负载共模阻抗，通过计算 v_{cm}/Z_{cm} 容易得到共模噪声发射值，把该共模发射值同标准限值相比较，确定所需滤波器的衰减量；下一步将 φ_2 和 φ_3 少量增加（例如 1°），计算新的所需

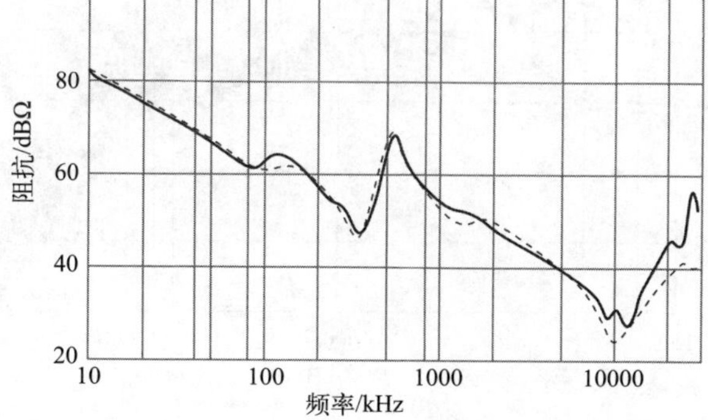

图 6.26 负载共模阻抗

实线—测量值；虚线—模型

滤波器的衰减量，如此反复直到相位组合涵盖从 $\varphi_2=0°$，$\varphi_3=0°$到 $\varphi_2=360°$，$\varphi_3=360°$的范围。最终计算结果表明，最小化共模 EMI 滤波器所要求的优化相移角是 $\varphi_2=7°$，$\varphi_3=15°$。与对称交错控制 $\varphi_2=120°$，$\varphi_3=240°$相比较，这种不对称交错控制技术可以减小共模噪声 6～8dB。

从图 6.26 可以看到，300kHz 附近的负载阻抗有一个明显的波谷。因此，预计在 300kHz 附近有共模电流峰值。利用优化交错相移技术，$\varphi_2=7°$，$\varphi_3=15°$应该可以衰减 300kHz 处的噪声峰值。

6.2.5 试验结果

首先测量了交错控制逆变器的输出共模电流，图 6.27 比较了不同交错控制策略的电机共模电流频谱，前面提出的不对称交错优化控制策略和优化的不对称交错控制策略（$\varphi_2=7°$，$\varphi_3=15°$），与 EMI 标准限值相比，300～400kHz 附近的第一个峰值决定了所需滤波器的衰减量，同时也确定了 EMI 滤波器的尺寸。优化的不对称交错控制策略可以使这个峰值减小 6～8dB。从图 6.28 中 10～200kHz 之间的噪声电流对比可以看到，10kHz（开关频率）倍频处的噪声峰值用不同的记号标记出来。对称交错控制策略可以消除 10kHz、20kHz、40kHz 和 50kHz 处的谐波，但是，其他谐波保持不变。尽管对称交错控制策略也能消除 280kHz、290kHz 和 310kHz 处的谐波，但是 270kHz 和 300kHz 处的谐波未受影响，所以噪声频谱的包络没有改变。不对称交错控制策略可以衰减掉所有谐波，因此可以减小频率在 300～400kHz 之间的噪声峰值，而没有经过优化的不对称交错控制策略只能抑制 3～4dB 的噪声。

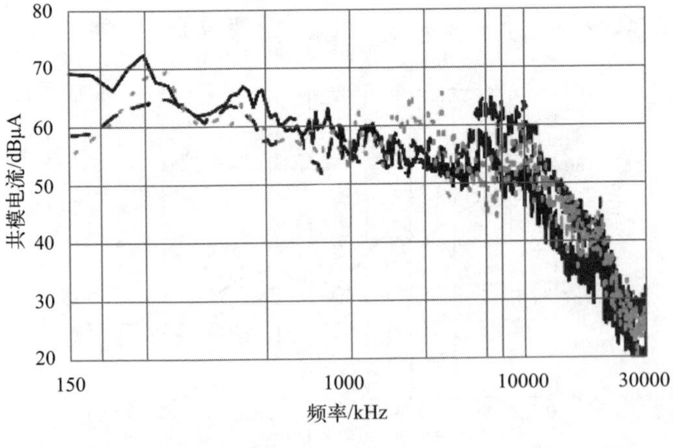

图 6.27　不同交错控制策略的电机共模电流频谱（150kHz~30MHz）

蓝色—对称交错控制；红色—优化的不对称交错控制；绿色—未优化的不对称交错控制

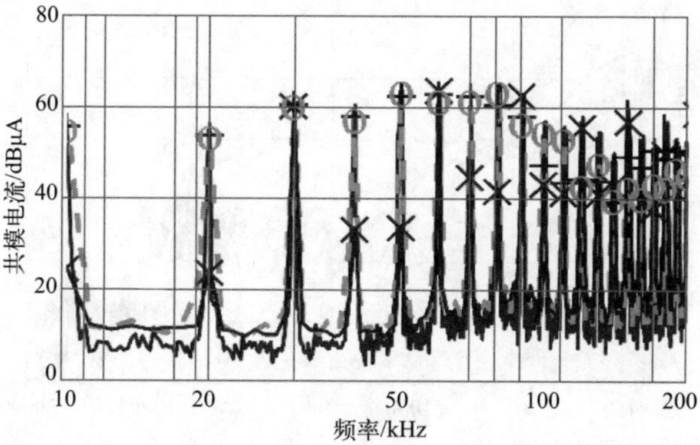

图 6.28　不同交错控制策略的电机共模电流频谱（10kHz~200kHz）

蓝色—对称，记“×”；红色—优化的不对称，记“+”；绿色—未优化的不对称，记“○”

图 6.29 显示的是电机线电流频谱，交错控制技术对线电流噪声衰减的影响与对共模电流的影响一样。这个结果与从式（6.14）中得到的结论一致，由于交错控制策略影响的是电机驱动输出相电压与比例因子的乘积。因为输出共模和差模电压是电机驱动输出相电压的线性组合，所以交错控制策略影响是一样的。

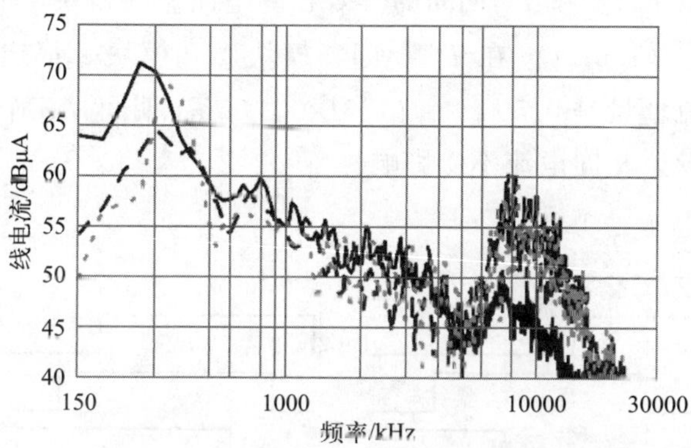

图 6.29　不同交错控制策略的电机线电流频谱

实线—对称；虚线—优化的不对称；点划线—未优化的不对称

图 6.30 比较了不同交错控制下的直流母线电流噪声频谱（图 6.23 中定义的 i_{dc}）。虽然交错控制策略对输入电流的影响比对输出电流的影响更复杂。但是直流母线电流噪声的衰减大致与输出电流的衰减一样。在 300kHz 附近输出电流的峰值有较大衰减，在同样的频率处直流母线电流也有同样大小的衰减，不对称交错控制的直流母线电流比对称交错控制的直流母线电流更小。

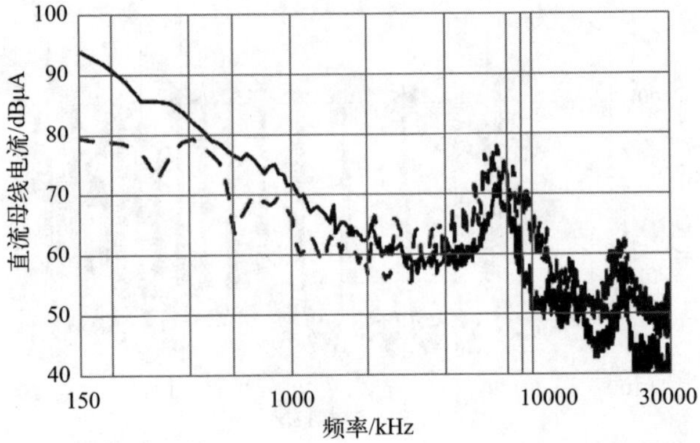

图 6.30　电机驱动系统直流母线电流噪声频谱

实线—对称交错控制；虚线—优化的不对称交错控制

除了抑制共模电流，与对称交错控制策略相比，不对称交错控制策略还能减小环路电流。对同一个装置，影响相间电流的主要因素是模块间的相移角。图 6.31（a）（b）显示了对称交错控制和不对称交错控制的门控信号。在 T_1 期间，逆变器模块 1 的桥臂连接到直流母线正极，同时另两个模块连接到负极。图 6.31（c）（d）分别显示了 T_1 和 T_2 期间的等效相间电路。在模块 1 的 T_1 区间，相间电流增量是 $T_1V_{dc}/(1.5L)$。在 T_2 期间，模块 1 和模块 2 都连接到正极，所以模块 1 的相间电流增量是 $0.5T_1V_{dc}/(1.5L)$。在 T_3 期间，三个模块连接到同一条直流母线，因此，相间电流不受影响。

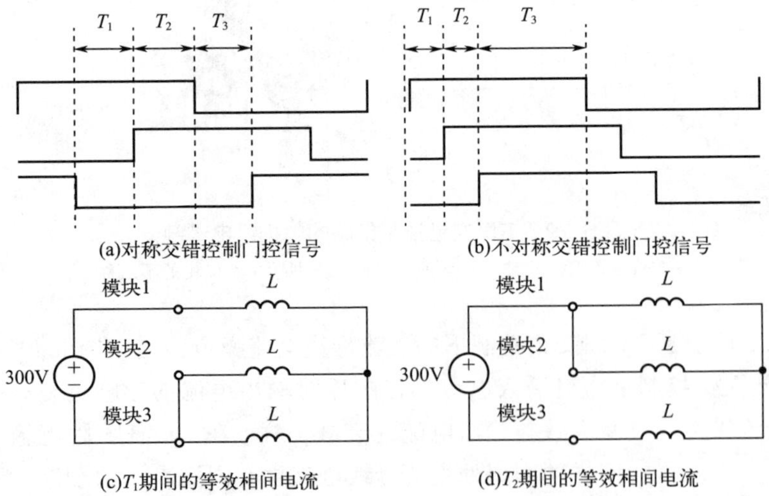

图 6.31　不同交错控制策略的门控信号

图 6.32 显示了当使用对称交错控制策略时的环路电流，电机输入相电流是通过电机三条输入线之一的电流。因为无法直接测量环路电流，只能用电机驱动输出电流来代替。电机驱动输出电流是流过 1mH 相间电感的电流，它也是环路电流和电机输入相电流的总和。

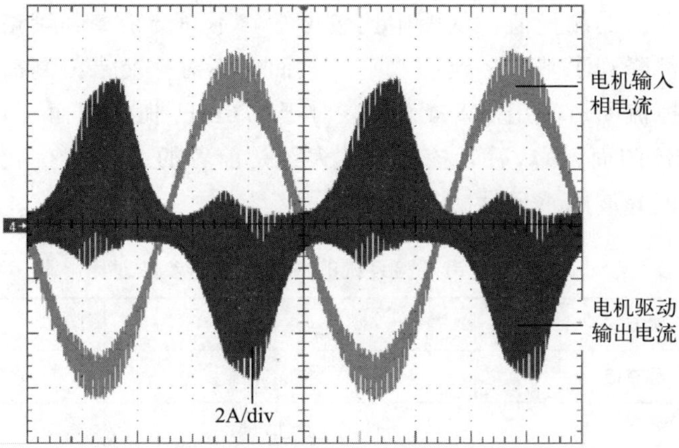

图 6.32 对称交错控制策略条件下的电机驱动输出电流和电机输入相电流

图 6.33 显示了当使用不对称交错控制策略时的环路电流。对称交错测量中的电机驱动输出电流刻度是 2A/div[1]，而在不对称交错测量中是 200mA/div。不对称交错控制策略中最大的环路电流约为 0.4～0.5A，大约是对称交错控制中最大电流的 10%。

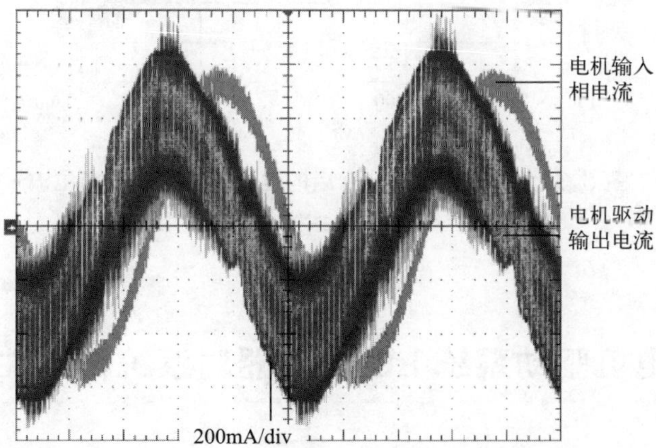

图 6.33 在优化不对称交错控制策略条件下的电机驱动输出电流和电机输入相电流

[1] A/div：示波器上每一垂直格所代表的电压值。

为了符合标准限值，为系统设计了两个共模滤波器，两个都是单阶 LC 滤波器，分别对应对称交错控制和不对称交错控制。对称交错控制策略的滤波器参数为一个 1.6mH 的共模扼流圈和 3 个 2nF 电容，优化不对称交错控制策略的滤波器参数定为一个 1mH 的共模扼流圈和 3 个 2nF 电容，共模扼流圈电感值大约减少了 40%，如表 6.2 所示。图 6.34 显示了增加共模滤波器后的电机驱动（逆变器）输出共模电流的测量值。从图中比较可知，不同交错控制策略下的电机驱动输出共模电流都降到了基本一致的水平；然而，不对称交错控制需要的滤波器尺寸更小。共模扼流圈可采用 ZW-42908（对于 1.6mH 扼流圈而言）和 ZW-42507（对于 1mH 扼流圈而言），后者核心尺寸大约是前者的 80%。优化的不对称交错控制策略使共模滤波电感尺寸减小 40%。

表 6.2　交错试验系统的共模滤波器参数对比

交错方式	L	C
对称交错	1.6mH	2nF
优化不对称交错	1mH	2nF

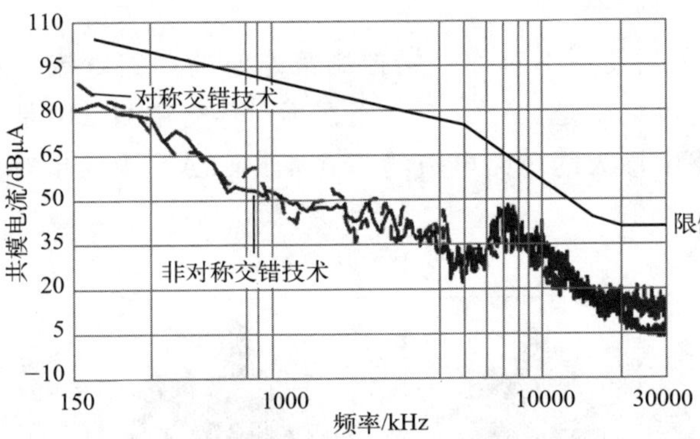

图 6.34　增加共模滤波器后的电机驱动输出共模电流

虚线—对称；实线—不对称

6.3　电机驱动系统 LC 滤波器对系统稳定性的影响

本节将讨论使用较大值共模电感（共模扼流圈）、共模电容组成的共模滤波器也能达到阻抗平衡电路降低噪声的同样效果。由于 LC 滤波器输入阻抗的下降会导致其与电源输出阻抗形成一个谐振点，从而导致电源-滤波器系统的不稳定。

为了保证插入滤波器后系统的稳定性，本节提出了一种提升单阶 LC 滤波器输入阻抗波谷和最大化相位度的最优阻尼设计方法。

6.3.1 滤波器和电源间的相互作用

两种常用的降低 EMI 噪声方法为：无源滤波和有源滤波。有源滤波（由集成运放和 R、C 组成，不使用电感）利用可控的功率半导体器件向直流母线注入与逆变器产生的噪声电流幅值相等、相位相反的电流，使电源输入端总的噪声电流为零，达到实时抑制噪声电流的目的。有源滤波具有自适应功能，可自动跟踪补偿变化着的谐波，具有高度可控性和快速响应性；有源滤波器的滤波特性不受系统阻抗影响，可消除与系统阻抗发生谐振的危险。但其集成运算放大器需要外加电源且带宽有限，目前有源滤波电路的工作频率最高只能达到 1MHz 左右，无法满足（150kHz～30MHz）频段的需要。无源滤波利用电感和电容在 EMI 电流路径上产生阻抗失配（形成低阻抗通路，以达到抑制高次谐波的作用）来降低逆变器传导 EMI 发射。增加的无源器件只携带共模电流，因此它的体积比传统无源滤波器要小很多，而且不需要像有源滤波器那样需要额外供电及受带宽限制。

众所周知，滤波器与逆变器之间的动态耦合会形成一个反馈回路，该回路的增益等于滤波器输出阻抗（从逆变器输入端看过去）与逆变器输入阻抗之比。如果滤波器或逆变器设计不当，就会引起逆变器控制性能的降低和不稳定。特别要注意的是，由于滤波器电感电容的并联谐振引起的滤波器输出阻抗峰值，它很可能不经意间与逆变器输入阻抗发生相互作用。因此，滤波器输出阻抗峰值的抑制（阻尼）对系统的稳定性至关重要。在滤波器中插入一个与电感或电容串联的电阻，可以为系统提供所需的阻尼，但同时也会产生一些不希望看到的高频衰减及滤波器功率损耗的增加。本节设计的阻尼方法可以直接用于直流、单相交流和多相交流系统。在实际应用中，优化的关键问题是，对于一个给定的阻尼电感或电容设计一个阻尼电阻，以获得最大的阻尼效果。除了无源阻尼外，有源阻尼也可以得到同样的结果，而且可以避免功率损耗，但有源阻尼对逆变器控制来说更加复杂，且需要额外的传感器信号。

实际应用中使用的电源不是一个理想电压源，由于其容量相对于单个负载额定功率有限，其输出阻抗就比较值得关注。EMI 滤波器不仅会引起负载的性能下降和不稳定，也会与电源的输出阻抗产生意想不到的相互作用，从而导致电源的不稳定或在电源电压上的谐波共振。如图 6.35 所示，电源用一个带串联输出阻抗 Z_0 的理想电压源来表示，LC 滤波器位于电源输出侧。滤波器可以是单阶或多阶 LC，电源的输出电压 V_0 为：

$$V_0 = V_S \frac{Z_{if}/Z_0}{1+Z_{if}/Z_0} \tag{6.18}$$

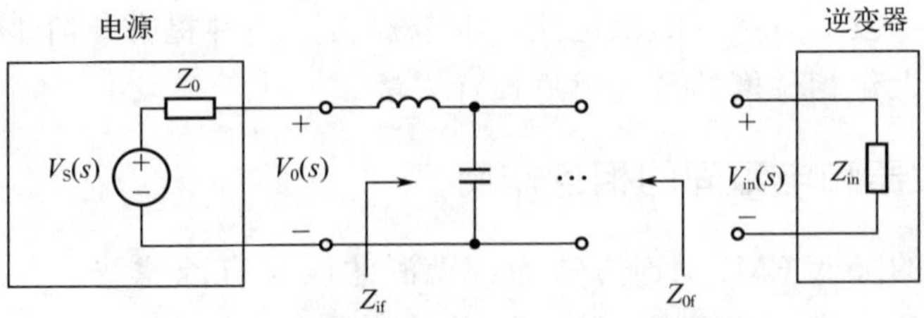

图 6.35 电源和逆变器间的多阶 LC 滤波器

如果 V_S 和 V_0 分别被看作输入和输出电压，则式（6.18）类似于一个反馈控制系统。滤波器输出阻抗与逆变器输入阻抗相互作用时也类似上述情况。逆变器输入电压由电源电压决定，滤波器输出阻抗和逆变器输入电压之间的关系是：

$$V_{in}=V_S\frac{Z_{in}/Z_{0f}}{1+Z_{in}/Z_{0f}}$$

图 6.36 所示是一个交流电源的输出阻抗（Z_i：交流电源输出阻抗）和 LC 滤波器（$L=17\mu H$，$C=1.5\mu F$）的输入阻抗（Z_{S0}：无阻尼滤波器输入阻抗）的幅相特性曲线。通过设定使电源输出频率为 50Hz，电源输出电压如图 6.37 所示，从图中可以看出，交流输出电压被钳位在 10V，输出电压频率固定在 14.4kHz，这和设定的 50Hz 不吻合。如果滤波器的输入阻抗在某个谐振频率低于电源的输出阻抗，则可能使电源和滤波器之间不稳定；基于奈奎斯特判据，从图 6.37 中可以看出，在 14.4kHz 附近相位裕度接近零［两个阻抗相位差接近（$-90°$）$-90°=-180°$］，导致系统不稳定。

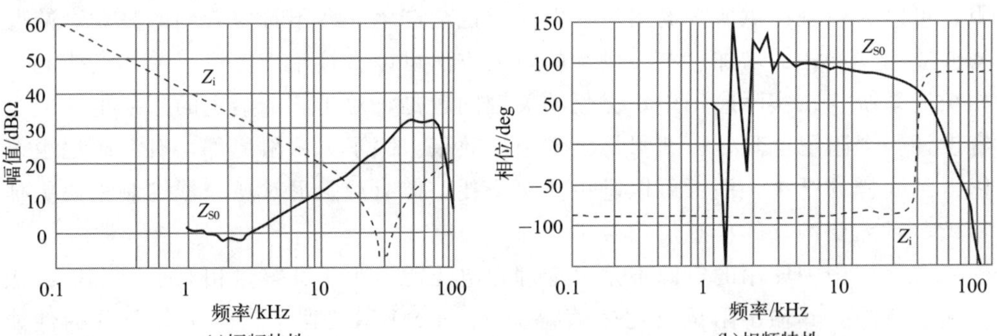

图 6.36 交流电源输出阻抗和 LC 滤波器输入阻抗的无阻尼幅相曲线

6.3.2 LC 滤波器阻尼电路设计

只要将一个电阻与电感（或电容）简单地串/并联在一起就能起到阻尼的作

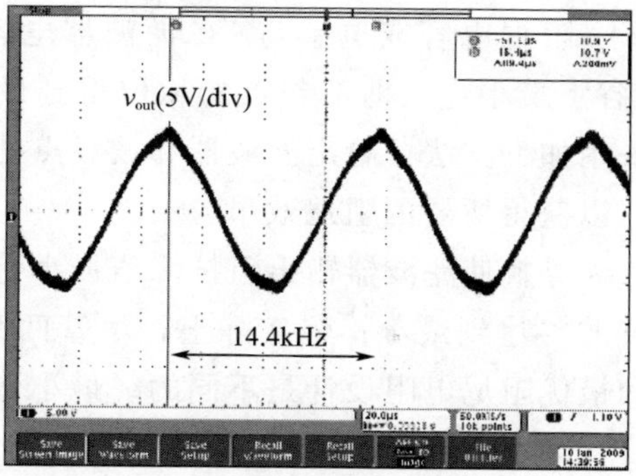

图 6.37 插入无阻尼 LC 滤波器的电源输出电压波形

用。但是，滤波电路加入阻尼后会引起较大的功率损耗以及滤波器对高频衰减的减少。本节研究中提到了解决上述问题的三种阻尼电路，如图 6.38 所示。

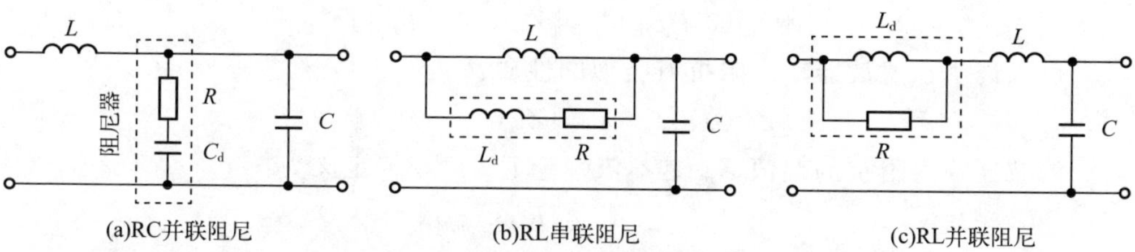

图 6.38 单阶 LC 滤波器阻尼器结构

虚线框内是阻尼器件

最优阻尼设计的关键问题在于为给定的 LC 滤波器选择合适的电阻、电感或电容组成的阻尼器以获得最大的阻尼效果。该问题可以用另一种形式来表述：即给定一个 LC 滤波器和所需的阻尼效果，如何构建具有最小电感或电容的阻尼器。本节给出了三种典型阻尼电路并详细说明了使 LC 滤波器输出阻抗峰值衰减的最优阻尼设计方法，下一节则在此基础上，进一步研究使 LC 滤波器输入阻抗波谷点得到提升的最优阻尼设计方法。

6.3.3 最优阻尼设计

定义变量 n 为阻尼电容或电感与 LC 滤波器电容或电感的比值：

$$n=\begin{cases}\dfrac{C_{\mathrm{d}}}{C} & \text{对应图 6.38(a)}\\[2ex] \dfrac{L_{\mathrm{d}}}{L} & \text{对应图 6.38(b)(c)}\end{cases}$$

对于上述滤波器输入阻抗来说，最优阻尼设计问题可描述如下：对于给定的阻尼器结构和阻尼因子（阻尼电容或电感与LC滤波器电容或电感的参数比值）n，找出使输入阻抗波谷点最小化（即波谷点的相位得到最大提升）的阻尼电阻R的值。或者也可以采用如下方法：给定滤波器和波谷点处阻抗，选择最小的阻尼因子n和相应的R，以获得所要的阻尼效果。

初一看，一般会认为寻找使滤波器输出阻抗峰值最小化的最优阻尼电阻同样可以使滤波器输入阻抗波谷达到最小；但实际上，尽管两个阻抗都与同一个LC滤波器相关，但它们的最优阻尼电阻设计是不同的。最小化逆变器输出阻抗波峰的方法与此类似。

滤波器的输入阻抗是阻尼电阻R和频率f的函数，以RC并联阻尼器为例，滤波器的输入阻抗为：

$$Z_{id}(R, f)=j2\pi fL+\frac{1}{j2\pi f(C+C_d)+R}$$

研究表明，存在一个频率f_m，在该频率处（$f=f_m$）处：

$$\|Z_{od}(0, f_m)\|=\|Z_{od}(\infty, f_m)\|$$

可以证明，滤波器输入阻抗有类似的性质：

$$\|Z_{id}(0, f_m)\|=\|Z_{id}(\infty, f_m)\|$$

滤波器输入阻抗的幅值Z_m是不依赖于R的，Z_m定义为：

$$\|Z_m\|=\|Z_{id}(R, f_m)\|$$

其中，$\|x\|$表示复变量x的幅值大小。

上述特性反映了这样一个事实：对于给定的LC滤波器和阻尼因子n，不同的阻尼电阻R能产生一系列阻抗幅值$Z_{id}(R, f)$与频率f的曲线，所有这些曲线都经过一个公共点（f_m，Z_m）。因此，对于任意阻尼电阻R，在阻抗波谷处的滤波器输入阻抗不可能高于Z_m。换句话说，这个公共点决定了可获得的最大阻尼效果。如果我们能把阻抗波谷恰好设置在（f_m，Z_m）处，就能得到最优阻尼电阻。在这种情况下，最优阻尼电阻取决于给定的阻尼因子n，滤波器最小输入阻抗是Z_m。式（6.19）中，γ定义为阻尼效果，其中，R_0是LC滤波器的特征阻抗。

$$\gamma=\frac{\|Z_{id}(R, f_m)\|}{R_0}, R_0=\sqrt{\frac{L}{C}} \tag{6.19}$$

在$f=f_m$处，γ可计算如下：

$$\gamma=\frac{\|Z_{id}(0, f_m)\|}{R_0}=\frac{\|Z_{id}(\infty, f_m)\|}{R_0}$$

基于上述特性，之前陈述的最优输入阻抗阻尼设计问题可以分两步解决。

第一步是找到公共点频率f_m。可以通过给出任意两个阻尼电阻，并使两个阻抗幅值彼此相等计算出 f_m。显然，无阻尼电阻（$R=0$）时的阻抗幅值等于无限阻尼电阻（$R=\infty$）时的阻抗幅值，也就意味着 $Z_{id}(0, f)=Z_{id}(\infty, f)$。如果优化问题是给定的 Z_m，首先要做的是从式（6.19）中找出 n。

第二步是找到阻尼电阻 R，R 仅在频率 f_m 处使 $Z_{id}(R, f)$ 的值最小。可以通过求解以下方程来完成：

$$\frac{\mathrm{d}\|Z_{id}(R, f_m)\|}{\mathrm{d}f}\bigg|_{f=f_m}=0$$

实际上，可以使用下面简化的等效方程，其中，$\omega=2\pi f$，$\omega_m=2\pi f_m$。

$$\frac{\mathrm{d}\|Z_{fi}(R_d, \omega)C_f\|^2}{\mathrm{d}\omega^2}\bigg|_{\omega=\omega_m}=0 \tag{6.20}$$

接下来，按上述分析，以 RC 并联阻尼为例，简要阐明最优阻尼的推导。

第一步是当 $R_d=0$ 和 $R_d=\infty$时，使两个滤波器的输入阻抗在频率 ω_m 处彼此相等：

$$C_d=nC, \left\|\mathrm{j}\omega_m L+\frac{1}{\mathrm{j}\omega_m C}\right\|=\left\|\mathrm{j}\omega_m L+\frac{1}{\mathrm{j}\omega_m(n+1)C}\right\| \tag{6.21}$$

求解式（6.21）得到经过优化阻尼设计的滤波器在波谷处的频率：

$$\omega_m=\sqrt{\frac{n+2}{2(n+1)}}\times\frac{1}{\sqrt{LC}}$$

因此，阻尼效果 γ 是：

$$\gamma=\frac{\|Z_m\|}{R_0}=\frac{n}{\sqrt{2(n+1)(n+2)}} \tag{6.22}$$

波谷处的阻抗同滤波器特征阻抗相关。如果获得的电感或电容与计算值不一致，则在阻抗波谷处的相对误差大致是电感或电容相对误差的一半。具有阻尼电阻 R_d 的滤波器输入阻抗变为：

$$Z_{if}=\mathrm{j}\omega L+\frac{\mathrm{j}\omega R_d nC+1}{(\mathrm{j}\omega)^2 R_d nC^2+\mathrm{j}\omega(n+1)C}$$

第二步是通过式（6.20）计算出优化阻尼电阻，最后得到的 RC 并联优化阻尼电阻是：

$$R_d=R_0\frac{n+1}{n}\sqrt{\frac{2(n+1)(n+4)}{(n+2)(3n+4)}} \tag{6.23}$$

如果优化目标是获得给定的阻尼效果 γ，第一步必须基于 n 计算出所需的电容值：

$$n=\frac{C_d}{C}=\frac{-3\gamma^2-\gamma\sqrt{\gamma^2+4}}{2\gamma^2-1} \tag{6.24}$$

一旦有了阻尼器电容与滤波器电容的比值，剩下的步骤就是用式（6.23）找出最优的阻尼电阻。

从式（6.24）容易看出，γ 必须小于 $\sqrt{2}/2$，否则 n 会是负数，这是 RC 并联阻尼器的局限：阻尼器不能把波谷处的阻抗提升到比滤波器特征阻抗的$\sqrt{2}/2$倍还要高的值。图 6.39 所示是具有 RC 并联阻尼器的 LC 滤波器的一个例子，图中的频率和阻抗分别用滤波器谐振频率和特征阻抗 R_0 做了归一化处理，滤波器输入阻抗的最小点恰好位于当阻尼电阻为 0Ω 和无穷大时滤波器阻抗的交叉点处，这就验证了前面的最优阻尼设计方法。

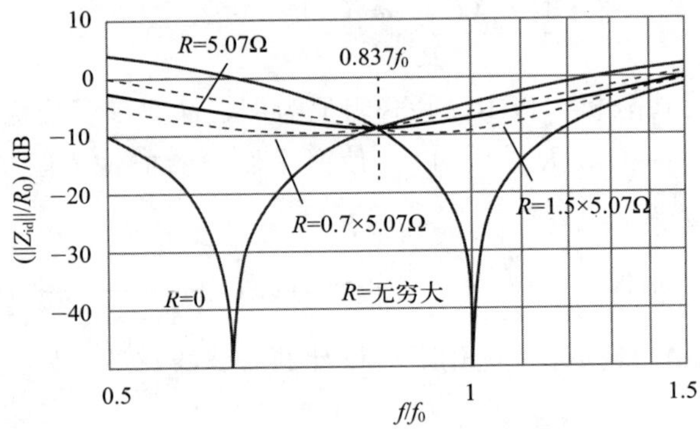

图 6.39　不同阻尼电阻下输入阻抗响应曲线（阻尼因子 $n=1.5$）

在频率 f_m 处的阻尼滤波器的输入阻抗波谷可以由无阻尼滤波器谐振频率 f_0 与 f_m 之比给出。最优阻尼电阻通过式（6.23）计算，得到 $R=5.07\Omega$。f_m 通过式（6.26）计算得到 $f_m=0.837f_0$，在 f_m 处阻抗相交，最优阻尼输入阻抗通过该点的响应最低。在图 6.39 中比较了 1.5 倍和 0.7 倍最优阻尼电阻时的输入阻抗响应，可以看出，当阻尼电阻小于最优值时无法获得最优阻尼效果，反之，当阻尼电阻大于最优值时，不仅在阻尼电阻上导致了更大的功耗而且在高于 f_m 处对阻尼产生了不利。

综上，对于给定阻尼因子 n 可以得出 3 种阻尼电路结构的计算公式。

① RC 并联阻尼器

$$\frac{R}{R_0}=\frac{n+1}{n}\sqrt{\frac{2(n+1)(n+4)}{(n+2)(3n+4)}} \tag{6.25}$$

$$\frac{f_m}{f_0}=\sqrt{\frac{n+2}{2(n+1)}} \tag{6.26}$$

$$n=\frac{C_d}{C}=\frac{-3\gamma^2-\gamma\sqrt{\gamma^2+4}}{2\gamma^2-1}$$

$$\gamma=\frac{n}{\sqrt{2(n+1)(n+2)}} \tag{6.27}$$

② RL 并联阻尼器

$$\frac{R}{R_0}=(n+1)\sqrt{\frac{2(n+1)(4n+1)}{(2n+1)(4n+3)}} \tag{6.28}$$

$$\frac{f_m}{f_0}=\sqrt{\frac{2(n+1)}{2n+1}} \tag{6.29}$$

$$n=\frac{L_d}{L}=\frac{-3+\sqrt{1+4/\gamma^2}}{4}$$

$$\gamma=\frac{1}{\sqrt{2(n+1)(2n+1)}} \tag{6.30}$$

③ RL 串联阻尼器

$$\frac{R}{R_0}=n\sqrt{\frac{2(n+4)}{(3n+4)(n+2)}} \tag{6.31}$$

$$\frac{f_m}{f_0}=\sqrt{\frac{2}{n+1}} \tag{6.32}$$

$$n=\frac{L_d}{L}=\gamma^2+\sqrt{\gamma^4+4\gamma^2}$$

$$\gamma=\frac{n}{\sqrt{2(n+2)}} \tag{6.33}$$

RC 并联阻尼、RL 串联阻尼、RL 并联阻尼三者的差异是：阻尼效果 γ 不受限制。RL 串联阻尼中 n 和式（6.33）中 γ 的关系不同于 RC 和 RL 并联阻尼器中 n、γ 的关系：在 RL 串联阻尼中，n 对于任意 γ 总是正的。因此，RL 串联阻尼能获得任何所需的阻尼效果，唯一的限制是器件的物理实现。

γ 随 n 变化的规律如图 6.40 所示。从图中可以看出，滤波器的输入阻抗是可以被提高的。当 n—0 时，RL 并联阻尼器的阻尼效果 $\gamma=0.707$；这个结论表明 RL 并联阻尼器能提供最高的阻尼效果，并且能够把滤波器输入阻抗提高到滤

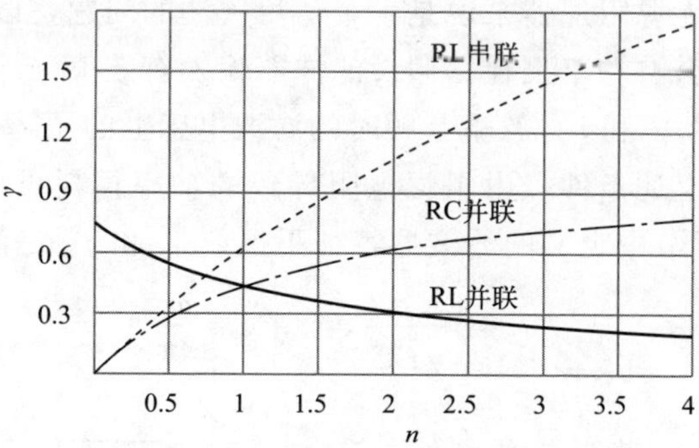

图 6.40　γ 随 n 的变化规律

波器特征阻抗的一半。这种情况下（$R=0.8165R_0$），阻尼器会显著减少滤波器在高频时的衰减，所以该方法通常是不切实际的。

当阻尼电容无穷大时，RC 并联阻尼器理论上能达到的最大阻尼效果 $\gamma=0.707$。RL 串联阻尼器没有理论阻尼效果的极限，从图 6.40 可以看出，γ 随 n 单调增加，功耗也是如此。因此，实际设计阻尼器时 n 的取值范围在 1.5～2 之间。

6.3.4 不同阻尼电路的比较

理论上来说，通过上述三种方式中的任一种都可以取得同样的阻尼效果，但在实际设计中它们彼此之间还是存在差异。本节从阻尼器对滤波器输入阻抗渐近线、功率损耗和对最优阻尼电阻的影响差异等来比较三种阻尼电路，以滤波器输入阻抗波谷最小化为衡量指标。

（1）滤波器输入阻抗渐近线

阻尼器不但在滤波器阻抗波谷处附近区域，而且在整个频率范围内都影响滤波器阻抗。我们希望滤波器有高输入阻抗，但增加阻尼器后可能会减小滤波器的输入阻抗。

当使用 RC 并联阻尼方式时，阻尼器分支的影响在于在低频时加入了 nC_f 的并联电容，导致滤波器输入阻抗与频率的渐近线被减小了一个因子（$1+n$），因此，阻尼器中的大电容将会引起低频时滤波器输入阻抗的大幅衰减。类似地，对于 RL 并联阻尼，阻尼器支路在高频时表现为一个并联电感，渐近线下降到了 $1+1/n$。其与 RC 并联的区别是在高频时阻尼器中电感越小，滤波器输入阻抗衰减越大。对于 RL 串联阻尼，在高频时阻尼电阻是 L_d 的旁路通路，输入阻抗仍由滤波器电感 L_f 来决定，因此这种阻尼电路的滤波器输入阻抗不会受到阻抗衰减的影响。

（2）阻尼电阻的功率损耗

功率损耗对于无源阻尼器来说是一个值得关注的问题，以上三种类型的阻尼器在交流系统中都会有功率损耗。假设滤波器输入有效值（均方根）电压和电流在基频 ω_1 时分别为 V 和 I。忽略基频时的滤波电感上的压降，RC 阻尼器的电压大致等于 V。基于上述条件，由阻尼电阻导致的功率损耗可由以下方程来计算，其中，R_0 是前面章节中定义的滤波器特征阻抗，ω_0 和 f_0 是滤波器的谐振频率。

$$\omega_0=\frac{1}{\sqrt{LC}},\qquad f_0=\frac{\omega}{2\pi}$$

$$\text{RC 并联阻尼器}\qquad P=\frac{V^2}{R_0}\times\frac{R_d}{R_0}\times\frac{1}{\left\|\frac{R}{R_0}+\frac{\omega_0}{jn\omega_1}\right\|^2}\tag{6.34}$$

$$\text{RL 并联阻尼器} \quad P = I^2 R_0 \frac{R_d}{R_0} \times \frac{1}{\left\| (1+n) + \frac{R_d}{R_0} \times \frac{\omega_0}{j\omega_1} \right\|^2} \tag{6.35}$$

$$\text{RL 串联阻尼器} \quad P = I^2 R_0 \frac{R_d}{R_0} \times \frac{1}{\left\| 1 + \frac{R_d}{R_0} \times \frac{\omega_0}{jn\omega_1} \right\|^2} \tag{6.36}$$

式（6.34）～式（6.36）由两项组成。第一项是归一化的阻尼电阻功率，第二项是基频和 n 的函数。之前章节中定义的优化阻抗也是 n 的函数。为比较三种阻尼方法，定义如下：

$$k_1\left(n, \frac{\omega_1}{\omega_0}\right) = \frac{R_d}{R_0} \times \frac{1}{\left\| \frac{R_d}{R_0} + \frac{\omega_0}{jn\omega_1} \right\|^2} \tag{6.37}$$

$$k_2\left(n, \frac{\omega_1}{\omega_0}\right) = \frac{R_d}{R_0} \times \frac{1}{\left\| (1+n) + \frac{R_d}{R_0} \times \frac{\omega_0}{j\omega_1} \right\|^2} \tag{6.38}$$

$$k_3\left(n, \frac{\omega_1}{\omega_0}\right) = \frac{R_d}{R_0} \times \frac{1}{\left\| 1 + \frac{R_d}{R_0} \times \frac{\omega_0}{jn\omega_1} \right\|^2} \tag{6.39}$$

功率损耗不仅取决于 n，还与 ω_1/ω_0 有关。

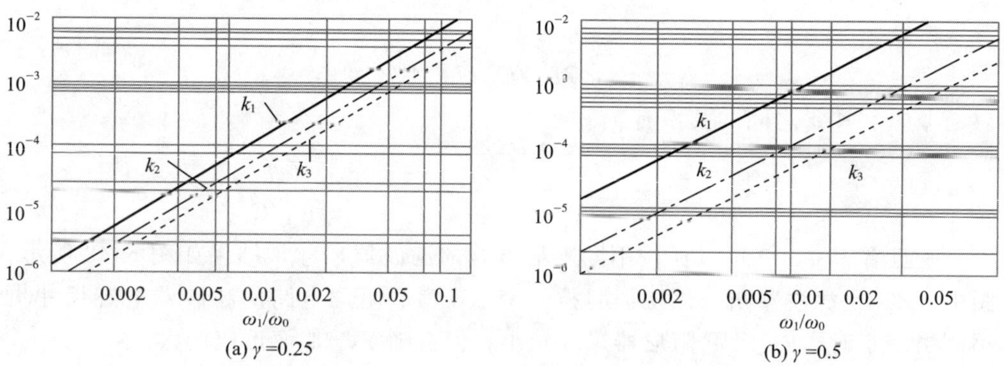

图 6.41　由式（6.37）～式（6.39）定义的功率损耗比例函数的比较

这些函数不依赖于输入电压和电流。为了公平比较阻尼效果 γ，根据式（6.27）、式（6.30）和式（6.33）中的定义，用 γ 来代替式（6.37）～式（6.39）中的 n。图 6.41 比较了不同频率及两个不同 γ 值下的 3 个函数。正如图 6.41 所示的那样，RL 串联阻尼器比 RL 并联阻尼器的效率更高。虽然 k_1 总是比 k_2 和 k_3 更大，但同 RC 并联阻尼器比较，必须考虑到式（6.34）～式（6.36）的不同比例因子。因此，如果基频处的负载阻抗能达到或高于无阻尼滤波器的特征阻抗，那么 RC 并联阻尼器效率就最低，这表明使用电感的阻尼器效率在轻载时的效率更高。

（3）带阻尼电路的滤波器尺寸

下面将比较带不同阻尼电路的 LC 滤波器的尺寸。该比较基于一个假设，即滤波器有同样的衰减幅值，阻尼器具有同样的阻尼效果 γ。

假设滤波器有电感 L_0 和电容 C_0。为了公平比较，阻尼电感必须保持原来滤波器的衰减幅值，同时在波谷处提供同样的阻抗 Z_{d0}。我们用滤波器电容和阻尼器电容的总和 $C+C_d$ 与原来滤波器的电容 C_0［对于有电感的阻尼电路来说，其比值为（$L+L_d$）$/L_0$］的比值来衡量滤波器和阻尼器的尺寸。当滤波器采用 RC 并联或 RL 串联阻尼器时，滤波器的电感 L 和电容 C 不需要改变就能保持同样的衰减量，这两种情况的阻尼效应是一样的：

$$\gamma=\frac{Z_{d0}}{\sqrt{L_0/C_0}}$$

阻尼电容或电感可以用式（6.24）和式（6.33）来计算。

在 RL 并联阻尼器情况中，滤波器电感必须从 L_0 开始增加以保持同样的衰减量，因为有效电感是 L_d 和 L_f 的并联。电容不需改变，滤波器最终电感和电容是：

$$L=\left(1+\frac{1}{n}\right)L_0,\quad L_d=(1+n)L_0,\quad C=C_0$$

阻尼效果 γ 和 n 的关系也变为：

$$\gamma=\frac{Z_{d0}}{\sqrt{L_0/C_0}}\sqrt{\frac{n}{n+1}}$$

考虑 γ 和 n 之间的关系有：

$$n=\frac{-2\gamma_0^2+\sqrt{4\gamma_0^4+16\gamma_0^2}}{8\gamma_0^2},\quad \gamma_0=\frac{Z_{d0}}{\sqrt{L_0/C_0}}$$

一旦有了 n，就可以比较不同阻尼电路的滤波器尺寸，结果如图 6.42 所示。图中，Z_{d0} 是滤波器归一化特征阻抗。带 RL 串联阻尼电路的滤波器电感尺寸更小。当 γ 小时，RC 并联阻尼器尺寸较小，但会随 γ 增加而迅速增大。

（4）两种优化方式阻抗的差异

已有研究中给出了最小化滤波器输出阻抗峰值的阻尼电阻的计算公式：

RC 并联阻尼器 $$\frac{R}{R_0}=\frac{1}{n}\sqrt{\frac{(n+2)(3n+4)}{2(n+4)}}$$

RL 并联阻尼器 $$\frac{R}{R_0}=\sqrt{\frac{n(2n+1)(4n+3)}{2(4n+1)}}$$

RL 串联阻尼器 $$\frac{R}{R_0}=\frac{n+1}{n}\sqrt{\frac{2(n+1)(n+4)}{(n+2)(3n+4)}}$$

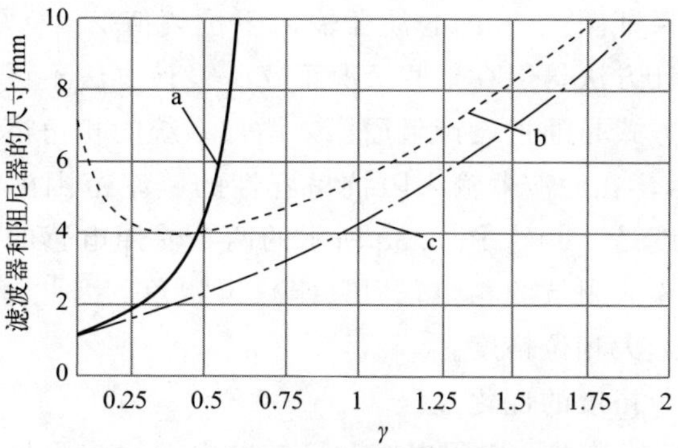

图 6.42 不同阻尼电路的滤波器尺寸

a—$\frac{C_d+C}{C_0}$，RC 并联阻尼；b—$\frac{L_d+L}{L_0}$，RL 并联阻尼；c—$\frac{L_d+L}{L_0}$，RL 串联阻尼

下面比较式（6.25）、式（6.28）和式（6.31）中定义的为了最小化滤波器输入阻抗波谷的阻尼电阻计算公式。图 6.42 显示了在不同 n 处的最优阻尼电阻的比值。从图 6.43 中看出，使输入阻抗波谷处最小化的最优阻尼电阻总是大于使输出阻抗峰值最小化的最优阻尼电阻。当 n 较小时，除 RC 并联阻尼器两条曲线部分重合外（$n<0.5$），其余曲线均不重合。尽管方法类似，但最终计算结果不能满足对输入阻抗和输出阻抗同时为最优。换句话说，用 RL 并联阻尼电路来获得两种优化方案相对容易。

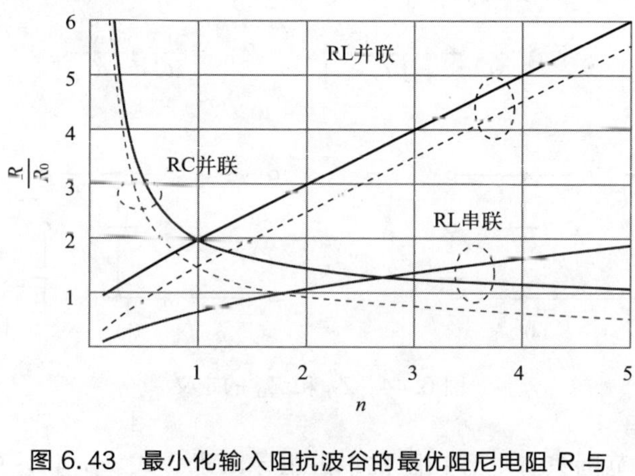

图 6.43 最小化输入阻抗波谷的最优阻尼电阻 R 与最小化输出阻抗峰值的最优阻尼电阻 R_0

6.3.5 最大化相角裕度的阻尼设计

前面的讨论主要集中于设计阻尼器，其目的是使滤波器输入阻抗波谷或输出

阻抗峰值最小化。保证图 6.35 的滤波器输入阻抗幅值 Z_{in} 总是高于 Z_0，是确保系统稳定的传统设计方法，但在某些情况下这一设计方法不可能实现。除此之外还有一种可选择的方式是通过设计阻尼器来增加系统的相角裕度。

如图 6.35 所示，在滤波器输入阻抗呈容性的频率范围内，系统很有可能不稳定。因为相角裕度是$-90°$。图 6.38 所示的两个使用电感的阻尼器在感性频率范围内影响滤波器输入阻抗的相角，但只能减小相角。因此，只有 RC 并联阻尼器能用来设计系统最大相位裕度。

(1) 最大化相角裕度的优化过程

对于给定的 LC 滤波器、阻尼电容和已知的电源输出阻抗来说，优化的目标是选择最优阻尼电阻来获得最大相角裕度。为了使问题得以简化，假定电源输出阻抗幅值是线性的，在电源和滤波器幅值相交点处相角不会发生变化。

Middlebrook 的特别元定理能描述阻尼器对滤波器输入阻抗的影响。假定 RC 阻尼器（C_d 和 R_d）与滤波器电容 C_f 并联，我们把阻尼电阻 R_d 看成一个额外的分流元件。在这种情况下，滤波器阻抗 Z_{if} 可看成 R_d 的函数：

$$Z_{if}(R_d)=Z_{if}(\infty)\frac{R_d+Z_N}{R_d+Z_D},\quad Z_{if}(\infty)=\frac{s^2LC+1}{sC} \tag{6.40}$$

$Z_{if}(\infty)$ 是输入阻抗，当 R_d 无穷大时，$Z_{if}(\infty)$ 由滤波器决定而不受阻尼器的影响。如图 6.44 所示，当滤波器输入端短路或开路时，从电阻两端看过去的两个阻抗是 Z_N 和 Z_D，容易得出 Z_N 和 Z_D 为：

$$Z_N=\frac{1}{sC}+\frac{sL}{s^2LC+1},\quad Z_D=\frac{1}{sC}+\frac{1}{sC_d} \tag{6.41}$$

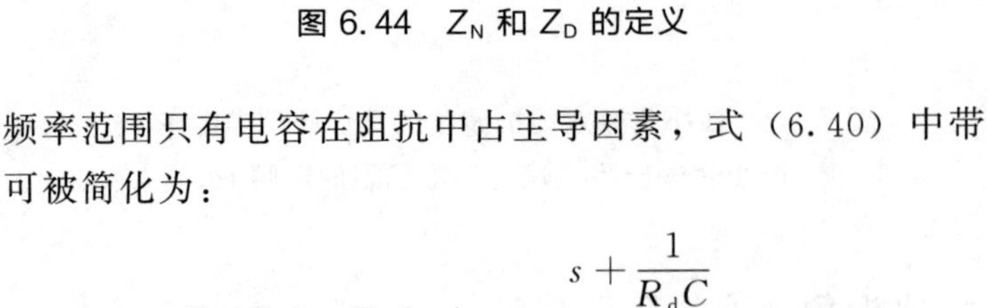

图 6.44 Z_N 和 Z_D 的定义

因为在频率范围只有电容在阻抗中占主导因素，式 (6.40) 中带阻尼的滤波器输入阻抗可被简化为：

$$Z_{if}(R_d)=Z_{if}(\infty)\frac{s+\dfrac{1}{R_dC}}{s+1/\left(R_d\dfrac{CC_d}{C+C_d}\right)} \tag{6.42}$$

式（6.42）中阻尼器与超前-滞后补偿的作用一样。

正如研究中描述的，超前-滞后补偿能用折线段来大致近似，最大相角裕度出现在20dB/dec中频段。图6.45中，这个最大相角裕度点用M来表示。因此，在f_1和f_2的中间设置电源阻抗和滤波器输入阻抗的交点可获得最优阻尼电阻。因为从阻抗测量中可以读出f_1和f_2，优化问题变成了选择阻尼电阻以使f或ω处相角裕度最大化，这里$f=\sqrt{f_1 f_2}$，$\omega=2\pi f$。式（6.40）说明了阻尼器如何影响相角，假设R_d+Z_N和R_d+Z_D的角度分别是θ_N和θ_D。优化目标是在ω处，选择阻尼电阻来最大化$\theta_N-\theta_D$，然而，这个值难以计算出来，因此，用求$\tan(\theta_N-\theta_D)$的最大值来代替，也就等于求解$\theta_N-\theta_D$的最大值。由式（6.40）和式（6.41），θ_N和θ_D的正切值计算如下：

$$\begin{aligned}\tan\theta_N &= \frac{1}{R_d}\left(\frac{\omega L}{1-\omega^2 LC}-\frac{1}{\omega C_d}\right)=\frac{A}{R_d}\\ \tan\theta_D &= \frac{1}{R_d}\left(-\frac{1}{\omega C}-\frac{1}{\omega C_d}\right)=\frac{B}{R_d}\end{aligned} \tag{6.43}$$

其中

$$A=\frac{\omega L}{1-\omega^2 LC}-\frac{1}{\omega C_d},\quad B=-\frac{1}{\omega C}-\frac{1}{\omega C_d}$$

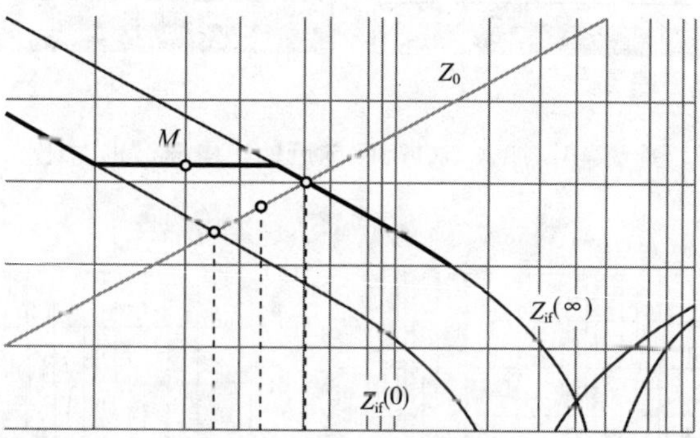

图6.45 最大相角裕度点处的阻抗匹配

用折线段（粗黑线）表示近似的阻尼效果；Z_0是电源输出阻抗

因此

$$\tan(\theta_N-\theta_D)=\frac{R_d(A-B)}{R_d^2+AB} \tag{6.44}$$

$\tan(\theta_N-\theta_D)$的最大值可通过求解式（6.45）来得到：

$$\frac{\mathrm{d}\tan(\theta_N-\theta_D)}{\mathrm{d}R_d}=0 \tag{6.45}$$

其中

$$R_d=\sqrt{AB} \tag{6.46}$$

（2）试验结果

本节通过试验来验证前面提出的设计方法，无阻尼 LC 滤波器使用 17μH 电感和 1.5μF 电容。首先通过编程设定让电源输出频率为 50Hz，电源输出电压如图 6.46（a）所示，交流输出电压被钳位在 10V，输出电压频率固定在 14.4kHz，这和设定的 50Hz 不吻合。为了确定引起这种不稳定现象的原因，测量了交流电源输出阻抗和 LC 滤波器输入阻抗，如图 6.47 所示。从图中可以看出，两个阻抗相交于 14kHz 附近，在 14.4kHz 附近相位裕度接近零［两个阻抗相位差接近（−90°）−90°=−180°］，导致系统不稳定。根据奈奎斯特判据，系统处于不稳定状态。由此可以推断出，LC 滤波器与电源之间的相互作用导致了交流输出的异常。

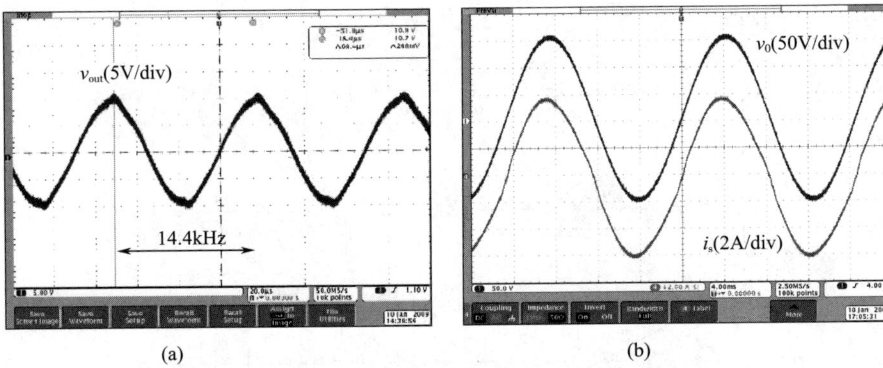

图 6.46 加入 RC 阻尼前后输出电压波形对比

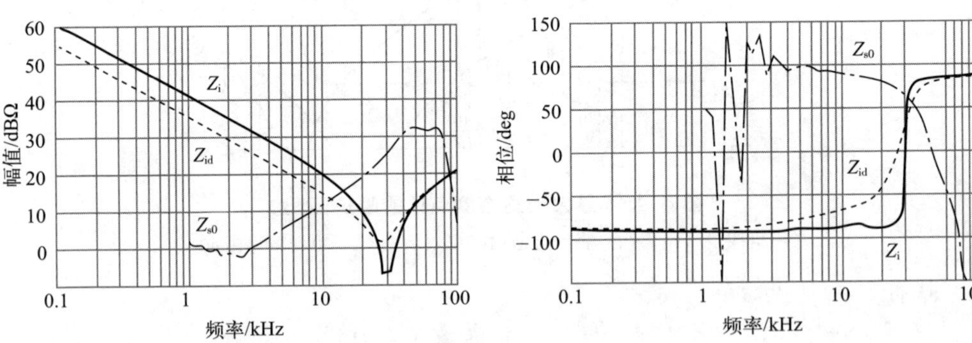

图 6.47 交流电源输出阻抗和 LC 滤波器（L=17μH，C=1.5μF）输入阻抗

Z_i—无阻尼滤波器输入阻抗；Z_{s0}—交流电源输出阻抗；Z_{id}—RC 阻尼滤波器输入阻抗

虽然滤波器输入阻抗波谷在 30kHz 处并没有之前说的相互作用，但从图 6.47 中可以看出，无阻尼谐振使得在低于 30kHz 的滤波器阻抗的相频特性始

终保持−90°。在上述频段（小于 30kHz）处测得的电源输出阻抗呈感性，其呈现 90°的相移，所以实际上在该频率处已经没有相位裕度了，显而易见，由于 14.4kHz 附近相位裕度接近零，导致了系统的不稳定。通过给滤波器增加阻尼来改善输入阻抗波谷附近的相频特性，增加相位裕度以提高系统稳定性。图 6.47 中的虚线是添加 RC 并联阻尼器后的滤波器输入阻抗的响应曲线，选择 RC 并联阻尼器来实现上述目标，阻尼电容等于滤波电容，$n=1$，通过式（6.25）计算得到阻尼电阻等于 1.95R_0（即 6.57Ω），加入阻尼器后使电源与滤波器阻抗间的作用频率下降到 12kHz，在该频率处的相位差大约−150°，这说明系统具有 30°的相位裕度，从而保证系统是稳定的。图 6.46（b）是增加阻尼器后电源的输出电压和电流波形，可以看出阻尼器有效地解决了系统不稳定的问题。

直流电源系统稳态时阻尼器上不通过电流，而在交流电源系统阻尼电阻上始终有电流流过。在上述例子中，当电源输出电压有效值为 230V（50Hz）时，流过阻尼电阻的电流大约 60mA，在阻尼电阻上的功率损耗大约 110mW。尽管这个大小的损耗相对于电源来说可以忽略不计，但是它们是按基频平方关系成比例增加的。比如在 800Hz 基频时，功率损耗接近 20W，会引起整个系统效率的下降及阻尼器件的热应力（发热）。完全分离滤波器输入阻抗和电源输出阻抗间的相互作用是不可能实现的，系统的稳定有时不得不依赖在阻抗作用点的相位裕度的提高。

在图 6.47 中，两个阻抗的第 2 个交点在 90kHz，两个阻抗相位差大于 180°。在这个频率附近逆变器的开关频率（100kHz）高于电源的开关频率。因此测得的阻抗响应是不可靠的，而且无法用它来预测在这一高频率处的系统行为。

参考文献

[1] 汪泉弟，郑亚利．电动汽车的电磁兼容原理、仿真模型及建模技术［M］．北京：科学出版社，2017.

[2] 林程．电动汽车工程手册：纯电动汽车整车设计［M］．北京：机械工业出版社，2019.

[3] 贡俊．电动汽车工程手册：驱动电机与电力电子［M］．北京：机械工业出版社，2019.

[4] 王洪武，张戟，杨腾飞．电动汽车驱动系统 EMC 问题研究现状［J］．电子测量技术，2011，34（6）：18-22.

[5] 张戟，生玲．交流感应电机驱动系统电磁兼容设计［J］．佳木斯大学学报：自然科学版，2013，31（3）：333-337.

[6] 张戟，王洪武，蔡浩雄．电动汽车驱动系统 EMC 仿真研究［J］．汽车工程，2014，36（5）：580-585.

[7] 张戟，蔡浩雄，王洪武．燃料电池轿车驱动电机电磁噪声的实验研究［J］．汽车工程，2013（2）：184-187.

[8] Zhang J，Liao Z，Sun Z. Electric Vehicle Behavioral Modeling Methods for Motor Drive System EMI Design Optimization［R］．SAE Technical Paper，2015，No. 2015-01-1204.

[9] 张戟，韩发娟．燃料电池轿车用驱动电机传导发射测试分析［J］．佳木斯大学学报（自然科学版），2012，30（4）：481-484.

[10] 陈斌，夏微微，高节．天线电磁兼容技术探讨［J］．安全与电磁兼容，2019（2）：83-87.

[11] 代林刚，张良力，严运兵．驾驶工况下电动汽车动力线缆电磁辐射仿真［J］．现代电子技术，2021（5）：98-102.

[12] 曹先贵，王毅．电动汽车电机驱动系统 EMC 设计及测试研究［J］．汽车实用技术，2021，46（15）：14-17.

[13] 田金标．新能源汽车线束布置方案及 EMC 防护［J］．现代制造技术与装备，2017（12）：84，86.

[14] 郑玲．电动汽车电机驱动系统 EMC 研究综述［J］．汽车工程学报，2014，4（5）：319-327.

[15] YEO H Y. Addressing EMC challenges in electric vehicle supply equipment［J］．Microwave Journal，2021（9）：62-68.

[16] Zhang J，Lv X. Research on Modeling Method of Conducted Emissions Simulation for DC Brush Motors［R］．SAE Technical Paper，2020，No. 2020-01-1372.

[17] Zhang J，Lv Y，Shen M. The Dynamic Electromagnetic Distribution and Electromagnetic Interference Suppression of Smart Electric Vehicle［R］．SAE Technical Paper，2019，No. 2019-01-1061.

[18] Zhang J，Shen M，Zhao X. Study on the Effect of Inverter Modulation Methods and Operating Condition on Common Mode EMI for Motor Drive System［R］．SAE Technical Paper，

2017，No. 2017-01-1223.

[19] Zhang J，Lv Y. High Frequency Impedance and Electromagnetic Interference Suppression of Lithium-Ion Power Battery Pack [R]. SAE Technical Paper，2019，No. 2019-01-1060.

[20] 毛晓娟．电动汽车电磁干扰的分析与抑制 [J]. 时代汽车，2021 (17)：145-146.

[21] 左凌宇．基于等效模型电动汽车电磁辐射仿真分析 [J]. 内燃机与配件，2021 (17)：44-47.

[22] 黎小娇，雷剑梅，高阳春，等．汽车电磁仿真技术与应用 [J]. 电波科学学报，2020，35 (增刊)：157-166.